A ma "fi[...]
Kara,
sa marraine française

The Man who would be King
and Other Short Stories

Came 5 V 92

A défaut de trouver
des classiques français
traduits en anglais,
voici un classique
british traduit en
frog.

LES LANGUES MODERNES / BILINGUE
Série anglaise dirigée par Pierre Nordon

RUDYARD KIPLING

The Man who would be King
and Other Short Stories

L'homme qui voulait être roi
et autres nouvelles

Traduction et notes de Marie-Françoise Cachin
Agrégée de l'Université
Maître de conférences à l'Université de Paris VII

Enregistrement sur cassette

Le Livre de Poche

Sommaire

Introduction

Les six textes rassemblés dans ce recueil furent tous rédigés au cours de la période que Kipling passa en Inde d'octobre 1882 à mars 1889. Il ne devait retourner ensuite dans ce pays que pour quelques brèves visites.

Né à Bombay en 1865, Rudyard Kipling vécut en Angleterre de 1871 à 1882. Durant les six premières années à Southsea, où il fut en pension chez le capitaine et Mrs. Holloway, l'enfant, maltraité et souffrant d'être séparé de ses parents, subit un traumatisme psychologique certain. Plus agréable et plus gratifiant fut le séjour au United Services College de Westward Ho!, dans le Devon, où Kipling fit ensuite ses études.

De retour en Inde, à Lahore, où son père était conservateur du musée de la ville, le jeune homme, âgé d'à peine dix-sept ans, travailla alors comme secrétaire de rédaction à la *Civil and Military Gazette*, journal local dans lequel il commença bientôt à publier poèmes, nouvelles et récits.

C'est dans ce magazine que parurent successivement « La Porte des Cent Douleurs » le 26 septembre 1884, « Le Sauvetage de Pluffles » le 19 novembre 1886, « Le Germicide » le 17 mai 1887 et « Fausse Aurore » le 19 novembre 1888, plus tard regroupés dans le volume intitulé *Simples Contes des collines*. « Le Pousse-pousse fantôme » fut publié en décembre 1885 dans *Quartette*, supplément de Noël de la *Civil and Military Gazette* dont les auteurs étaient tous membres de la famille Kipling, et cette nouvelle servit de titre à l'ouvrage qui parut en décembre 1888, où se trouve également « L'homme qui voulait être roi ».

Profondément marqués par l'Inde, ces six récits constituent un échantillon très complet de l'art de Kipling conteur. Car raconter une histoire est son objectif premier. Raconter une histoire, c'est-à-dire capter l'attention du lecteur dont il attend qu'il soit à la fois un « auditeur » et un juge. C'est pourquoi souvent, pour plus de crédibilité, il présente le récit qui va suivre comme réel, vécu, authentique, en faisant appel comme narrateur à celui qui l'aurait vécu. Mais le ton qu'il lui donne, tantôt comique, tantôt tragique, porte bien la marque de l'auteur.

Trois des textes présentés ici, « Fausse Aurore », « Le Germicide » et « Le Sauvetage de Pluffles », sont de véritables petites comédies. Les personnages qu'elles mettent en scène sont campés dès le début avec une économie de moyens remarquable. Autour de ceux-ci, un environnement social toujours identique et dont le rôle est primordial : la communauté des Anglais en Inde. Simla, où se déroulent plusieurs des nouvelles de Kipling, était bien connue des lecteurs auxquels il s'adressait. Petite ville de l'Himalaya qui devenait l'été la capitale de l'Inde car s'y transportaient alors le Vice-Roi et tous les résidents anglais, Simla constitue un microcosme qui sert de toile de fond à l'histoire qui va suivre et que l'écrivain prend plaisir à nous représenter avec un regard non dénué d'ironie.

Les trois autres textes du recueil sont d'une teneur plus dramatique : l'atmosphère y est lourde, l'histoire oppressante et l'issue fatale.

La brièveté de « La Porte des Cent Douleurs » contribue sans nul doute à la force et à l'intensité qui se dégagent de l'histoire de l'opiomane Gabral Misquitta, enfermé dans l'univers clos de la fumerie où il attend une mort qu'il sait inéluctable.

Tragique également, la longue nouvelle intitulée « L'homme qui voulait être roi », dans laquelle Kipling utilise son expérience de la franc-maçonnerie, dont il fut membre à partir de 1885. Force et intensité sont les caractéristiques de cette aventure empreinte de violence et de cruauté dont les deux « héros » ont un langage, une présence et une stature inoubliables.

Enfin, « Le Pousse-pousse fantôme » illustre l'intérêt avéré de Kipling pour le fantastique et le surnaturel. Commencée sur le mode ironique, cette nouvelle entraîne progressivement le lecteur dans un monde de ténèbres que l'utilisation habile du suspense, les alternances d'espoir et de désespoir, le contraste entre le monde réel et les apparitions fantastiques rendent d'autant plus menaçant et angoissant.

À travers ce choix de nouvelles, Kipling apparaît comme un témoin privilégié et authentique, un observateur amusé de la vie des Anglais dans ce pays grâce auquel la reine Victoria reçut en 1876 le titre d'Impératrice des Indes.

Mais ces récits d'une époque révolue restent avant tout des œuvres de fiction où le jeune écrivain se révèle comme un virtuose de cette forme littéraire où excellent les Britanniques : la nouvelle.

Rudyard Kipling reçut le prix Nobel de littérature en 1907 : il avait à peine 42 ans.

Marie-Françoise Cachin.

Bibliographie succincte :

1888 : *Plain Tales from the Hills* (Simples Contes des collines) ; 1891 : *The Light that Failed* (La Lumière qui s'éteint) ; 1894 : *The Jungle Book* (Le Livre de la jungle) ; 1897 : *Captains Courageous* (Capitaines courageux) ; 1901 : *Kim* ; 1902 : *Just So Stories* (Histoires comme ça) ; 1906 : *Puck of Pook's Hill* (Puck lutin de la colline).

The Rescue of Pluffles

Le Sauvetage de Pluffles

Thus, for a season, they fought it fair —
  She and his[1] cousin May —
Tactful, talented, debonnair,
  Decorous foes were they;
But never can battle of man compare
  With merciless feminine fray.

                    Two and One[2]

Mrs. Hauksbee[3] was sometimes nice to her own sex. Here is a story to prove this; and you can believe[4] just as much as ever you please.

Pluffles was a subaltern[5] in the 'Unmentionables[6]'. He was callow, even for a subaltern. He was callow all over — like a canary that had not finished fledging itself. The worst of it was that he had three times as much money as was good for him; Pluffles' Papa being a rich man, and Pluffles being the only son. Pluffles' Mamma adored him. She was only a little less callow than Pluffles, and she believed everything he said.

Pluffles' weakness was not believing what people said. He preferred what he called trusting to his own judgment. He had as much judgment as he had seat or hands[7], and this preference tumbled[8] him into trouble once or twice. But the biggest trouble Pluffles ever manufactured came about at Simla[9] —some years ago, when he was four-and-twenty.

He began by trusting to his own judgment as usual, and the result was that, after a time, he was bound hand and foot to Mrs. Reiver's 'rickshaw wheels.

---

1. **his** : renvoie à un masculin, mais la citation ne permet pas de savoir de qui il s'agit.

2. **Two and One** : Kipling aime commencer ses nouvelles par une citation ou quelques vers en exergue qui donnent le ton du texte qui va suivre.

3. **Mrs. Hauksbee** : personnage que l'on retrouve dans diverses nouvelles des *Simples Contes des collines*, personnalité éminente de la petite société anglo-indienne.

4. **you can believe** : Kipling interpelle souvent le lecteur de la sorte au début de ses textes.

5. **subaltern** : grade de l'armée britannique inférieur au grade de capitaine.

Ainsi, toute une saison, elles se sont battues loyalement,
Sa cousine May et elle —
Pleines de tact et de talent, débonnaires,
Ce furent des ennemies correctes.
Mais aucune bataille d'hommes ne pourra jamais se comparer
A la lutte impitoyable des femmes.

Deux et Un

Mrs. Hauksbee faisait parfois preuve de gentillesse à l'égard des personnes de son propre sexe. Cette histoire en fournira la preuve ; et vous pouvez n'en croire que ce qui vous plaira.

Pluffles était sous-lieutenant chez les ''Innommables''. Même avec ce rang-là, c'était un blanc-bec qui manquait totalement d'expérience, comme un canari qui n'a pas encore toutes ses plumes. Pire de tout, il possédait trois fois plus d'argent qu'il ne lui en fallait pour son bien, car son Papa avait de la fortune et Pluffles était fils unique. Sa Maman l'adorait. Elle n'avait guère plus d'expérience que Pluffles et elle croyait tout ce qu'il lui disait.

La faiblesse de Pluffles consistait à ne pas croire ce qu'on lui racontait. Il préférait, selon son expression, faire confiance à son propre jugement. Or il en possédait autant que de tenue en selle, et cette préférence lui valut de se fourrer une ou deux fois dans des difficultés. Mais le pire problème que Pluffles ait jamais créé survint à Simla il y a quelques années, quand il avait vingt-quatre ans.

Il commença, suivant son habitude, par faire confiance à son propre jugement, en conséquence de quoi il se retrouva au bout d'un certain temps pieds et poings liés aux roues du pousse-pousse de Mrs. Reiver.

---

6. **'Unmentionables'** : nom de régiment imaginaire et ironique.

7. **seat or hands** : l'image vient de l'équitation et fait allusion à la manière de se tenir à cheval.,

8. **to tumble** : *dégringoler.*

9. **Simla** : petite ville de l'Himalaya où la colonie britannique se réfugiait pendant la saison chaude.

There was nothing good about Mrs. Reiver[1], unless it was her dress. She was bad from her hair —which started life on a Brittany girl's head[2]— to her boot-heels, which were two and three-eighths inches[3] high. She was not honestly mischievous like Mrs. Hauksbee. She was wicked in a business-like way.

There was never any scandal —she had not generous impulses enough for that. She was the exception which proved the rule that Anglo-Indian ladies are in every way as nice as their sisters[4] at Home[5]. She spent her life in proving that rule.

Mrs. Hauksbee and she hated each other fervently[6]. They hated far too much to clash; but the things they said of each other were startling —not to say original. Mrs. Hauksbee was honest —honest as her own front teeth[7]— and, but for her love of mischief, would have been a woman's woman. There was no honesty about Mrs. Reiver; nothing but selfishness. And at the beginning of the season poor little Pluffles fell a prey to her. She laid herself out to that end, and who was Pluffles to resist? He trusted to his judgment, and he got judged.

I have seen Captain Hayes[8] argue with a tough horse —I have seen a tonga-driver[9] coerce a stubborn pony— I have seen a riotous setter broken to gun by a hard keeper

---

1. **Mrs. Riever** : en quatre phrases brèves, Kipling brosse le portrait de cette femme chez qui tout est négatif. À noter également l'utilisation d'épithètes de plus en plus péjoratives.

2. **girl's head** : en d'autres termes, Mrs. Riever porte une perruque...

3. **inches** : un **inch** mesure 2,54 centimètres.

4. **Anglo-Indian ladies... sisters** : Kipling fait ici allusion à la rivalité qui existait entre la société anglo-indienne et la métropole.

5. **Home** : ici, avec une majuscule, la Mère patrie, donc la métropole par rapport à l'Inde.

6. **fervently** : après avoir fait un bref portrait des deux femmes, l'écrivain aborde maintenant leurs relations. On notera l'utilisation ironique de l'adverbe **fervently**.

Il n'y avait rien de plaisant chez Mrs. Reiver, excepté ses tenues vestimentaires. Sa méchanceté allait de la racine de ses cheveux — dont la vie commença sur la tête d'une fillette en Bretagne — jusqu'aux talons de ses bottines, hauts de six centimètres. Elle n'était pas sincèrement méchante comme Mrs. Hauksbee. Elle était professionnellement malfaisante.

Pas question jamais de scandale, car elle manquait trop d'impulsions généreuses pour cela. Elle était l'exception qui confirme la règle selon laquelle les dames anglo-indiennes ont à tous égards autant de charme que leurs sœurs de la métropole. Elle passa toute sa vie à confirmer cette règle.

Mrs. Hauksbee et elle se détestaient cordialement. Elles se haïssaient bien trop pour qu'un incident éclate, mais les propos qu'elles tenaient l'une sur l'autre étaient surprenants, pour ne pas dire originaux. Mrs. Hauksbee était honnête — aussi honnête que ses dents de devant — et sans son amour de la méchanceté, elle aurait été une femme admirable. On ne trouvait aucune honnêteté chez Mrs. Reiver, mais seulement de l'égoïsme. Et au début de la saison, le pauvre petit Pluffles devint sa proie. Elle se mit en quatre pour parvenir à cet objectif, et qui était donc Pluffles pour lui résister ? Il faisait confiance à son propre jugement et il se fit juger.

J'ai vu le capitaine Hayes dresser un cheval rétif. J'ai vu un cocher de tonga faire plier un poney récalcitrant. J'ai vu un chien d'arrêt dressé au fusil par un garde-chasse inflexible.

---

7. **honest as her own front teeth** : nouvelle comparaison originale de Kipling, **own** qui veut dire *à soi, siennes*, suggérant l'idée qu'elle a un dentier...

8. **Captain Hayes** : le personnage a réellement existé, Kipling lui a consacré deux articles dans la **Civil and Military Gazette** en 1886. C'était un expert en matière de dressage de chevaux et d'équitation.

9. **tonga** : petite voiture légère utilisée souvent en Inde.

—but the breaking-in of Pluffles[1] of the 'Unmentionables' was beyond all these. He learned[2] to fetch and carry like a dog[3], and to wait like one, too, for a word from Mrs. Reiver. He learned to keep appointments which Mrs. Reiver had no intention of keeping. He learned to take thankfully dances which Mrs. Reiver had no intention of giving him. He learned to shiver[4] for an hour and a quarter on the windward side of Elysium[5] while Mrs. Reiver was making up her mind to come for a ride. He learned to hunt for a 'rickshaw, in a light dress-suit under pelting rain, and to walk by the side of that 'rickshaw when he had found it. He learned what it was to be spoken to like a coolie and ordered about like a cook. He learned all this and many other things besides. And he paid for his schooling[6].

Perhaps, in some hazy[7] way, he fancied that it was fine and impressive, that it gave him a status among men, and was altogether the thing to do. It was nobody's business to warn Pluffles that he was unwise. The pace that season was too good to inquire; and meddling with another man's folly[8] is always thankless work. Pluffles' Colonel should have ordered him back to his Regiment[9] when he heard how things were going. But Pluffles had got himself engaged to a girl in England the last time he went Home; and, if there was one thing more than another that the Colonel detested, it was a married subaltern.

---

1. **the breaking in of Pluffles** : trois exemples, illustrant tous la même idée de domptage, ne sont pas de trop pour aborder la description des relations de Mrs. Reiver avec le jeune homme.

2. **he learned** : le verbe sera utilisé sept fois au cours du paragraphe !

3. **like a dog** : cette comparaison, comme les deux suivantes, décrit la situation de servilité dans laquelle se trouvait Pluffles.

4. **to shiver** : les souffrances endurées par Pluffles sous la férule de Mrs. Reiver sont non seulement morales, mais physiques.

5. **Elysium** : colline située au nord de la ville de Simla.

6. **schooling** : ce mot reprend l'idée exprimée par la série des « he learned » et assimile Pluffles à un jeune écolier.

Mais le dressage de Pluffles, du régiment des Innommables, surpassa tous ces exemples. Il apprit à aller chercher et à rapporter comme un chien et, comme l'un d'eux également, à attendre un mot de Mrs. Reiver. Il apprit à aller à un rendez-vous auquel Mrs. Reiver n'avait aucune intention de se rendre. Il apprit à accepter avec reconnaissance les danses que Mrs. Reiver ne projetait en aucune façon de lui accorder. Il apprit à frissonner pendant un quart d'heure sur le versant exposé au vent de l'Elysium tandis que Mrs. Reiver hésitait à sortir se promener à cheval. Il apprit à partir à la recherche d'un pousse-pousse sous la pluie battante, vêtu d'un costume léger, et à marcher à côté de ce pousse-pousse après l'avoir trouvé. Il apprit à se faire traiter comme un coolie et à recevoir des ordres comme un cuisinier. Il apprit tout cela et bien d'autres choses encore. Et cet apprentissage lui coûta cher.

Peut-être s'imaginait-il vaguement que cette relation était quelque chose de bien, d'imposant, qu'elle lui donnait un statut social et qu'il fallait absolument se comporter de la sorte. Personne n'avait à se charger d'avertir Pluffles de son imprudence. La saison allait trop bon train pour poser des questions ; et se mêler des sottises d'autrui est toujours tâche ingrate. Quand le colonel de Pluffles eut vent de ce qui se passait, il aurait dû le renvoyer dans son régiment. Mais Pluffles s'était fiancé à une jeune fille anglaise lors de son dernier séjour en métropole ; et s'il existait une chose que le colonel détestait plus que tout, c'était un sous-lieutenant marié.

---

7. **hazy** : cf. **haze** : *brume*.

8. **folly** : de manière indirecte, Kipling suggère ici d'une part la stupidité du jeune homme, d'autre part l'attitude de réserve délibérée ou d'indifférence amusée des témoins des événements.

9. **ordered him back to his Regiment** : littéralement : *lui donna l'ordre de retourner dans son régiment.*

He chuckled[1] when he heard of the education of Pluffles, and said it was good training[2] for the boy. But it was not good training in the least. It led him into spending money beyond his means, which were good; above that, the education spoilt an average boy and made him a tenth-rate man of an objectionable[3] kind. He wandered into a bad set, and his little[4] bill at the jewellers' was a thing to wonder at.

Then Mrs. Hauksbee rose to the occasion. She played her game alone, knowing what people would say of her[5]; and she played it for the sake of a girl she had never seen. Pluffles' *fiancée* was to come out, under chaperonage of an aunt, in October, to be married to Pluffles.

At the beginning of August Mrs. Hauksbee discovered that it was time to interfere. A man who rides[6] much knows exactly what a horse is going to do next before he does it. In the same way, a woman of Mrs. Hauksbee's experience knows accurately how a boy will behave under certain circumstances —notably when he is infatuated with one of Mrs. Reiver's stamp[7]. She said that, sooner or later, little Pluffles would break off that engagement[8] for nothing at all —simply to gratify Mrs. Reiver, who, in return, would keep him at her feet in her service just so long as she found it worth her while. She said she knew the signs of these things. If she did not no one else could[9].

---

1. **to chuckle** : *rire en se moquant ; glousser* (pour une poule).

2. **education... training** : reprise du thème de l'éducation, du dressage. **Training** : *formation, entraînement ;* **training-period** : *stage.*

3. **objectionable** : *désobligeant, répréhensible.*

4. **little** : *ironique bien entendu.*

5. **what people would say of her** : Mrs. Hauksbee apparaît un peu ici comme « seule contre tous ». La phrase fait aussi allusion aux risques qu'elle prend face à un entourage prêt à la critiquer en cas d'échec.

6. **A man who rides** : Kipling affectionne ce genre de phrase métaphorique chargée de signification morale. On retrouve l'image du cheval rétif évoquée précédemment.

7. **stamp** : *timbre, empreinte, trempe.*

Il rit de bon cœur quand il entendit parler de l'éducation de Pluffles et déclara que le garçon subissait là un bon dressage. Mais ce n'était pas du tout le cas, car le jeune homme en était contraint à vivre au-dessus de ses moyens, pourtant corrects. Surtout, cette éducation le gâtait et transformait un garçon moyen en un homme de dixième catégorie et d'un genre inacceptable. Il fréquentait des gens peu recommandables et le petit compte qu'il avait chez le bijoutier suscitait l'étonnement.

C'est alors que Mrs. Hauksbee se montra à la hauteur des circonstances. Elle joua seule la partie, en sachant pertinemment ce que les gens diraient à son sujet, et elle la joua pour l'amour d'une jeune fille qu'elle n'avait jamais vue. La fiancée de Pluffles devait faire son entrée dans le monde en octobre, chaperonnée par une de ses tantes, pour épouser Pluffles.

Au début du mois d'août, Mrs. Hauksbee comprit qu'il était temps d'intervenir. Un cavalier expérimenté sait exactement ce que va faire sa monture avant qu'elle ne réagisse. De la même manière, une femme riche de l'expérience de Mrs. Hauksbee connaît avec précision le comportement qu'aura un jeune homme dans certaines circonstances, notamment quand il s'est épris d'une personne de la trempe de Mrs. Reiver. Elle déclara que tôt ou tard le petit Pluffles romprait ses fiançailles sans aucun prétexte particulier, simplement pour faire plaisir à Mrs. Reiver qui en retour le garderait à ses pieds et à son service aussi longtemps qu'elle jugerait que cela valait la peine. Elle affirma reconnaître les signes d'une telle situation. Si elle ne les reconnaissait pas, personne d'autre ne le pouvait.

---

8. **engagement** : ici *fiançailles*. Quelques lignes plus bas, **engagement** est utilisé dans le sens d'*affrontement,* de *bataille*.

9. **if she did not, no one else could** : supériorité de Mrs. Hauksbee sur le plan psychologique.

Then she went forth to capture Pluffles under the guns[1] of the enemy; just as Mrs. Cusack-Bremmil[2] carried away Bremmil under Mrs. Hauksbee's eyes.

This particular engagement lasted seven weeks —we called it the Seven Weeks' War— and was fought out inch by inch on both sides. A detailed account would fill a book, and would be incomplete then. Any one who knows about these things can fit in the details for himself. It was a superb fight —there will never be another like it as long as Jakko Hill[3] stands— and Pluffles was the prize[4] of victory. People said shameful things about Mrs. Hauksbee. They did not know what she was playing for. Mrs. Reiver fought partly because Pluffles was useful to her, but mainly because she hated Mrs. Hauksbee, and the matter was a trial of strength between them. No one knows what Pluffles thought. He had not many ideas at the best of times[5], and the few he possessed made him conceited. Mrs. Hauksbee said, 'The boy must be caught; and the only way of catching him is by treating him well.'

So she treated him as a man of the world and of experience so long as the issue was doubtful. Little by little Pluffles fell away from his old allegiance[6] and came over to the enemy, by whom he was made much of. He was never[7] sent on outpost duty after 'rickshaws any more, nor was he given dances which never came off, nor were the drains[8] on his purse continued. Mrs. Hauksbee held him on the snaffle[9]; and, after his treatment at Mrs. Reiver's hands, he appreciated the change.

---

1. **under the guns** : début d'une série de termes et expressions militaires, illustrant la guerre que se livrent les deux femmes.
2. **Mrs. Cusack-Bremmil** : allusion à des personnages de la nouvelle **Three and an Extra**, qui fait partie des *Simples Contes des collines*.
3. **Jakko Hill** : montagne qui se trouve près de Simla.
4. **prize** : prix, récompense.
5. **not many ideas at the best of times** : bel exemple d'"**understatement**", outil classique de l'ironie qui permet d'atténuer en surface une remarque péjorative.

Pour récupérer Pluffles, elle avança donc sous les canons de l'ennemi, comme Mrs. Cusack-Bremmil avait enlevé Bremmil sous les yeux de Mrs. Hauksbee.

Cette bataille particulière dura sept semaines — nous l'appelâmes la Guerre des Sept Semaines — et fut livrée pied à pied des deux côtés. Son récit détaillé remplirait tout un livre et encore serait-il incomplet. Quiconque connaît ces choses peut y rajouter lui-même tous les détails. Ce fut une lutte magnifique, comme jamais on n'en verra de semblable tant que subsistera la colline du Jakko; et l'enjeu de la victoire en était Pluffles. Les gens ont tenu sur Mrs. Hauksbee des propos ignobles. Ils ne savaient pas quel était l'objectif de la partie. Mrs. Reiver se battit entre autres parce que Pluffles lui était utile, mais surtout parce qu'elle détestait Mrs. Hauksbee et qu'il s'agissait entre elles d'une épreuve de force. Personne ne sait ce qu'en pensa Pluffles. Dans le meilleur des cas, il n'avait guère d'idées et les rares qui lui venaient le rendaient vaniteux. Mrs. Hauksbee déclara : "Il faut capturer ce garçon et le seul moyen d'y parvenir est de bien le traiter."

Tant que l'issue resta incertaine, elle le traita donc comme un homme du monde expérimenté. Peu à peu, Pluffles abandonna sa vieille allégeance et passa à l'ennemi qui faisait grand cas de lui. On ne l'envoya plus jamais en éclaireur chercher des pousse-pousse et on ne lui accorda pas de danses qui n'avaient jamais lieu, et l'on cessa de mettre à sec son portefeuille. Mrs. Hauksbee lui laissait du champ et après le traitement infligé par Mrs. Reiver, il appréciait le changement.

---

6. **allegiance** : par ce seul mot, Kipling résume la situation des Pluffles face à Mrs. Reiver.

7. **never** : série de négations servant à indiquer l'attitude totalement opposée de Mrs. Hauksbee par rapport à Mrs. Reiver.

8. **drains** : *canal d'écoulement, égout.* Ici, littéralement, *le fait de puiser, de vider sa bourse.*

9. **snaffle** : plus précisément : *mors sans gourmette.*

Mrs. Reiver had broken him of[1] talking about himself, and made him talk about her own merits. Mrs. Hauksbee acted otherwise[2], and won his confidence, till he mentioned his engagement to the girl at Home, speaking of it in a high and mighty way as a piece of boyish folly. This was when he was taking tea with her one afternoon, and discoursing in what he considered a gay and fascinating style. Mrs. Hauksbee had seen an earlier generation of his stamp bud and blossom[3], and decay into[4] fat Captains and tubby Majors.

At a moderate estimate there were about three-and-twenty[5] sides to that lady's character. Some men say more. She began to talk to Pluffles after the manner of a mother[6], and as if there had been three hundred years, instead of fifteen, between them. She spoke with a sort of throaty[7] quaver in her voice which had a soothing effect, though what she said was anything but soothing. She pointed out the exceeding folly, not to say meanness, of Pluffles' conduct, and the smallness of his views. Then he stammered something about 'trusting to his own judgment as a man of the world'; and this paved the way for what she wanted to say next. It would have withered[8] up Pluffles had it come from any other woman; but, in the soft cooing[9] style in which Mrs. Hauksbee put it, it only made him feel limp[10] and repentant —as if he had been in some superior kind of church[11].

---

1. **broken him of**: cf. **to break someone of a habit**: *faire perdre à quelqu'un une habitude.*

2. **otherwise**: Mrs. Hauksbee prend l'exact contrepied de Mrs. Reiver.

3. **bud and blossom**: image florale: **to bud**: *bourgeonner*; **to blossom**: *fleurir.*

4. **decay into...**: cf. **to decay**: *se détériorer, pourrir.* L'image est brutale et montre à quel point Mrs. Hauksbee n'a aucune illusion sur Pluffles ni sur les hommes en général.

5. **three-and-twenty**: aujourd'hui, **twenty-three**. Le chiffre est bien entendu purement symbolique.

Mrs. Reiver lui avait ôté l'habitude de parler de lui et lui imposait de chanter ses louanges à elle. Mrs. Hauksbee adopta le comportement inverse et gagna sa confiance jusqu'au jour où il fit allusion à ses fiançailles avec la jeune fille en Angleterre, en en parlant d'un ton supérieur comme d'un acte stupide et puérile. Cet incident se produisit un après-midi, alors qu'il prenait le thé avec elle et discourait dans un style qu'il considérait comme fascinant et enjoué. Mrs. Hauksbee avait vu bourgeonner et s'épanouir une génération antérieure de son acabit, qui s'était ensuite flétrie et transformée en capitaines grassouillets et en majors replets.

Selon une estimation moyenne, la personnalité de cette dame comportait environ vingt-trois facettes. Certains en dénombraient davantage. Elle résolut de parler à Pluffles comme une mère et comme si non pas quinze mais trois cents ans les séparaient. Elle s'exprima avec une sorte de chevrotement guttural dont l'effet apaisant était en contradiction avec les propos qu'elle tenait. Elle mit en évidence l'extrême stupidité, pour ne pas dire la mesquinerie, de la conduite de Pluffles ainsi que l'étroitesse de ses vues. Il bégaya alors quelques mots concernant ''la confiance qu'il accordait à son propre jugement d'homme du monde'', mots qui ouvrirent la voie à ce qu'elle comptait lui dire ensuite. Émanant de n'importe quelle autre femme, ces remarques auraient fait rentrer Pluffles sous terre, mais les roucoulements et la douceur avec lesquels Mrs. Hauksbee les proféra lui donnèrent seulement un sentiment de faiblesse et de repentir, comme s'il s'était trouvé dans une église d'un genre supérieur.

---

6. **a mother :** tout ce qui suit va illustrer le comportement maternel de Mrs. Hauksbee par rapport à Pluffles.

7. **throaty :** cf. throat : *gorge.*

8. **to wither :** *(se) flétrir, (se) faner, (se) dessécher.*

9. **to coo :** *roucouler.*

10. **limp :** *mou, flasque, avachi.*

11. **church :** Pluffles apparaît là comme un pécheur repenti.

Little by little, very softly and pleasantly, she began taking the conceit out of Pluffles, as they take the ribs out of an umbrella[1] before re-covering it. She told him what she thought of him and his judgment and his knowledge of the world; and how his performance[2] had made him ridiculous to other people; and how it was his intention to make love to herself if she gave him the chance. Then she said that marriage would be the making of him; and drew a pretty little picture —all rose and opal[3]— of the Mrs. Pluffles of the future going through life relying on the judgment and knowledge of the world[4] of a husband who had nothing to reproach himself with. How she reconciled these two statements she alone knew. But they did not strike Pluffles as conflicting[5].

Hers was a perfect little homily —much better than any clergyman[6] could have given— and it ended with touching allusions to Pluffles' Mamma and Papa, and the wisdom of taking his bride Home.

Then she sent Pluffles out for a walk, to think over what she had said. Pluffles left, blowing his nose[7] very hard and holding himself very straight. Mrs. Hauksbee laughed[8].

What Pluffles had intended to do in the matter of the engagement only Mrs. Reiver knew, and she kept her own counsel to her death. She would have liked it spoiled as a compliment[9], I fancy.

---

1. **the ribs out of an umbrella**: métaphore insolite et plutôt dévalorisante pour le pauvre Pluffles. Autre sens de **rib**: *côte* (cage thoracique).

2. **performance**: autre sens: *représentation théâtrale*.

3. **all rose and opal**: Mrs. Hauksbee présente à Pluffles une version idyllique de la vie conjugale.

4. **judgment and knowledge of the world**: reprise de termes utilisés précédemment. Mrs. Hauksbee n'hésite pas à se contredire pour parvenir à ses fins.

5. **conflicting**: Pluffles, flatté, ne voit pas la contradiction du raisonnement de Mrs. Hauksbee.

Peu à peu, très doucement et avec beaucoup de gentillesse, elle commença à débarrasser Pluffles de sa vanité, comme on enlève les baleines d'un parapluie avant de le recouvrir. Elle lui dit ce qu'elle pensait de lui, de son jugement et de sa connaissance du monde, et lui montra à quel point sa conduite l'avait rendu ridicule devant les autres et que si elle lui en donnait l'occasion, il était prêt à lui faire la cour. Puis elle lui affirma que le mariage le poserait et elle brossa un charmant petit tableau, tout de rose et d'opale, de la future Mrs. Pluffles traversant la vie, soutenue par le jugement et la connaissance du monde d'un mari qui n'avait rien à se reprocher. Comment elle parvint à concilier ces deux affirmations, elle seule le savait. Mais Pluffles n'eut pas l'impression qu'elles étaient contradictoires.

Sa petite homélie fut parfaite, bien supérieure à celles qu'aurait pu lui faire n'importe quel ecclésiastique, et elle se terminait par de touchantes allusions au Papa et à la Maman de Pluffles et à la sagesse dont il ferait preuve en emmenant son épouse en métropole.

Puis elle envoya Pluffles faire une promenade pour lui permettre de réfléchir à ce qu'elle lui avait dit. Pluffles s'en alla en se mouchant très fort et en se tenant très droit. Mrs. Hauksbee rit.

Seule Mrs. Reiver connaissait les intentions de Pluffles au sujet de ses fiançailles et jusqu'à sa mort, elle n'en souffla mot. J'imagine qu'en guise de compliment, elle aurait aimé qu'il en fût différemment.

6. **homily... clergyman** : Kipling file la métaphore de l'église évoquée plus haut et présente Mrs. Hauksbee comme un prédicateur en train de faire un sermon.

7. **blowing his nose** : par ce détail physique, Kipling accentue le ridicule de Pluffles.

8. **Mrs. Hauksbee laughed** : c'est le rire de quelqu'un qui vient de gagner une victoire.

9. **as a compliment** : Mrs. Reiver aurait considéré flatteur que Pluffles rompe ses fiançailles pour elle.

Pluffles enjoyed[1] many talks with Mrs. Hauksbee during the next few days. They were all to the same end[2], and they helped Pluffles in the path of Virtue.

Mrs. Hauksbee wanted to keep him under her wing[3] to the last. Therefore she discountenanced his going down to Bombay to get married. 'Goodness only knows what might happen by the way!' she said. 'Pluffles is cursed with the curse of Reuben[4], and India is no fit place for him!'

In the end the *fiancée* arrived with her aunt; and Pluffles, having reduced his affairs to some sort of order — here again Mrs. Hauksbee helped him— was married.

Mrs. Hauksbee gave a sigh of relief when both the 'I wills'[5] had been said, and went her way.

Pluffles took her advice about going Home. He left the Service and is now raising speckled cattle[6] inside green-painted fences somewhere in England. I believe he does this very judiciously[7]. He would have come to extreme grief in India.

For these reasons, if any one says anything more than usually[8] nasty about Mrs. Hauksbee, tell him the story[9] of the Rescue of Pluffles.

---

1. **to enjoy** : *apprécier, aimer, profiter de.*

2. **end** : ici, *but, objectif.*

3. **wing** : cliché qui donne l'image d'une Mrs. Hauksbee protectrice, maternelle.

4. **Reuben** : cf. Genèse, 35 : 22. Ruben s'est vu reprocher son inconstance par Jacob mourant.

5. **I will** : formule rituelle de consentement lors de la cérémonie du mariage.

6. **speckled cattle** : vision quasi pastorale de Pluffles devenu éleveur de bétail !

Au cours des quelques jours suivants, Pluffles eut le plaisir de nombreuses conversations avec Mrs. Hauksbee. Elles allaient toutes dans le même sens et elles aidaient Pluffles à avancer sur le chemin de la vertu.

Mrs. Hauksbee voulait le garder sous son aile jusqu'au bout et c'est pourquoi elle le dissuada de se rendre à Bombay pour s'y marier : "Dieu seul sait ce qui pourrait se passer en route !" dit-elle. "Pluffles est frappé de la malédiction de Ruben et l'Inde n'est pas un endroit pour lui !"

Enfin la fiancée arriva avec sa tante et Pluffles, ayant remis un peu d'ordre dans ses affaires, avec l'aide de Mrs. Hauksbee encore une fois, se maria.

Mrs. Hauksbee poussa un soupir de soulagement quand les deux ''oui'' eurent été prononcés, puis elle poursuivit son chemin.

Pluffles tint compte du conseil qu'elle lui avait donné de rentrer en métropole. Il quitta l'armée et aujourd'hui il élève du bétail au pelage moucheté, parqué entre des barrières vertes quelque part en Angleterre. Je crois qu'il s'acquitte très judicieusement de cette tâche. Il aurait eu les pires ennuis en Inde.

Pour toutes ces raisons, si quelqu'un dit quelque chose d'encore plus désagréable que d'habitude sur Mrs. Hauksbee, racontez-lui l'histoire du sauvetage de Pluffles.

---

7. **very judiciously** : la présence de **very** rend l'adverbe encore plus ironique.

8. **more than usually** : voilà qui en dit long sur les habitudes de médisance !

9. **tell him the story** : Kipling termine son histoire comme il l'a commencée, en s'adressant à son lecteur qu'il prend à témoin des événements relatés.

The Man who would be King

L'homme qui voulait être roi

Brother to a Prince and fellow to a beggar if
he be found worthy.

The Law[1], as quoted, lays[2] down a fair conduct of life,
and one not easy to follow. I have been fellow to a beggar
again and again under circumstances which prevented
either of us finding out whether the other was worthy. I
have still to be brother to a Prince, though I once came
near to kinship[3] with what might have been a veritable
King, and was promised the reversion of a Kingdom —
army, law-courts, revenue, and policy all complete. But, to-
day, I greatly fear that my King is dead, and if I want a
crown I must go hunt it for myself.

The beginning of everything[4] was in a railway train
upon the road to Mhow[5] from Ajmir[6]. There had been a
Deficit in the Budget[7], which necessitated travelling, not
Second-class, which is only half as dear as First-class, but
by Intermediate[8], which is very awful indeed. There are no
cushions in the Intermediate class, and the population are
either Intermediate, which is Eurasian, or Native, which
for a long night journey is nasty, or Loafer[9], which is
amusing though intoxicated. Intermediates do not buy
from refreshment-rooms. They carry their food in bundles
and pots, and buy sweets from the native sweetmeat-
sellers, and drink the roadside water.

---

1. **Law** : fait allusion à la citation placée en exergue, première
référence à la franc-maçonnerie dont toute la nouvelle porte l'in-
fluence.

2. **to lay, laid, laid** : *poser, établir.*

3. **kinship** : cf. **kin** : *parent* ; **next-of-kin** : *plus proche parent.*

4. **the beginning of everything** : après un premier paragraphe un peu
énigmatique, dont le sens ne se précisera que plus tard, Kipling entame
à présent son récit.

5. **Mhow** : ville de la région de Madhya.

6. **Ajmir** : ville du nord du Rajasthan, État du nord-ouest de
l'Inde.

7. **a Deficit in the Budget** : le narrateur serait donc un fonctionnaire
en poste en Inde.

La loi, citée ci-dessus, fixe une bonne règle de vie et qui n'est pas facile à suivre. J'ai été plus d'une fois le compagnon d'un mendiant dans des circonstances qui empêchaient chacun de nous de découvrir si l'autre en était digne. Il me reste à être le frère d'un prince, bien qu'une fois j'aie failli devenir parent de quelqu'un qui aurait pu être un véritable roi et qu'on m'ait promis d'hériter d'un royaume, avec tout ce qui s'ensuivait : armée, cour de justice, revenus et police. Mais aujourd'hui je crains fort que mon roi ne soit mort et que, si je veux une couronne, il ne me faille partir moi-même à sa recherche.

Tout a commencé dans un train allant de Mhow à Ajmer. Le déficit budgétaire imposait de voyager non pas en seconde classe, ce qui coûte seulement moitié moins cher qu'en première, mais en troisième, ce qui est vraiment épouvantable. Dans cette classe, les sièges ne sont pas rembourrés et la population est constituée soit de "troisième classe", c'est-à-dire d'Eurasiens ou d'indigènes, compagnie déplaisante pour un long voyage de nuit, soit de vagabonds, amusants malgré leur état d'ébriété. Les "troisième classe" n'achètent rien dans les buffets de gare. Ils transportent leur nourriture dans des paquets ou des pots, achètent des sucreries aux vendeurs de confiserie indigènes et boivent l'eau qu'ils trouvent au bord de la route.

---

8. **Intermediate** : littéralement *intermédiaire*. Dans le contexte, il s'agit évidemment de la classe la moins confortable. Kipling utilise ensuite le mot ironiquement pour désigner les couches inférieures de la population.

9. **Loafer** : mot utilisé de manière particulière en Inde, à l'époque de Kipling. Désigne une personne sans grandes ressources et dans une situation plus ou moins irrégulière.

That is why in the hot weather Intermediates are taken out of the carriages dead, and in all weathers are most properly looked down upon[1].

My particular Intermediate happened to be empty till I reached Nasirabad[2], when a big black-browed gentleman in shirt-sleeves entered, and, following the custom of Intermediates, passed the time of day[3]. He was a wanderer and a vagabond like myself, but with an educated taste for whisky. He told tales[4] of things he had seen and done, of out-of-the-way corners of the Empire[5] into which he had penetrated, and of adventures in which he risked his life for a few days' food.

'If India was filled with men like you and me, not knowing more than the crows[6] where they'd get their next day's rations, it isn't seventy millions of revenue the land would be paying —it's seven hundred millions[7],' said he; and as I looked at his mouth and chin I was disposed to agree with him.

We talked politics —the politics of Loaferdom[8], that sees things from the underside where the lath and plaster is not smoothed off— and we talked postal arrangements because my friend wanted to send a telegram back from the next station to Ajmir, the turning-off place from the Bombay to the Mhow line as you travel westward. My friend had no money beyond eight annas[9], which he wanted for dinner, and I had no money at all, owing to the hitch[10] in the Budget before mentioned.

---

1. **to look down upon** : ici *regarder avec mépris*. On trouvera un peu plus loin le verbe dans son sens premier, physique, c'est-à-dire *baisser les yeux sur, regarder vers le bas*.

2. **Nasirabad** : ville toute proche d'Ajmer.

3. **passed the time of day** : expression familière.

4. **told tales** : m. à m. *racontait des histoires*.

5. **the Empire** : le terme a une très forte signification à l'époque de Kipling et sous sa plume.

6. **the crows** : allusion à la parabole de l'Évangile, sur les oiseaux du ciel qui ne sèment ni ne moissonnent. En anglais, le terme utilisé est **raven** qui signifie *corbeau*. Cf. Évangile selon saint Luc, 12 : 24.

C'est pourquoi, par temps chaud, on évacue des wagons des "troisième classe" morts et, par tous les temps, on les considère comme il se doit avec mépris.

Il se trouve que mon wagon de troisième classe était resté vide jusqu'à Nasirabad où y pénétra un homme corpulent aux sourcils noirs, en bras de chemise, et selon la coutume des "troisième classe", il engagea la conversation. C'était un vagabond et un vadrouilleur comme moi, mais avec le goût formé au whisky. Il racontait des choses qu'il avait vues ou accomplies, parlait de coins perdus de l'Empire où il avait pénétré et d'aventures au cours desquelles il avait risqué sa vie pour se procurer quelques jours de nourriture.

— Si l'Inde était remplie de gens comme vous et moi, ne sachant pas plus que les corneilles où ils trouveront leur ration du lendemain, ce n'est pas 70 millions de revenus que procurerait ce pays, mais 700 millions, dit-il, et à regarder sa bouche et son menton, j'étais prêt à en convenir avec lui.

Nous parlâmes donc politique, la politique du royaume des vagabonds, qui voit le dessous des choses, là où les lattes et le plâtre ne sont pas aplanis, et nous discutâmes de l'organisation de la poste parce que mon ami voulait à la gare suivante envoyer un télégramme à Ajmer, embranchement de la ligne de Bombay avec celle de Mhow quand on se dirige vers l'ouest. Mon ami ne disposait que de 8 *annas* dont il avait besoin pour dîner et je n'avais moi-même aucun argent que ce soit, en raison du problème budgétaire évoqué ci-dessus.

---

7. **seven hundred millions**: premier aperçu du caractère excessif du personnage.

8. **Loaferdom**: mot forgé par Kipling à partir de **loafer** sur le modèle de **king, kingdom**: *roi, royaume*.

9. **annas**: pièce de monnaie valant un seizième de roupie.

10. **hitch**: *anicroche, contretemps*. Allusion à la remarque sur le déficit, p. 30.

Further, I was going into a wilderness where, though I should resume touch with the Treasury, there were no telegraph offices. I was, therefore, unable to help him in any way.

'We might threaten[1] a Station-master, and make him send a wire on tick,' said my friend, 'but that'd mean inquiries for you and for me, and *I*'ve got my hands full these days. Did you say you are travelling back along this line within[2] any days?'

'Within ten,' I said.

'Can't you make it eight?' said he. 'Mine is rather urgent business.'

'I can send your telegram within ten days if that will serve you,' I said.

'I couldn't trust the wire[3] to fetch[4] him, now I think of it. It's this way. He leaves Delhi on the 23rd for Bombay. That means he'll be running through Ajmir about the night of the 23rd.'

'But I'm going into the Indian Desert[5],' I explained.

'Well *and* good[6],' said he. 'You'll be changing at Marwar Junction[7] to get into Jodhpore[8] territory —you must do that— and he'll be coming through Marwar[9] Junction in the early morning of the 24th by the Bombay Mail. Can you be at Marwar Junction on that time? 'Twon't be inconveniencing you because I know that there's precious[10] few pickings[11] to be got out of these Central India States — even though you pretend[12] to be correspondent of the *Backwoodsman*[13].'

---

1. **threaten** : nouvel élément d'information sur le personnage, prêt à user de violence et de moyens illégaux.
2. **within** : *dans un délai de, dans un rayon de, à l'intérieur de.*
3. **trust the wire** : m. à m. : *faire confiance au télégramme.*
4. **to fetch** : *aller chercher.*
5. **Indian Desert** : au nord-ouest de l'Inde.
6. **Well and good** : l'homme ne se laisse pas démonter par les objections du narrateur.

Qui plus est, je me rendais dans une région écartée où, bien que je dusse y reprendre contact avec les services du Trésor, il n'y avait aucun bureau télégraphique. Je ne pouvais donc l'aider en aucune façon.

— Nous pourrions menacer un chef de gare et lui faire envoyer un télégramme à l'œil, dit mon ami, mais cela entraînerait des enquêtes sur vous et sur moi et j'ai fort à faire en ce moment. Vous m'avez bien dit que vous repartiriez par cette ligne dans quelques jours ?

— Dans dix jours, lui répondis-je.

— Serait-ce possible dans huit ? dit-il. Mon affaire est plutôt urgente.

— Je peux envoyer votre télégramme d'ici dix jours si cela vous rend service, dis-je.

— Je ne suis pas sûr que le télégramme permette de le joindre, tout bien réfléchi. Voilà de quoi il s'agit. Il quitte Delhi pour Bombay le 23. Ce qui signifie qu'il traversera Ajmer dans la nuit du 23.

— Mais je vais dans le désert indien, expliquai-je.

— Parfait, dit-il. Vous changerez à l'embranchement de Marwar pour pénétrer dans le territoire de Jodhpur — obligatoirement — et il passera par cet embranchement tôt le matin du 24 à bord du train postal de Bombay. Pouvez-vous vous trouver à l'embranchement de Marwar vers cette heure-là ? Cela ne vous dérangera pas beaucoup parce que je sais qu'il n'y a vraiment pas grand-chose à grappiller dans ces États de l'Inde centrale, même si vous vous faites passer pour le représentant du *Backwoodsman*.

---

7. **Junction :** *gare de jonction.*

8. **Jodhpore :** ville du Rajputana, à 150 km environ d'Ajmer.

9. **Marwar :** ville du Rajputana, au sud-est de Jodhpur.

10. **precious :** employé adverbialement ici dans le sens de *très.*

11. **pickings :** *restes, grapillage,* cf. **to pick :** *ramasser, recueillir.*

12. **to pretend :** faux ami : *faire semblant.*

13. ***Backwoodsman :*** il s'agit en fait du journal **The Pioneer** dont Kipling fut le correspondant itinérant en 1888, année où il rédigea **The Man who would be King** qui parut en décembre.

'Have you ever tried that trick?' I asked.

'Again and again, but the Residents[1] find you out, and then you get escorted to the border before you've time to get your knife into them. But about my friend here. I *must* give him a word o'mouth[2] to tell him what's come to me or else he won't know where to go. I would take it more than kind of you if you was[3] to come out of Central India in time to catch him at Marwar Junction, and say to him: "He has gone South for the week." He'll know what that means. He's a big man with a red beard, and a great swell[4] he is. You'll find him sleeping like a gentleman[5] with all his luggage round him in a second-class compartment. But don't you be afraid[6]. Slip down the window, and say: "He has gone South for the week," and he'll tumble. It's only cutting your time of stay in those parts by two days. I ask you as a stranger[7] —going to the West[8],' he said with emphasis.

'Where have *you* come from?' said I.

'From the East,' said he, 'and I am hoping that you will give him the message on the Square[9] —for the sake of my Mother as well as your own.'

Englishmen[10] are not usually softened by appeals[11] to the memory of their mothers, but for certain reasons, which will be fully apparent, I saw fit to agree.

---

1. **Residents :** il s'agit de représentants du gouvernement britannique en poste dans les États indigènes quasi indépendants.

2. **word o' mouth :** = **word of mouth**.

3. **you was :** le langage de ce personnage n'est pas toujours grammaticalement correct. On devrait avoir : **you were**.

4. **swell :** existe aussi comme adjectif et signifie alors *sensationnel, formidable*.

5. **gentleman :** le mot a de fortes connotations de respectabilité dans la bouche de celui qui l'emploie ici.

6. **don't you be afraid :** forme populaire. La forme correcte serait **don't be afraid**.

7. **stranger :** *étranger, inconnu. Étranger*, dans le sens de venant d'un autre pays, se traduit par **foreigner**.

— Vous avez déjà essayé ce truc ? demandai-je.

— Très souvent, mais les résidents vous dépistent et vous vous retrouvez escorté jusqu'à la frontière avant d'avoir eu le temps de leur planter votre couteau dans le ventre. Mais pour en revenir à mon ami, il faut absolument que je lui fasse savoir de vive voix ce qui m'est arrivé, sinon il ne saura pas où aller. Je trouverais ça très gentil de votre part si vous quittiez l'Inde centrale à temps pour l'attraper à l'embranchement de Marwar et lui dire : ''Il est parti dans le Sud pour la semaine.'' Il saura ce que cela veut dire. C'est un homme corpulent avec une barbe rousse, un type très bien. Vous le trouverez en train de dormir comme un gentleman, avec tous ses bagages autour de lui, dans un compartiment de seconde classe. Mais n'ayez pas peur. Baissez la fenêtre et dites : ''Il est parti dans le Sud pour la semaine'' et il bondira. Il s'agit seulement de raccourcir de deux jours la durée de votre séjour dans cette région. Je vous le demande comme à un inconnu, allant en direction de l'occident, dit-il avec insistance.

— D'où venez-vous, vous-même ? dis-je.

— De l'orient, dit-il, et j'espère que vous lui donnerez le message selon l'équerre, pour l'amour de ma mère comme de la vôtre.

Les Anglais ne se laissent généralement pas attendrir lorsqu'on évoque la mémoire de leur mère, mais pour certaines raisons qui apparaîtront clairement, je jugeai correct d'accepter.

---

8. **going to the West** : cette phrase et quelques-unes des suivantes sont des allusions maçonniques. Kipling est entré dans la franc-maçonnerie en 1887.

9. **on the Square** : expression maçonnique. L'équerre est symbole de rectitude morale.

10. **Englishmen...** : Kipling marque ici avec humour la distance sociale qui sépare les deux personnages, dont les valeurs ne sont pas tout à fait les mêmes.

11. **appeal** : cf. **to appeal to** : 1) *invoquer, en appeler à* ; 2) *séduire, plaire à.*

'It's more than a little matter,' said he, 'and that's why I asked you to do it — and now I know that I can depend on you doing it. A second-class carriage at Marwar Junction, and a red-haired man asleep in it. You'll be sure to remember. I get out at the next station, and I must hold on there till he comes or sends me what I want.'

'I'll give the message if I catch him,' I said, 'and for the sake of your Mother[1] as well as mine I'll give you a word of advice[2]. Don't try to run the Central India States just now as the correspondent of the *Backwoodsman*. There's a real one[3] knocking[4] about there, and it might lead to trouble.'

'Thank you,' said he simply, 'and when will the swine[5] be gone? I can't starve because he's ruining my work. I wanted to get hold of the Degumber[6] Rajah down here about his father's widow[7], and give him a jump[8].'

'What did he do to his father's widow, then?'

'Filled her up with red pepper and slippered her to death[9] as she hung from a beam. I found that out myself, and I'm the only man that would dare going into the State to get hush-money[10] for it. They'll try to poison me, same as they did in Chortumna[11] when I went on the loot[12] there. But you'll give the man at Marwar Junction my message[13]?'

He got out at a little roadside station, and I reflected.

---

1. **Mother :** le narrateur reprend la formule utilisée par son interlocuteur, mais de manière ironique.

2. **advice :** indénombrable en anglais ; *un conseil :* **a piece of advice**.

3. **a real one :** le narrateur, et encore plus l'auteur, sont forcément au courant, cf. note 12, p. 35.

4. **to knock :** *frapper* ; **to knock about, to knock around :** *vadrouiller, bourlinguer*.

5. **swine :** sens premier : *porc, pourceau*.

6. **Degumber :** nom inventé par Kipling.

7. **widow :** seul mot anglais dont le masculin se forme sur le féminin, cf. *veuf :* **widower**.

8. **jump :** *saut, sursaut*.

9. **slippered her to death :** cf. **slipper :** *pantoufle, mule*. Les circonstances de la mort de la veuve, réelles ou inventées, sont pour le moins très spéciales...

— Ce n'est pas une mince affaire, dit-il, et voilà pourquoi je vous demande de vous en charger, et maintenant je sais que je peux compter sur vous. Un wagon de seconde classe à l'embranchement de Marwar, et un homme aux cheveux roux endormi dedans. Vous vous en souviendrez sûrement. Je descends à la prochaine gare et il faut que j'y reste jusqu'à ce qu'il vienne ou m'envoie ce dont j'ai besoin.

— Je lui donnerai le message si je ne le rate pas, dis-je, et pour l'amour de votre mère comme de la mienne, je vous donnerai un petit conseil. N'essayez pas de parcourir en ce moment les États de l'Inde centrale comme correspondant du *Backwoodsman*. Il y en a un vrai qui y traîne actuellement et cela pourrait vous causer des ennuis.

— Merci, dit-il simplement, et quand ce salaud sera-t-il parti ? Je ne peux pas mourir de faim parce qu'il bousille mon travail. Je voulais coincer là-bas le Rajah de Degumber au sujet de la veuve de son père et lui flanquer la frousse.

— Qu'a-t-il donc fait à la veuve de son père ?

— L'a remplie de poivre rouge et l'a fait mourir à coups de savate après l'avoir accrochée à une poutre. J'ai découvert ça moi-même et je suis le seul homme qui oserait entrer dans cet État pour lui faire payer mon silence sur cette affaire. Ils essaieront de m'empoisonner, tout comme ils ont essayé à Chortumna quand j'y suis allé marauder. Mais vous transmettrez mon message à cet homme à la gare de Marwar ?

Il descendit à une petite gare sur le bord de la route et je réfléchis.

---

10. **hush-money :** cf. **hush** : *chut !* donc littéralement *argent pour faire taire*.

11. **Chortumna :** nom inventé par Kipling.

12. **loot :** *butin*.

13. **But... my message ? :** question sans réponse : le narrateur a déjà accepté, en fait.

I had heard, more than once, of men personating correspondents of newspapers and bleeding small Native States with threats of exposure[1], but I had never met any of the caste[2] before. They lead a hard life, and generally die with great suddenness. The Native States have a wholesome horror of English newspapers which may throw light on their peculiar[3] methods of government, and do their best to choke correspondents with champagne, or drive them out of their mind with four-in-hand barouches[4]. They do not understand that nobody cares a straw[5] for the internal administration of Native States so long as oppression and crime are kept within decent limits, and the ruler is not drugged, drunk, or diseased[6] from one end of the year to the other. They are the dark places of the earth, full of unimaginable cruelty, touching the Railway and the Telegraph[7] on one side, and, on the other, the days of Harun-al-Raschid[8]. When I left the train I did business with divers Kings, and in eight days passed through many changes of life. Sometimes[9] I wore dress-clothes[10] and consorted with Princes and Politicals[11], drinking from crystal and eating from silver. Sometimes I lay out[12] upon the ground and devoured what I could get, from a plate made of leaves, and drank the running water, and slept under the same rug as my servant. It was all in the day's work.

---

1. **exposure** : littéralement *mise à nu, révélation*.

2. **of the caste** : littéralement *de cette caste*.

3. **peculiar** : *bizarre, étrange, propre à*. Remarque pleine de sous-entendus.

4. **drive... barouches** : Kipling évoque les habitudes de corruption. Ces calèches étaient ce que l'on faisait de mieux dans le genre à l'époque victorienne.

5. **straw** : *paille*. **I don't care a straw** : *je m'en fiche*. L'aperçu que donne ici Kipling des mœurs politiques des États indigènes et de leurs relations avec les fonctionnaires britanniques est plutôt négatif.

6. **drugged, drunk or diseased** : on remarquera l'allitération ainsi que les sous-entendus dans cette remarque sur les dirigeants indigènes.

7. **the Railway and the Telegraph** : donnés ici comme symboles du progrès technique et de la civilisation.

J'avais plus d'une fois entendu parler d'individus qui se faisaient passer pour des correspondants de journaux et qui saignaient de petits États indigènes en les menaçant de scandale, mais je n'en avais jamais rencontré aucun auparavant. Ils mènent une vie difficile et meurent généralement très brusquement. Les États indigènes ont une sainte horreur des journaux anglais qui peuvent faire la lumière sur leurs méthodes particulières de gouvernement et font de leur mieux pour noyer dans le champagne ces correspondants ou leur faire perdre la tête en leur offrant des calèches à quatre chevaux. Ils ne comprennent pas que personne ne se soucie le moins du monde de l'administration interne des États indigènes du moment que l'oppression et la criminalité restent dans des limites décentes et que leurs chefs ne sont ni drogués, ni ivres, ni malades d'un bout de l'année à l'autre. Ce sont les lieux obscurs de la terre, remplis d'une cruauté inimaginable, à mi-chemin entre l'ère du chemin de fer et du télégraphe et l'époque de Haroun al-Rachid. Après avoir quitté le train, je réglai des affaires avec différents rois et en huit jours je connus de nombreux modes de vie différents. Tantôt je portais une tenue de soirée et frayais avec princes et résidents, buvant dans des verres de cristal et mangeant dans des plats d'argent. Tantôt je m'allongeais à même le sol et dévorais dans une assiette de feuilles ce que j'arrivais à me procurer, et je buvais l'eau des ruisseaux et dormais sous la même couverture que mon domestique. Tout cela faisait partie du travail quotidien.

---

8. **Harun-al-Raschid :** calife de Bagdad (763-809) dont on parle beaucoup dans *Les Mille et Une Nuits.*

9. **Sometimes... sometimes :** Kipling parle sans doute ici d'expérience, de sa vie de journaliste reporter.

10. **dress-clothes :** cf. **dress-coat :** *habit, queue de pie.*

11. **Politicals :** il s'agit ici des fonctionnaires britanniques.

12. **lay out :** de **to lie, lay, lain** = *être couché.*

Then I headed for the Great Indian Desert upon the proper date, as I had promised, and the night mail set me down at Marwar Junction, where a funny, little, happy-go-lucky[1], native-managed railway runs to Jodhpore. The Bombay Mail from Delhi makes a short halt at Marwar. She[2] arrived as I got in, and I had just time to hurry[3] to her platform and go down[4] the carriages. There was only one second-class on the train. I slipped the window and looked down upon[5] a flaming red beard, half covered by a railway rug. That was my man[6], fast asleep, and I dug him gently in the ribs[7]. He woke with a grunt, and I saw his face in the light of the lamps. It was a great and shining face[8].

'Tickets again?' said he.

'No,' said I. 'I am to tell[9] you that he has gone South for the week. He has gone South for the week!'

The train had begun to move out. The red man rubbed his eyes. 'He has gone South for the week', he repeated. 'Now that's just like his impidence[10]. Did he say that I was to give you anything[11]? 'Cause[12] I won't.'

'He didn't,' I said, and dropped away, and watched the red lights die out in the dark. It was horribly cold because the wind was blowing off the sands. I climbed into my own train —not an Intermediate carriage[13] this time— and went to sleep.

---

1. **happy-go-lucky** : par opposition au train postal.

2. **she** : comme c'est couramment le cas pour un bateau, le pronom féminin est utilisé ici pour parler du train.

3. **to hurry** : *se dépêcher* ; **to hurry to the platform** : m. à m. : *se dépêcher pour aller jusqu'au quai.*

4. **to go down** : littéralement : *descendre le long de.*

5. **looked down upon** : cf. note 1, p. 32.

6. **my man** : tout se déroule comme le personnage rencontré par le narrateur dans le train le lui avait expliqué.

7. **dug** : de **to dig, dug dug** : littéralement : *creuser*. **To dig someone in the ribs** : m. à m. *enfoncer quelqu'un dans les côtes.*

8. **great and shining face** : le commentaire ne révèle pas grand-chose sur ce personnage mystérieux.

9. **I am to tell you** : littéralement *je suis chargé de vous dire.*

Comme je l'avais promis, je me dirigeai ensuite à la date convenue vers le Grand Désert indien, et le train de nuit me conduisit à la gare de Marwar où un drôle de petit chemin de fer insouciant, géré par des indigènes, roule jusqu'à Jodhpur. Le train postal de Bombay en provenance de Delhi fait une courte halte à Marwar. Il arriva au moment où j'y pénétrais et j'eus tout juste le temps de me précipiter sur le quai et d'en remonter les wagons. Il n'y avait qu'un seul wagon de deuxième classe dans ce train. Je baissai la fenêtre et eus sous les yeux une barbe d'un roux flamboyant, à demi recouverte d'une couverture de voyage. C'était là mon homme, profondément endormi, et je le poussai doucement du coude. Il se réveilla avec un grognement et à la lumière des lampes, je vis son visage. Un grand visage luisant.

— Encore les billets, dit-il.

— Non, répondis-je. Je dois vous informer qu'il est parti dans le Sud pour la semaine. Il est parti dans le Sud pour la semaine !

Le train avait commencé à s'ébranler. L'homme roux se frotta les yeux.

— Il est parti dans le Sud pour la semaine, répéta-t-il. Voilà bien son impudence. A-t-il dit que je devais vous donner quelque chose ? Parce que je n'en ai pas l'intention.

— Non, dis-je, et je m'éloignai en regardant les lumières rouges disparaître dans l'obscurité.

Il faisait horriblement froid parce que le vent soufflait en provenance du désert. Je grimpai dans mon propre train, pas dans un wagon de troisième classe cette fois-ci, et je m'endormis.

---

10. **impidence** : déformation du mot **impudence**.

11. **anything** : il veut dire un pourboire.

12. **Cause** : abrégé pour **because**.

13. **not an Intermediate carriage** : rappel du problème budgétaire évoqué au début de la nouvelle.

If the man with the beard had given me a rupee I should have kept it as a memento of a rather curious affair[1]. But the consciousness of having done my duty was my only reward[2].

Later on I reflected that two gentlemen like my friends could not do any good if they forgathered and personated correspondents of newspapers, and might, if they blackmailed one of the little rat-trap[3] states of Central India or Southern Rajputana[4], get themselves into serious difficulties. I therefore took some trouble to describe them as accurately as I could remember to people who would be interested in deporting them[5]; and succeeded, so I was later informed, in having them headed back[6] from the Degumber borders.

Then I became respectable[7], and returned to an office where there were no Kings and no incidents outside the daily manufacture of a newspaper. A newspaper office[8] seems to attract every conceivable sort of person, to the prejudice of discipline. Zenana-mission[9] ladies arrive, and beg that the Editor[10] will instantly abandon all his duties to describe a Christian prize-giving in a back-slum[11] of a perfectly inaccessible village; Colonels who have been overpassed for command sit down and sketch the outline of a series of ten, twelve, or twenty-four[12] leading articles on Seniority *versus* Selection;

---

1. **a rather curious affair** : Kipling attire l'attention du lecteur sur le caractère insolite de tout l'épisode précédent.

2. **my only reward** : peut-être une pointe de regret dans cette remarque.

3. **rat-trap** : l'image n'est guère flatteuse.

4. **Rajputana** : province du nord-ouest de l'Inde.

5. **to describe... deporting them** : est-ce vraiment pour leur éviter de sérieux ennuis que le narrateur s'est empressé de les dénoncer ?

6. **head back** : *revenir, retourner.* Cf. **to head for** : *se diriger vers.*

7. **respectable** : la respectabilité est une valeur tout à fait fondamentale de l'époque victorienne.

8. **a newspaper office** : toute la description qui va suivre est

Si l'homme à la barbe m'avait donné une roupie, je l'aurais gardée en souvenir de cette affaire plutôt curieuse. Mais ma seule récompense fut le sentiment d'avoir fait mon devoir.

Plus tard, je me dis que deux hommes comme mes amis ne pouvaient rien faire de bon en s'associant et en se faisant passer pour des correspondants de journaux et qu'ils s'attireraient très probablement de sérieux ennuis s'ils faisaient chanter l'un de ces pièges à rats que sont les petits États de l'Inde centrale ou du Radjpoutana méridional. Je pris donc soin de les décrire aussi précisément que je m'en souvenais aux personnes ayant intérêt à les expulser et je réussis à les faire repousser à l'extérieur des frontières du Degumber.

Puis je devins respectable et retournai dans un bureau où il n'y avait ni rois ni incidents en dehors de la confection quotidienne d'un journal. Le bureau d'un journal semble attirer toutes sortes de gens, au préjudice de la discipline. Y viennent des dames de la mission Zenana qui supplient le directeur de la rédaction d'abandonner toutes ses tâches pour faire le compte rendu d'une remise de prix chrétienne dans le bidonville d'un village totalement inaccessible ; des colonels, dépassés par un rival pour un poste de commandement, s'asseyent et tracent les grandes lignes d'une série de dix, douze ou vingt-quatre articles éditoriaux consacrés à ''l'ancienneté par opposition au choix'' ;

————————
directement inspirée de l'expérience vécue par Kipling comme journaliste.

9. **Zenana-mission** : missionnaires qui s'efforçaient de s'occuper des femmes indiennes, traditionnellement coupées de tout contact extérieur.

10. **Editor** : faux ami : *rédacteur en chef, directeur de publication. Éditeur* : **publisher**.

11. **slum** : *taudis*.

12. **a series of ten, twelve, or twenty-four...** : Kipling utilise ici l'exagération comme procédé comique.

Missionaries wish to know why they have not been permitted to escape from their regular vehicles of abuse and swear at a brother-missionary under special patronage of the editorial We; stranded[1] theatrical companies troop up to explain that they cannot pay for their advertisements, but on their return from New Zealand or Tahiti will do so with interest; inventors of patent punkah[2]-pulling machines, carriage couplings, and unbreakable swords and axle-trees, call with specifications in their pockets and hours at their disposal[3]; tea-companies enter and elaborate their prospectuses with the office pens; secretaries of ball-committees clamour to have the glories of their last dance more fully described; strange ladies rustle[4] in and say, 'I want a hundred lady's cards printed *at once*[5], please,' which is manifestly part of an Editor's duty; and every dissolute ruffian that ever tramped the Grand Trunk Road makes it his business to ask for employment as a proof-reader[6]. And, all the time, the telephone-bell is ringing madly[7], and Kings are being killed on the Continent, and Empires are saying, 'You're another,' and Mister Gladstone[8] is calling down brimstone[9] upon the British Dominions and the little black copy-boys are whining, '*kaa-pi chay-ha-yeh*' [copy wanted] like tired bees, and most of the paper is as blank as Modred's shield[10].

---

1. **stranded** : littéralement : *échoué, en rade* ; cf. **strand** : grève, rivage.

2. **punkah** : grand éventail, actionné habituellement par des hommes.

3. **at their disposal** : m. à m. : *à leur disposition*.

4. **to rustle** : *bruire, froufrouter*.

5. **at once** : les italiques sont là pour bien faire sentir le ton autoritaire.

6. **proof-reader** : m. à m. *lecteur d'épreuves*. Ici se termine la longue et amusante description de tous les gens qui défilent dans le bureau du journal.

7. **is ringing madly** : la forme progressive utilisée par Kipling souligne le fait que malgré tous ces intrus, la vie continue, aussi bien au niveau politique mondial qu'en ce qui concerne le journal.

des missionnaires désirent savoir pourquoi on ne leur a pas permis d'abandonner leurs invectives et insultes habituelles pour injurier un collègue missionnaire sous la protection du "nous" éditorial; des troupes théâtrales à court de ressources entrent expliquer qu'elles n'ont pas les moyens de payer leur publicité mais qu'à leur retour de Nouvelle-Zélande ou de Tahiti, elles s'en acquitteront, intérêts compris; des inventeurs de machines brevetées pour actionner les pancas, d'attelages de voitures, d'essieux et d'épées incassables, s'amènent avec dans les poches des descriptifs détaillés et tout leur temps pour en parler; des compagnies de thé s'installent et rédigent leurs prospectus avec les stylos du bureau; des secrétaires de comités de bal vociferent afin d'obtenir que les splendeurs de leur dernière soirée dansante soient décrites en détail; des dames inconnues arrivent en robes froufroutantes et déclarent: "Je veux qu'on m'imprime *sur-le-champ* cent cartes de visite, s'il vous plaît", tâche qui fait manifestement partie de celles d'un directeur de rédaction; et tous les voyous les plus vicieux qui aient jamais traîné sur la Grand Trunk Road entreprennent de demander un emploi comme correcteur. Et pendant tout ce temps, le téléphone sonne éperdument, et sur le continent des rois sont assassinés et des empires affirment: "Vous en êtes un autre", et M. Gladstone appelle les feux du ciel sur les dominions britanniques tandis que les petits typos noirs, telles des abeilles fatiguées, réclament d'une voix geignarde: "kaa-pi chay-ha-yeh" (nous voulons de la copie) et que la plupart des pages du journal sont aussi blanches que le bouclier de Modred.

---

8. **Mister Gladstone** (1809-1898): Premier ministre libéral de la reine Victoria à trois reprises: de 1868 à 1874, de 1880 à 1885 et de 1892 à 1894.

9. **brimstone**: *soufre*.

10. **Modred's shield**: le bouclier de Modred, neveu du roi Arthur, ne portait aucune décoration parce qu'il n'avait accompli aucun acte héroïque.

But that is the amusing part[1] of the year. There are six other months when none ever comes to call, and the thermometer walks inch by inch up to the top of the glass, and the office is darkened to just above reading-light[2], and the press-machines are red-hot of touch, and nobody writes anything but accounts of amusements in the Hill-stations[3] or obituary notices. Then the telephone becomes a tinkling terror[4], because it tells you of the sudden deaths of men and women that you knew intimately, and the prickly-heat[5] covers you with a garment, and you sit down and write: 'A slight increase of sickness is reported from the Khuda Janta Khan[6] District. The outbreak is purely sporadic in its nature, and, thanks to the energetic efforts of the District authorities, is now almost at an end[7]. It is, however, with deep regret we record the death, etc.'

Then the sickness really breaks out, and the less recording and reporting the better[8] for the peace of the subscribers[9]. But the Empires and the Kings continue to divert themselves as selfishly[10] as before, and the Foreman[11] thinks that a daily paper really ought to come out once in twenty-four hours, and all the people at the Hill-stations in the middle of their amusements say: 'Good gracious[12]! Why can't the paper be sparkling? I'm sure there's plenty going on up here.'

---

1. **amusing part :** Kipling, à en juger par la description amusée qu'il vient de faire, savait apprécier toute l'agitation causée par les visiteurs qui défilaient dans son bureau.

2. **just above reading-light :** littéralement : *avec juste un peu plus que la lumière suffisante pour lire.*

3. **Hill-stations :** tous les endroits de villégiature dans les collines pendant la saison chaude.

4. **tinkling terror :** cf. **to tinkle :** *tinter.*

5. **prickly-heat :** éruption cutanée qui survient pendant la saison chaude et qui cause des démangeaisons.

6. **Khuda Janta Khan :** littéralement *ville de Dieu sait où.*

7. **"A slight increase... at an end" :** Kipling dénonce implicitement les déclarations rassurantes et l'optimisme de façade des communiqués de presse.

Mais tout cela constitue la partie amusante de l'année. Pendant les six autres mois, personne ne vient jamais nous rendre visite, et le mercure grimpe progressivement jusqu'en haut du thermomètre, et le bureau est maintenu dans une pénombre qui permet tout juste de lire, et les presses sont brûlantes au toucher, et personne n'écrit rien d'autre que des comptes rendus de fêtes dans les stations des collines ou des notices nécrologiques. La sonnerie du téléphone devient alors terrifiante, parce qu'elle vous annonce la mort soudaine d'hommes et de femmes que vous connaissiez intimement, et que la gale bédouine vous enveloppe comme un vêtement, et vous vous asseyez pour écrire : "On annonce une légère augmentation du nombre des malades dans le district de Khuda-Janta-Khan. L'épidémie, de nature purement sporadique, est à présent presque terminée grâce aux efforts énergiques des autorités du district. Cependant, c'est avec un profond regret que nous annonçons le décès de... etc."

Puis l'épidémie se déclare vraiment et moins on en fait état et moins on en parle, mieux cela vaut pour la tranquillité des abonnés. Mais les empires et les rois continuent à se divertir aussi égoïstement que par le passé, et le chef typographe pense qu'un quotidien devrait réellement sortir une fois toutes les vingt-quatre heures, et toutes les personnes en train de s'amuser dans les stations des collines s'écrient : "Mon Dieu ! pourquoi le journal ne peut-il être plus pétillant ? Je suis sûr qu'il se passe plein de choses ici !"

---

8. **the less... the better** : tournure elliptique d'où les verbes ont disparu : **the less recording and reporting there is the better it is for the peace...**

9. **subscribers** : cf. **a subscription** : *un abonnement*.

10. **selfishly** : critique de l'attitude générale ; chacun ne pense qu'à soi et à s'amuser et refuse de regarder la réalité de l'épidémie en face.

11. **foreman** : *chef d'équipe, contremaître*.

12. **Good gracious** : exprime l'irritation et l'impatience.

That is the dark half of the moon[1], and, as the advertisements say, 'must be experienced to be appreciated'.

It was in that season, and a remarkably evil season, that the paper began running the last issue of the week on Saturday night, which is to say Sunday morning, after the custom of a London paper[2]. This was a great convenience, for immediately after the paper was put to bed[3], the dawn would lower the temperature from 96° to almost 84°[4] for half an hour, and in that chill —you have no idea how cold is 84° on the grass until you begin to pray for it— a very tired man could get off to sleep ere[5] the heat roused him.

One Saturday night it was my pleasant duty[6] to put the paper to bed alone. A King or a courtier or courtesan or a Community was going to die or get a new Constitution, or do something that was important on the other side of the world, and the paper was to be held open[7] till the latest[8] possible minute in order to catch the telegram.

It was a pitchy black night[9], as stifling as a June night can be, and the *loo,* the red-hot wind from the westward, was booming among the tinder-dry trees and pretending that the rain was on its heels. Now and again a spot of almost boiling water would fall on the dust with the flop of a frog[10], but all our weary world[11] knew that was only pretence. It was a shade cooler in the press-room than the office, so I sat there, while the type ticked and clicked[12],

1. **dark half of the moon** : image qui contrebalance la remarque antérieure : **"this is the amusing part of the year"**.

2. **a London paper** : la métropole reste le modèle à suivre, en dépit des conditions de vie différentes.

3. **put to bed** : m. à m. *mettre au lit.*

4. **96°... 84°** : il s'agit de degrés Farenheit.

5. **ere** : terme littéraire.

6. **my pleasant duty** : le narrateur parle sans doute ironiquement.

7. **held open** : m. à m. : *maintenu ouvert.*

8. **latest** : cf. **late** : *tard.*

9. **a pitchy black night** : cf. **pitch** : *poix.* Commence ici une description de la nuit torride pour laquelle l'auteur fait appel à toutes les sensations.

C'est la face cachée de la lune et, comme dit la publicité : "Il faut essayer pour apprécier."

Ce fut au cours de cette saison-là, saison particulièrement mauvaise, que le journal entreprit de sortir le dernier numéro de la semaine le samedi soir, c'est-à-dire en fait le dimanche matin, sur le modèle des journaux londoniens. Cette modification avait un grand avantage, car une fois le journal sous presse, l'aube faisait chuter le thermomètre de 36º à presque 29º pendant une demi-heure et dans cette fraîcheur — car vous ne pouvez imaginer comme il fait froid à 29º sous abri si vous n'avez jamais imploré le ciel de vous l'accorder — un homme très fatigué pouvait s'endormir avant d'être réveillé par la chaleur.

Un samedi soir, je m'étais retrouvé avec la tâche agréable de mettre tout seul le journal sous presse. Un roi ou un courtisan, une courtisane ou une communauté allait mourir ou s'offrir une nouvelle constitution ou accomplir quelque chose d'important à l'autre bout du monde, et il fallait attendre pour imprimer le journal jusqu'à la dernière minute possible afin de ne pas rater le télégramme.

La nuit était noire comme de la poix, aussi étouffante qu'une nuit de juin peut l'être et le *loo*, le vent brûlant qui souffle de l'ouest, hurlait dans les arbres secs comme de l'amadou, donnant l'illusion que la pluie allait suivre. De temps en temps, une goutte d'eau presque bouillante tombait sur la poussière avec le "flop" d'une grenouille, mais notre monde épuisé savait qu'il s'agissait seulement d'une illusion. L'atelier de presse était un tout petit peu plus frais que le bureau et j'y étais assis tandis que les machines cliquetaient,

---

10. **the flop of a frog** : allitération et assonance pour rendre le bruit en question.

11. **our weary world** : allitération dans cette expression qui est presque un cliché.

12. **ticked and clicked** : encore un effet de sonorité.

and the night-jars hooted at the windows, and the all but[1] naked compositors wiped the sweat from their foreheads, and called for water. The thing that was keeping us back, whatever it was, would not come off, though the *loo* dropped and the last type was set, and the whole round earth stood still[2] in the choking heat, with its finger on its lip, to wait the event. I drowsed, and wondered whether the telegraph was a blessing, and whether this dying man[3], or struggling people, might be aware of the inconvenience the delay was causing. There was no special reason beyond the heat and worry to make tension, but, as the clock-hands crept[4] up to three o'clock, and the machines spun[5] their fly-wheels two or three times to see that all was in order before I said the word that would set them off, I could have shrieked aloud[6].

Then the roar and rattle[7] of the wheels shivered the quiet into little bits[8]. I rose to go away, but two men[9] in white clothes stood in front of me. The first one said: 'It's him!' The second said: 'So it is!' And they both laughed almost as loudly as the machinery roared, and mopped their foreheads. 'We seed[10] there was a light burning across the road, and we were sleeping in that ditch there for coolness, and I said to my friend here, "The office is open. Let's come along and speak to him as turned us back from the Degumber State," ' said the smaller of the two.

---

1. **all but :** *presque, à peu près.*
2. **still :** *immobile, calme, tranquille.*
3. **this dying man :** allusion à l'événement important qui peut survenir et pour lequel on attend de boucler le journal.
4. **to creep, crept, crept :** *ramper.*
5. **to spin, span or spun, spun :** *filer, tournoyer.*
6. **shrieked aloud :** cette envie de hurler provient de cette atmosphère de tension et d'expectative qui vient d'être décrite. L'auteur n'hésite pas à recourir à la redondance avec le mot **aloud :** *fort, à haute voix.*
7. **roar and rattle :** allitération. Il s'agit des machines qui se mettent en marche, l'impression du journal est enfin commencée.
8. **shivered... into little bits :** cf. **to shiver :** *frémir, vibrer.*

que les oiseaux de nuit hululaient aux fenêtres et que les typos quasiment nus essuyaient la sueur de leur front en réclamant de l'eau. La nouvelle qui nous retardait, quelle qu'elle fût, n'arrivait pas, bien que le *loo* fût tombé, le dernier caractère mis en place et la terre ronde tout entière silencieuse, un doigt sur les lèvres, dans la chaleur suffocante, à attendre l'événement. Je somnolai en me demandant si le télégraphe était une bénédiction et si cet homme en train de mourir ou ces gens en lutte avaient conscience des inconvénients que causait ce retard. Il n'y avait aucune raison particulière de tension, sinon la chaleur et l'inquiétude, mais pourtant, alors que les aiguilles de la pendule avançaient lentement vers trois heures et que l'on tournait les volants des machines deux ou trois fois pour vérifier que tout était en ordre avant que je prononce le mot qui les mettrait en marche, j'aurais pu hurler.

Alors le fracas et les vibrations des rouages firent éclater en petits morceaux le silence. Je me levai pour partir quand deux hommes vêtus de blanc se présentèrent devant moi. Le premier dit : ''C'est lui !'' Le second dit : ''Mais oui !'' Et ils se mirent tous deux à rire presque aussi bruyamment que rugissaient les machines, en s'épongeant le front.

— Nous avons vu qu'une lumière était allumée de l'autre côté de la route, et nous étions en train de dormir dans le fossé là-bas pour avoir de la fraîcheur, et j'ai dit à mon ami ici : ''Le bureau est ouvert. Allons lui parler, à lui qui nous a fait expulser de l'État de Degumber'', dit le plus petit des deux.

---

9. **two men**: l'arrivée soudaine des deux hommes, leurs premiers mots et leur rire bruyant créent un effet de surprise et de mystère.

10. **seed**: incorrect pour **saw**, prétérit de **to see**.

He was the man I had met in the Mhow train, and his fellow was the red-haired man of Marwar Junction. There was no mistaking[1] the eyebrows of the one or the beard of the other.

I was not pleased, because I wished to go to sleep, not to squabble with loafers. 'What do you want?' I asked.

'Half an hour's talk with you, cool and comfortable, in the office,' said the red-bearded man. 'We'd *like*[2] some drink —the Contrack[3] doesn't begin yet, Peachey, so you needn't look— but what we really want is advice. We don't want money. We ask you as a favour, because we found out you did us a bad turn[4] about Degumber State.'

I led from the press-room to the stifling[5] office with the maps on the walls, and the red-haired man rubbed his hands. 'That's something like,' said he. 'This was the proper shop to come to. Now, sir, let me introduce[6] to you Brother Peachey Carnehan[7], that's him, and Brother Daniel Dravot, that is *me*, and the less said about our professions the better, for we have been most things in our time. Soldier, sailor[8], compositor, photographer, proof-reader, street-preacher, *and* correspondent of the *Backwoodsman* when we thought[9] the paper wanted one. Carnehan is sober[10], and so am I. Look at us first, and see that's sure. It will save you cutting into my talk.

---

1. **mistaking**: cf. **a mistake**: *une erreur*; **to mistake**: *se méprendre, se tromper*.

2. **we'd** *like*: les italiques signalent l'insistance avec laquelle le mot est prononcé.

3. **the Contrack**: la prononciation du mot **"contract"** est déformée par les deux hommes. D'où *pac'* pour *pacte*.

4. **a bad turn**: l'homme considère que le narrateur doit leur rendre service pour se racheter de les avoir dénoncés aux autorités.

5. **stifling**: cf. **to stifle**: *étouffer, réprimer*.

6. **let me introduce**: formule habituelle pour présenter une personne à une autre.

7. **Brother Peachey Carnehan**: l'utilisation du mot **brother** permet d'indiquer discrètement qu'ils sont francs-maçons.

8. **soldier, sailor...**: l'énumération des divers métiers exercés par les

C'était l'homme que j'avais rencontré dans le train de Mhow et son compagnon était l'homme roux de la gare de Marwar. Il n'y avait pas d'erreur possible à voir les sourcils de l'un et la barbe de l'autre.

Je n'étais pas ravi, car j'avais plutôt envie d'aller dormir que de me chamailler avec des vagabonds.

— Que voulez-vous ? demandai-je.

— Une demi-heure de conversation avec vous, au frais et confortablement installés dans le bureau, dit l'homme à la barbe rousse. Nous aimerions bien boire quelque chose — le Pac' n'a pas encore commencé, Peachey, inutile de me regarder comme ça — mais ce que nous voulons en réalité, c'est des conseils. Nous n'avons pas besoin d'argent. Nous vous demandons cela comme un service, parce que nous avons découvert que vous nous avez joué un sale tour à propos de l'État de Degumber.

De l'atelier de presse je les fis passer dans le bureau étouffant, avec les cartes accrochées aux murs, et l'homme à la barbe rousse se frotta les mains.

— À la bonne heure ! dit-il. Voilà l'endroit qu'il nous fallait. Maintenant, Monsieur, laissez-moi vous présenter le frère Peachey Carnehan, c'est lui, et le frère Daniel Dravot, c'est *moi*, et moins on en dira sur nos professions, mieux ça vaudra, car nous avons fait à une certaine époque presque tous les métiers. Soldat, marin, compositeur, photographe, correcteur, prédicateur de rues *et* correspondant du *Backwoodsman* quand nous avons jugé que le journal en avait besoin. Carnehan n'est pas saoul, et moi non plus. Regardez-nous d'abord pour vérifier que c'est vrai. Cela vous évitera de m'interrompre.

---

deux hommes est un moyen de montrer que ce sont bien des **loafers**, comme le rappelle le narrateur dès qu'il les a identifiés.

9. **when we thought :** Dravot suggère sans vergogne que c'était pour le bien du ***Backwoodsman*** qu'ils se sont fait passer pour des correspondants de ce journal !

10. **sober :** *sobre, qui n'a pas bu d'alcool.*

We'll take one of your cigars apiece, and you shall see us light up[1].'

I watched the test. The men were absolutely sober, so I gave them each a tepid whisky and soda.

'Well *and* good[2],' said Carnehan of the eyebrows[3], wiping the froth[4] from his moustache. 'Let *me* talk now[5], Dan. We have been all over India, mostly on foot. We have been boiler-fitters, engine-drivers, petty[6] contractors, and all that, and we have decided that India isn't big enough for such as us.'

They certainly were too big for the office[7]. Dravot's beard seemed to fill half the room and Carnehan's shoulders the other half, as they sat on the big table. Carnehan continued: 'The country isn't half worked out because they that governs[8] it won't let you touch it. They spend all their blessed[9] time in governing it, and you can't lift a spade, nor chip a rock, nor look for oil, nor anything like that, without all the Government saying, "Leave it alone, and let us govern." Therefore, such *as* it is, we will let it alone, and go away to some other place where a man isn't crowded and can come to his own. We are not little men[10], and there is nothing that we are afraid of except Drink, and we have signed a Contrack on that. *Therefore*[11], we are going away to be Kings[12].'

'Kings in our own right,' muttered Dravot.

---

1. **light up**: *allumer* (leurs cigares). Ceci afin de montrer qu'ils ne tremblent pas, donc qu'ils ne sont pas saouls.

2. **Well and good**: expression déjà utilisée par Carnehan, sans doute un moyen de le caractériser. Cf. p. 34.

3. **Carnehan of the eyebrows**: appellation humoristique rappelant le trait physique le plus marquant du personnage.

4. **froth**: *mousse*.

5. **Let me talk**: les italiques du mot *me* manifestent le fort désir de Carnehan de mener la discussion. D'ailleurs, le rôle de narrateur lui incombera.

6. **petty**: *petit, piètre, mesquin*.

7. **too big for the office**: c'est une façon pour Kipling d'indiquer la forte présence des deux hommes.

Nous allons prendre chacun un de vos cigares et vous nous regarderez les allumer.

J'observai le test. Ces hommes n'étaient absolument pas ivres, et je leur offris donc à chacun un verre de whisky-soda tiède.

— Parfait, dit Carnehan, l'homme aux sourcils, en essuyant la mousse sur sa moustache.

— Laisse-moi parler maintenant, Dan. Nous avons parcouru toute l'Inde, surtout à pied. Nous avons été monteurs de chaudières, conducteurs de locomotives, petits entrepreneurs, etc., et nous avons décidé que l'Inde n'était pas assez grande pour des gens comme nous.

Ils étaient certainement trop grands pour le bureau. La barbe de Dravot paraissait remplir une moitié de la pièce et les épaules de Carnehan l'autre, alors qu'ils se tenaient assis sur la grande table. Carnehan poursuivit :

— Le pays n'est pas vraiment exploité parce que ceux qui l'gouvernent vous laissent pas y toucher. Ils passent tout leur fichu temps à gouverner, et vous ne pouvez pas soulever une pelle, ni attaquer un rocher, ni chercher du pétrole, ou quoi que ce soit du même ordre sans que le gouvernement déclare : "Touchez pas à ça et laissez-nous gouverner." Par conséquent, tel qu'il est, nous n'y toucherons pas et nous allons partir dans un autre pays où on n'est pas gêné par les autres et où on peut faire son trou. Nous ne sommes pas des minables et nous n'avons peur de rien sauf de l'alcool, et nous avons signé un pac' à ce sujet. Voilà pourquoi nous partons pour devenir rois.

— Rois de plein droit, marmonna Dravot.

---

8. **they that governs** : incorrect, on devrait avoir **govern**.

9. **blessed** : *béni, bienheureux*. Ici, utilisé dans le sens péjoratif opposé : *satané, fichu*.

10. **we are not little men** : cette fois-ci, il ne s'agit plus de stature physique mais de qualités psychologiques.

11. ***Therefore*** : italiques pour montrer la conclusion logique du raisonnement.

12. **to be Kings** : la décision est cependant inattendue !

'Yes, of course,' I said. 'You've been tramping[1] in the sun[2], and it's a very warm night, and hadn't you better sleep over[3] the notion? Come to-morrow.'

'Neither drunk nor sunstruck,' said Dravot. 'We have slept over the notion half a year, and require to see Books and Atlases, and we have decided that there is only one place now in the world that two strong men can Sar-a-whack[4]. They call it Kafiristan[5]. By my reckoning it's the top right-hand corner[6] of Afghanistan, not more than three hundred miles from Peshawur[7]. They have two-and-thirty heathen idols there, and we'll be the thirty-third and fourth. It's a mountainous country, and the women of those parts are very beautiful.'

'But that is provided against in the Contrack,' said Carnehan. 'Neither Woman nor Liqu-or, Daniel.'

'And that's all we know, except that no one has gone there, and they fight[8]; and in any place where they fight, a man who knows how to drill[9] men can always be a King. We shall go to those parts and say to any King we find — "D'you want to vanquish your foes[10]?" and we will show him how to drill men; for that we know better than anything else. Then we will subvert that King and seize his Throne and establish a Dy-nasty[11].'

'You'll be cut to pieces[12] before you're fifty miles across the Border,' I said.

---

1. **tramping** : cf. **a tramp** : *un chemineau, un vagabond.*
2. **in the sun** : l'annonce du projet des deux hommes est si surprenante que le narrateur les croit victimes d'une insolation.
3. **sleep over** : m. à m. *dormir dessus.*
4. **Sar-a-whack** : allusion à Sir James Brooks (1803-1868), militaire britannique qu'en récompense de ses exploits, le sultan de Bornéo avait nommé gouverneur de Sarawak en 1841.
5. **Kafiristan** : région située au nord-est de l'Afghanistan, aujourd'hui appelée Nuristan.
6. **top right-hand corner** : la manière dont Dravot situe la région montre qu'il n'est pas très fixé et qu'il se base sur les cartes qu'il a pu consulter.

— Oui, bien sûr, dis-je. Vous venez de faire des kilomètres sous le soleil, et la nuit est très chaude. Ne feriez-vous pas mieux d'aller dormir et de prendre le temps de la réflexion? Venez demain.

— Ni saouls ni victimes d'insolation, dit Dravot. Cela fait six mois que nous réfléchissons et nous voulons voir des livres et des atlas, et nous avons décidé qu'il n'y avait à présent qu'un seul endroit au monde où deux hommes forts puissent "Sarawaker". C'est le Kafiristan. D'après mes calculs, c'est en haut et à droite de l'Afghanistan, à pas plus de 450 kilomètres de Peshawar. Ils ont trente-deux idoles païennes là-bas et nous serons les 33e et 34e. C'est un pays montagneux et les femmes de cette contrée sont très belles.

— Mais c'est interdit dans le Pac'! dit Carnehan. Ni femme ni alcool, Daniel.

— Et c'est tout ce que nous en savons, sinon que personne n'est allé là-bas et qu'ils se battent; et dans tout endroit où les gens se battent, un homme qui sait entraîner des troupes peut toujours devenir roi. Nous irons dans cette région et nous déclarerons à tout roi que nous y trouverons: "Voulez-vous vaincre vos ennemis?" Et nous lui montrerons comment entraîner des hommes car c'est ce que nous savons faire le mieux. Puis nous renverserons le roi et nous nous emparerons de son trône pour y établir une Dy-nastie.

— Vous serez taillés en pièces avant d'être à plus de 75 kilomètres de la frontière, remarquai-je.

---

7. **Peshawur**: ville du nord-est du Pakistan.
8. **they fight**: les deux hommes ont parfaitement conscience de l'importance de la guerre et donc de la nécessité d'une expérience militaire pour acquérir du pouvoir.
9. **to drill**: *faire l'exercice*.
10. **foe**: terme plutôt littéraire aujourd'hui.
11. **Dy-nasty**: leur ambition n'a pas de bornes!
12. **cut to pieces**: le narrateur entrevoit les dangers.

'You have to travel through Afghanistan to get to that country. It's one mass[1] of mountains and peaks and glaciers, and no Englishman has been through it. The people are utter brutes[2], and even if you reached them you couldn't do anything.'

'That's more like,' said Carnehan. 'If you could think us a little more mad we would be more pleased. We have come to you to know about this country, to read a book about it, and to be shown maps. We want you to tell us that we are fools[3] and to show us your books.' He turned to the bookcases.

'Are you at all in earnest[4]?' I said.

'A little,' said Dravot sweetly. 'As big a map as you have got, even if it's all blank where Kafiristan is, and any books you've got. We can read[5], though we aren't very educated.'

I uncased the big thirty-two-miles-to-the-inch[6] map of India, and two smaller Frontier maps, hauled down volume INF-KAN[7] of the *Encyclopædia Britannica*, and the men consulted them.

'See here!' said Dravot, his thumb on the map. 'Up to Jagdallak[8], Peachey and me know the road. We was there with Roberts' Army[9]. We'll have to turn off to the right at Jagdallak through Laghman[10] territory. Then we get among the hills —fourteen thousand feet— fifteen thousand

---

1. **one mass** : littéralement : *une seule masse, une masse compacte.*

2. **utter brutes** : les termes violents utilisés par le narrateur ont sans doute pour but d'amener les deux hommes à prendre conscience du danger qu'ils vont courir.

3. **we want you... fools** : repartie inattendue de Carnehan qui montre qu'il ne s'attend pas à être compris ni encouragé dans son entreprise.

4. **in earnest** : cf. **earnest** : *sérieux, sincère.*

5. **we can read** : on sent avec une certaine fierté dans cette remarque.

6. **thirty-two-miles-to-the-inch** : indique l'échelle de la carte ; un **mile** = 1 609 mètres.

7. **INF-KAN** : lettres initiales des mots contenus dans le volume et qui inclut donc le Kafiristan.

Pour atteindre ce pays, il vous faut traverser l'Afghanistan. C'est un énorme enchevêtrement de montagnes, de pics et de glaciers qu'aucun Anglais n'a jamais réussi à traverser. Les gens sont des brutes épaisses et même si vous parveniez jusqu'à eux, vous ne pourriez rien faire.

— C'est plutôt cela, dit Carnehan. Si vous pouviez nous considérer un peu plus fous, ça nous ferait encore plus plaisir. Nous sommes venus vous trouver pour nous informer sur ce pays, lire un livre dessus et voir des cartes. Nous voulons que vous nous disiez que nous sommes des imbéciles et que vous nous montriez vos livres.

Il se tourna vers la bibliothèque.

— Êtes-vous vraiment sérieux ? demandai-je.

— Un peu, dit doucement Dravot. La carte la plus grande que vous ayez, même si à l'endroit du Kafiristan, il n'y a que du blanc, et tous les livres que vous avez. Nous savons lire, même si nous n'avons pas beaucoup d'instruction.

Je sortis la grande carte de l'Inde, à l'échelle de 1:2.000.000, et deux cartes plus petites de la frontière, je sortis le volume INF-KAN de l'*Encyclopædia Britannica* et les deux hommes les consultèrent.

— Regarde là ! dit Dravot, le pouce sur la carte. Pour remonter jusqu'à Jagdallak, Peachey et moi connaissons la route. On est allé là-bas avec l'armée de Roberts. Il faudra que nous quittions la route à droite de Jagdallak pour traverser le territoire de Laghman. Puis nous nous trouvons dans les montagnes, à 4 000, 5 000 mètres d'altitude

---

8. **Jagdallak:** ville d'Afghanistan.

9. **Roberts' Army:** allusion à un épisode de la seconde guerre d'Afghanistan (1878-1880) qui eut lieu sous le commandement du général Frederick Roberts.

10. **Laghman:** territoire situé en Afghanistan.

—it will be cold work there, but it don't look very far on the map.'

I handed him Wood on the *Sources of the Oxus*[1]. Carnehan was deep in the *Encyclopædia*.

'They're a mixed lot,' said Dravot reflectively; 'and it won't help us to know the names of their tribes. The more tribes the more they'll fight, and the better for us. From Jagdallak to Ashang[2] —H'mm!'

'But all the information about the country is as sketchy[3] and inaccurate as can be,' I protested. 'No one knows anything about it really. Here's the file of the *United Services' Institute*[4]. Read what Bellew says.'

'Blow Bellew[5]!' said Carnehan. 'Dan, they're a stinkin' lot of heathens, but this book here says they think they're related to us English[6].'

I smoked while the men pored[7] over Raverty[8], Wood, the maps, and the *Encyclopædia*.

'There is no use your waiting,' said Dravot politely. 'It's about four o'clock now. We'll go before six o'clock if you want to sleep, and we won't steal any of the papers. Don't you sit up. We're two harmless lunatics, and if you come tomorrow evening down to the Serai[9] we'll say goodbye to you.'

'You *are* two fools,' I answered. 'You'll be turned back at the Frontier or cut up the minute you set foot in Afghanistan. Do you want any money or a recommendation downcountry? I can help you to the chance[10] of work next week.'

---

1. **Oxus**: ancien nom de l'Amou-Daria, fleuve d'U.R.S.S., qui prend sa source en Afghanistan.

2. **Ashang**: localité au nord du territoire de Laghman.

3. **sketchy**: cf. **a sketch**: *une esquisse*.

4. **United Services' Institute**: célèbre club londonien pour les élèves officiers.

5. **Bellew** (1834-1891): auteur de plusieurs ouvrages sur l'Afghanistan.

6. **related to us English**: allusion à la théorie selon laquelle des Grecs

— il fera froid là-haut — mais ça semble pas très loin sur la carte.

Je lui passai l'ouvrage de Wood sur *Les Sources de l'Oxus*. Carnehan était plongé dans l'*Encyclopædia*.

— Il y a toutes sortes de populations, dit Dravot d'un ton pensif, et cela ne nous aidera pas de connaître le nom de leurs tribus. Plus il y en a, plus ils se battront, et tant mieux pour nous ! De Jagdallak à Ashang. Hmm !

— Mais tous les renseignements concernant ce pays sont totalement incomplets et imprécis, protestai-je. Personne ne sait rien dessus à vrai dire. Voici le dossier de l'*Institut des Armées*. Lisez ce qu'en dit Bellew.

— Au diable Bellew ! dit Carnehan. Dan, c'est une bande d'infâmes païens, mais ce livre ici dit qu'ils pensent être apparentés à nous autres Anglais.

Pendant que les deux hommes étudiaient attentivement Raverty, Wood, les cartes et l'*Encyclopædia*, je fumais.

— Ce n'est pas la peine d'attendre, dit Dravot poliment. Il est près de 4 heures à présent. Nous partirons avant 6 heures si vous voulez dormir, et nous ne volerons aucun de ces documents. Ne veillez pas. Nous sommes deux excentriques inoffensifs et si vous venez demain soir au caravansérail, nous vous dirons au revoir.

— Vous êtes vraiment insensés tous les deux, répondis-je. On vous fera rebrousser chemin à la frontière, ou alors vous serez taillés en pièces à la minute où vous mettrez le pied en Afghanistan. Voulez-vous de l'argent ou une recommandation pour les provinces du Sud ? Je peux vous aider à trouver du travail la semaine prochaine.

---

descendant d'Alexandre auraient fondé une colonie dans l'Himalaya.

7. **to pore** : *étudier de près, s'absorber dans.*

8. **Raverty** : le major Raverty était l'auteur d'un ouvrage sur l'Afghanistan.

9. **Serai** : il s'agit de la grande cour, au centre du caravansérail.

10. **help you to the chance of work** : dernier argument du narrateur pour empêcher les hommes de se lancer dans leur folle aventure.

'Next week we shall be hard at work[1] ourselves, thank you,' said Dravot. 'It isn't so easy[2] being a King as it looks. When we've got our Kingdom[3] in going order we'll let you know, and you can come up and help us to govern it.'

'Would two lunatics make a Contrack like that?' said Carnehan, with subdued pride[4], showing me a greasy half-sheet of notepaper on which was written the following. I copied it, then and there[5], as a curiosity:—

This Contract between me and you persuing witnesseth[6] in the name of God —Amen and so forth.

(One[7]) That me and you will settle this matter together; i.e. to be Kings of Kafiristan.

(Two[8]) That you and me will not, while this matter is being settled, look at any Liquor, nor any Woman black, white, or brown, so as to get mixed up with one or the other harmful.

(Three[9]) That we conduct ourselves with Dignity and Discretion, and if one of us gets into trouble the other will stay by him.

Signed by you and me this day.

Peachey Taliaferro Carnehan.

Daniel Dravot.

Both Gentlemen at Large.

'There was no need for the last article,' said Carnehan, blushing modestly[10]; 'but it looks regular.

---

1. **hard at work**: on remarquera que Dravot conçoit cette aventure comme un travail.

2. **it isn't so easy…**: Kipling montre par cette remarque amusante comme les deux hommes prennent les choses au sérieux.

3. **our Kingdom**: la certitude de la réussite transparaît dans cette expression et dans l'invitation faite au narrateur.

4. **subdued pride**: remarque sur l'attitude de Carnehan. On notera au passage que Kipling ne décrit que par petites touches le caractère de ses personnages.

5. **then and there**: m. à m. *alors et là*.

6. **witnesseth**: forme pseudo-archaïque qui contribue à donner sa validité apparente à ce pacte. La forme et le langage se veulent juridiques.

— La semaine prochaine, nous serons nous-mêmes en train de travailler dur, merci, dit Dravot. Ce n'est pas aussi facile qu'il y paraît d'être roi. Quand nous aurons mis bon ordre dans notre royaume, nous vous le ferons savoir, et vous pourrez venir nous aider à le gouverner.

— Deux cinglés signeraient-ils un pac' comme celui-là ? dit Carnehan avec une fierté contenue en me montrant une demi-feuille de papier gras sur laquelle était écrit le texte suivant. Je l'ai copié séance tenante, comme curiosité :

Ce pacte entre moi et toi devant témoins au nom de Dieu — Amen, etc.

(Un) Que moi et toi règlerons cette affaire ensemble, à savoir être rois du Kafiristan.

(Deux) Que toi et moi, tant que cette affaire sera en cours de règlement, ne regarderons ni alcool ni quelque femme noire, blanche ou brune que ce soit pour ne pas nous retrouver mêlés à l'un ou l'autre qui sont nuisibles.

(Trois) Que nous nous comporterons avec dignité et réserve, et que si l'un de nous se trouve en difficulté, l'autre restera à ses côtés.

Signé par toi et moi ce jour
Peachey Taliaferro Carnehan
Daniel Dravot
Tous deux gentlemen au sens large.

— Le dernier article n'était pas nécessaire, dit Carnehan en rougissant pudiquement, mais il semble normal.

---

7. **(One) :** logiquement le premier point concerne l'objectif fixé.

8. **(Two) :** dans ce deuxième point, les femmes, comme l'alcool, sont considérées nocives...

9. **(Three) :** le troisième point lie les deux hommes en cas de danger.

10. **blushing modestly :** humour de Kipling qui fait rougir comme une jeune fille son personnage.

Now you know the sort of men that loafers are —we *are* loafers[1], Dan, until we get out of India— and *do* you think that we would sign a Contrack like that unless we was[2] in earnest? We have kept away from the two things[3] that make life worth having[4].'

'You won't enjoy your lives much longer if you are going to try this idiotic adventure. Don't set the office on fire,' I said, 'and go away before nine o'clock.'

I left them still poring over the maps and making notes on the back of the 'Contrack'. 'Be sure to come down to the Serai to-morrow,' were their parting[5] words.

The Kumharsen Serai[6] is the great four-square sink[7] of humanity where the strings[8] of camels and horses from the North load and unload. All the nationalities[9] of Central Asia may be found there, and most of the folk of India proper. Balkh[10] and Bokhara[11] there meet Bengal and Bombay, and try to draw eye-teeth. You can buy ponies, turquoises, Persian pussy-cats, saddle-bags, fat-tailed sheep and musk in the Kumharsen Serai, and get many strange things for nothing. In the afternoon I went down to see whether my friends intended to keep their word or were lying there drunk[12].

A priest attired in fragments of ribbons and rags stalked up to me, gravely twirling a child's paper whirligig[13]. Behind him was his servant bending under the load of a crate of mud toys.

---

1. **we *are* loafers... India** : l'expédition devrait leur permettre de monter dans l'échelle sociale...

2. **we was** : au lieu de **we were** : on trouvera souvent cette incorrection grammaticale dans la bouche de Carnehan.

3. **the two things** : il s'agit de l'alcool et des femmes.

4. **worth having** : notez la construction. Cf. : **it is worth going there** : *cela vaut la peine d'y aller.*

5. **parting** : cf. **to part** : *se séparer.*

6. **Kumharsen Serai** : peut-être le caravansérail de Lahore.

7. **sink** : *évier.*

8. **string** : 1) *ficelle* ; 2) *file, chapelet.*

9. **all the nationalities** : dans les quelques lignes qui suivent, Kipling réussit à donner l'impression d'une foule grouillante et affairée.

Maintenant vous savez quel genre d'hommes sont les vagabonds — nous sommes des vagabonds, Dan, jusqu'à ce que nous quittions l'Inde — et croyez-vous vraiment que nous signerions un pac' comme ça si nous n'étions pas sérieux ? Nous avons renoncé aux deux choses qui valent la peine dans la vie.

— Vous ne profiterez pas de la vie beaucoup plus longtemps si vous allez tenter cette aventure idiote. Ne mettez pas le feu au bureau, dis-je, et partez avant 9 heures.

Je les laissai toujours absorbés dans les cartes et prenant des notes au dos du "pac". "Ne manquez pas de venir au caravansérail demain" furent leurs mots d'adieu.

Le caravansérail de Kumharsen est le grand déversoir d'humanité de forme carrée où sont chargées et déchargées les caravanes de chameaux et de chevaux venant du Nord. On peut y trouver toutes les nationalités de l'Asie centrale et la plupart des habitants de l'Inde à proprement parler. Balkh et Boukhara y rencontrent là Bengale et Bombay et essaient de marchander péniblement. Au caravansérail de Kumharsen, on peut acheter poneys, turquoises, chats persans, sacoches, moutons à grosse queue et musc, et se procurer pour rien de nombreux objets bizarres. L'après-midi, je m'y rendis pour voir si mes amis tiendraient parole ou si je les trouverais allongés, complètement ivres.

Un prêtre vêtu de bouts de ruban et de haillons s'approcha de moi, faisant gravement tourner un moulin à vent d'enfant en papier. Derrière lui se tenait un domestique croulant sous le poids d'une caisse de jouets en terre glaise.

---

10. **Balkh :** ville d'Afghanistan, située dans le Turkestan.

11. **Bokhara :** ville russe de l'Ouzbékistan.

12. **lying there drunk :** cette supposition indique que le narrateur n'est pas encore convaincu de la détermination de ses deux visiteurs de la veille.

13. **whirligig :** petit jouet que le vent fait tourner.

The two were loading up two camels, and the inhabitants of the Serai watched them with shrieks of laughter.

'The priest is mad,' said a horse-dealer to me. 'He is going up to Kabul to sell toys to the Amir[1]. He will either be raised to honour or have his head cut off. He came in here this morning and has been behaving madly ever since.'

'The witless[2] are under the protection of God,' stammered a flat-cheeked Uzbeg[3] in broken Hindi[4]. 'They foretell future events.'

'Would they could[5] have foretold that my caravan would have been cut up by the Shinwaris[6] almost within shadow[7] of the Pass!' grunted the Yusufzai[8] agent of a Rajputana trading-house whose goods had been diverted into the hands of other robbers just across the Border, and whose misfortunes were the laughing-stock of the Bazar. 'Ohé, priest, whence come you and whither[9] do you go?'

'From Roum[10] have I come[11],' shouted the priest, waving his whirligig; 'from Roum, blown by the breath of a hundred devils across the sea! O thieves, robbers, liars, the blessing of Pir Khan[12] on pigs, dogs, and perjurers! Who will take the Protected of God to the North to sell charms that are never still to the Amir? The camels shall not[13] gall, the sons shall not fall sick, and the wives shall remain faithful while they are away, of the men who give me place in their caravan[14]. Who will assist me to slipper the King of the Roos[15] with a golden slipper with a silver heel?

1. **Amir**: titre du souverain de l'Afghanistan.
2. **witless**: m. à m. *sans esprit*; cf. **wit**: *esprit, intelligence*.
3. **Uzbeg**: habitant de l'Ouzbekistan.
4. **Hindi**: langue parlée en Inde.
5. **would they could**: incorrect, combiné de **would they** et **could they**.
6. **Shinwaris**: tribu vivant dans la région de Khaïbar.
7. **within shadow**: m. à m.: *à l'intérieur de la zone d'ombre*.
8. **Yusufzai**: tribu pathane vivant non loin du Cachemire.
9. **whither**: littéraire pour **where**.
10. **Roum**: c'est-à-dire Constantinople.
11. **have I come**: le langage du prêtre est délibérément emphatique et

68

Ils étaient en train de charger deux chameaux et les habitants du caravansérail les observaient en hurlant de rire.

— Le prêtre est fou, me dit un marchand de chevaux. Il part à Kaboul vendre des jouets à l'Emir. Ou il sera élevé aux honneurs ou il se fera couper la tête. Il est arrivé ici ce matin et depuis il n'a cessé de se comporter comme un fou.

— Les pauvres d'esprit sont sous la protection de Dieu, bégaya en mauvais hindi un Ouzbeg aux joues plates. Ils prédisent l'avenir.

— Si seulement ils avaient pu prédire que ma caravane serait massacrée par les Shinwaris à peine sortie du défilé, grommela l'agent yusufzai d'une firme commerciale du Radjpoutana dont les marchandises étaient passées dans les mains d'autres voleurs, juste après la frontière, et dont les malheurs étaient la risée de tout le bazar. Ohé, le prêtre, d'où venez-vous et où allez-vous ?

— De Roum je suis venu, cria le prêtre en agitant son moulin à vent ; de Roum, transporté à travers la mer par le souffle d'une centaine de démons ! Ô voleurs, brigands, menteurs, la bénédiction de Pir Khan sur les cochons, les chiens et les parjures ! Qui emmènera au Nord le Protégé de Dieu pour vendre à l'Emir des fétiches qui ne restent jamais sans effet ? Les chameaux de ceux qui me feront une place dans leur caravane n'auront pas d'écorchure, leurs fils ne tomberont pas malades et leurs épouses resteront fidèles pendant leur absence. Qui m'aidera à chausser le roi des Rousses d'une pantoufle d'or au talon d'argent ?

---

comporte de nombreuses exclamations, questions et interpellations, comme s'il faisait un sermon ou invoquait le Ciel.

12. **Pir Khan** : chef religieux.

13. **shall not** : tournure fréquente dans la Bible.

14. **the camels... caravan** : on appréciera l'ordre dans lequel les biens des caravaniers sont présentés ainsi que le genre de bienfaits promis par le prêtre.

15. **Roos** : terme déformé, il s'agit des Russes.

The protection of Pir Khan be[1] upon his labours!' He spread out the skirts of his gaberdine and pirouetted between the lines of tethered[2] horses.

'There starts a caravan from Peshawur to Kabul in twenty days, *Huzrut*[3],' said the Yusufzai trader. 'My camels go therewith. Do thou[4] also go and bring is good luck.'

'I will go even now!' shouted the priest. 'I will depart upon my winged camels[5], and be at Peshawur in a day! Ho! Hazar[6] Mir Khan[7],' he yelled to his servant, 'drive out the camels, but let me first mount my own.'

He leaped on the back of his beast as it knelt, and, turning to me, cried: 'Come thou also, Sahib[8], a little along the road, and I will sell thee a charm —an amulet that shall make thee King of Kafiristan.'

Then the light broke upon me, and I followed the two camels out of the Serai till we reached open road and the priest halted.

'What d'you think[9] o' that?' said he in English. 'Carne-han can't talk their patter, so I've made him my servant. He makes a handsome servant.' Tisn't for nothing that I've been knocking about the country for fourteen years. Didn't I do that talk neat[10]? We'll hitch onto a caravan at Peshawur till we get to Jagdallak, and then we'll see if we can get donkeys for our camels, and strike into Kafiristan. Whirligigs for the Amir, oh, Lor[11]! Put your hand under the camel-bags and tell me what you feel.'

---

1. **be :** la forme de l'infinitif est utilisée pour exprimer le souhait.

2. **tethered :** cf. **a tether :** *une longe.*

3. **Huzrut :** terme honorifique.

4. **thou :** pronom sujet, deuxième personne du singulier. En principe, impose une désinence au verbe. On devrait avoir **dost** au lieu de **do.**

5. **my winged camels :** parodie de **winged horses :** *chevaux ailés,* images suggérant la rapidité.

6. **Hazar :** prépare-toi.

7. **Khan :** titre donné aux chefs de tribu.

8. **Sahib :** le prêtre s'adresse alors au narrateur de manière à se faire identifier.

Que la protection de Pir Khan favorise ses travaux !

Il écarta les pans de son manteau et pirouetta entre les rangées de chevaux attachés.

— Dans vingt jours une caravane part de Peshawar pour Kaboul, *Huzrut*, dit le marchand de yusufzai. Mes chameaux en font partie. Viens, toi aussi, et porte-nous chance.

— Je partirai même tout de suite, s'écria le prêtre ; je m'en irai sur mes chameaux ailés et je serai à Peshawar en une journée. Oh ! Hazar Mir Khan, hurla-t-il à son domestique, sors les chameaux, mais laisse-moi d'abord monter sur le mien.

Il sauta sur le dos de son chameau agenouillé et se tournant vers moi, cria : "Viens un peu sur la route, toi aussi, Sahib, et je te vendrai un fétiche — une amulette — qui fera de toi le roi du Kafiristan."

Alors la lumière se fit dans mon esprit et je suivis les deux chameaux du caravansérail jusqu'à la grand'route où le prêtre s'arrêta.

— Que pensez-vous d'ça ? dit-il en anglais. Carnehan sait parler leur sabir, aussi ai-je fait de lui mon domestique. C'est un domestique superbe. Ce n'est pas pour rien que je me suis baladé dans le pays pendant quatorze ans. N'ai-je pas bien réussi mon baratin ? Nous nous raccrocherons à une caravane à Peshawar jusqu'à ce que nous atteignions Jagdallak, puis nous verrons si nous pouvons échanger nos chameaux contre des ânes et nous pénètrerons au Kafiristan. Des moulins à vent pour l'Emir, bon Dieu ! Passez la main sous les sacoches des chameaux et dites-moi ce que vous sentez.

9. **What d'you think :** Dravot cherche en fait à recueillir l'admiration et les encouragements du narrateur.

10. **do that talk neat :** m. à m. : *fait ce discours proprement*.

11. **Lor :** pour **Lord** : *Seigneur*.

I felt the butt of a Martini[1], and another and another.

'Twenty of'em,' said Dravot placidly. 'Twenty of'em and ammunition to correspond, under the whirligigs and the mud dolls.'

'Heaven help you if you are caught with those things!' I said. 'A Martini is worth her weight in silver among the Pathans[2].'

'Fifteen hundred rupees of capital —every rupee we could beg, borrow, or steal[3]— are invested[4] on these two camels,' said Dravot. 'We won't get caught. We're going through the Khyber[5] with a regular caravan. Who'd touch a poor mad priest?'

'Have you got[6] everything you want?' I asked, overcome with astonishment.

'Not yet, but we shall soon. Give us a memento of your kindness, *Brother*. You did me a service, yesterday, and that time in Marwar. Half my Kingdom[7] shall you have, as the saying is.' I slipped a small charm compass from my watch-chain and handed it up to the priest.

'Good-bye,' said Dravot, giving me hand cautiously. 'It's the last time we'll shake hands with an Englishman these many days[8]. Shake hands with him, Carnehan,' he cried, as the second camel passed me.

Carnehan leaned down and shook hands. Then the camels passed away along the dusty road, and I was left alone to wonder[9].

---

1. **Martini :** fusil utilisé par l'armée britannique et dont la contrebande était très rentable. Les intentions des deux hommes sont à présent tout à fait claires.

2. **Pathans :** membres de tribus afghanes habitant les régions frontalières du nord-ouest.

3. **beg, borrow, or steal :** raccourci humoristique pour rappeler le mode de vie des deux hommes.

4. **invested :** mot quelque peu surprenant dans la bouche de Dravot. Mais il connaît la valeur de l'argent !

5. **Khyber :** *Khaibar :* défilé entre le Pakistan et l'Afghanistan.

6. **Have you got :** cette question pleine de sollicitude montre que le

Je sentis la crosse d'un Martini, puis une autre et encore une autre.

— Il y en a vingt, dit Dravot calmement. Vingt, et les munitions qui vont avec, sous les moulins à vent et les poupées en terre glaise.

— Dieu vous protège si on vous arrête avec ces objets! dis-je. Un Martini vaut son pesant d'argent chez les Pathans.

— Cinq mille roupies de capital — toutes les roupies que nous avons réussi à mendier, à emprunter ou à voler — sont investies dans ces deux chameaux, dit Dravot. Nous ne serons pas arrêtés. Nous traverserons le Khaiber avec une caravane régulière. Qui s'en prendrait à un pauvre prêtre fou?

— Avez-vous tout ce dont vous avez besoin? demandai-je, saisi d'étonnement.

— Pas encore, mais bientôt. Donnez-nous un souvenir de votre gentillesse, *mon frère*. Vous m'avez rendu service hier et l'autre fois à Marwar. Vous aurez la moitié de mon royaume, selon l'expression consacrée.

J'ôtai de ma chaîne de montre une petite boussole qui s'y trouvait en breloque et la donnai au prêtre.

— Au revoir, dit Dravot en me tendant la main avec circonspection. C'est la dernière fois que nous serrons la main à un Anglais avant longtemps. Serre-lui la main, Carnehan, cria-t-il quand le second chameau passa devant moi.

Carnehan se pencha et nous nous serrâmes la main. Puis les chameaux s'éloignèrent sur la route poussiéreuse et je me retrouvai seul, perplexe.

---

narrateur est à présent convaincu que les deux hommes sont définitivement engagés dans leur aventure.

7. **Half my Kingdom** : récompense traditionnelle. Cf. Évangile selon saint Marc, VI, 23.

8. **these many days** : m. à m. : *d'ici de nombreux jours*.

9. **to wonder** : *s'interroger, s'étonner*.

My eye could detect no failure in the disguises. The scene in the Serai proved that they were complete to the native mind. There was just the chance, therefore, that Carnehan and Dravot would be able to wander through Afghanistan without detection. But, beyond[1], they would find death[2] — certain and awful death.

Ten days later a native correspondent, giving me the news of the day from Peshawur, wound up[3] his letter with: 'There has been much laughter[4] here on account of a certain mad priest who is going in his estimation to sell petty gauds and insignificant trinkets which he ascribes as great charms to H.H.[5] the Amir of Bokhara. He passed through Peshawur and associated himself to the Second Summer caravan that goes to Kabul. The merchants are pleased because through superstition they imagine that such mad fellows[6] bring good fortune.'

The two, then, were beyond the Border. I would have prayed for them, but, that night, a real King[7] died in Europe, and demanded an obituary notice.

★

The wheel of the world[8] swings through the same phases again and again. Summer passed and winter[9] thereafter, and came and passed again. The daily paper continued and I with it, and upon the third summer there fell a hot night[10], a night-issue,

1. **but beyond :** le narrateur reste malgré tout sceptique sur leurs chances de réussite.

2. **death :** le mot est prononcé clairement. Le narrateur ne garde aucun espoir de les revoir.

3. **wound up :** de to **wind, wound, wound :** *enrouler, sinuer.*

4. **much laughter :** m. à m. : *beaucoup de rire.*

5. **H.H. :** abrégé pour **His Highness.**

6. **such mad fellows :** on remarquera que depuis le début, tout le monde considère les deux hommes fous.

7. **a real King :** retour à la réalité de la vie quotidienne pour le narrateur, repris par sa profession de journaliste. La parenthèse due à

Mon regard ne parvenait à déceler aucun défaut dans leur déguisement. La scène du caravansérail prouvait qu'ils avaient complètement intégré l'esprit indigène. Il y avait donc une chance pour que Carnehan et Dravot parviennent à traverser l'Afghanistan sans être découverts. Mais au-delà de ce pays, ils trouveraient la mort — une mort certaine et horrible.

Dix jours plus tard, un correspondant indigène qui me donnait des nouvelles du jour en provenance de Peshawar termina sa lettre sur ces mots: "On a beaucoup ri ici à propos d'un prêtre fou qui envisage d'aller vendre à Son Excellence l'Emir de Bokhara de petites babioles et des colifichets sans valeur qu'il présente comme de merveilleuses amulettes. Il a traversé Peshawar et s'est joint à la seconde caravane d'été qui se rend à Kaboul. Les marchands sont ravis car, par superstition, ils imaginent que des fous de cette espèce leur portent chance."

Les deux hommes avaient donc franchi la frontière. J'aurais volontiers prié pour eux mais, cette nuit-là, un véritable roi est mort en Europe, exigeant une notice nécrologique.

La roue de l'univers traverse régulièrement les mêmes phases. L'été a passé, et l'hiver ensuite, puis ils sont revenus et passés à nouveau. Le journal quotidien continuait, et moi avec lui, et lors du troisième été est survenue une nuit torride, avec une édition à finir

---

la venue des deux aventuriers semble en quelque sorte fermée.

8. **the wheel of the world**: image cliché pour évoquer l'écoulement du temps.

9. **Summer... winter**: rappel des deux grandes parties de l'année en Inde, au rythme et au mode de vie différents.

10. **a hot night**: c'est la troisième nuit torride de la nouvelle qui, comme les précédentes, ne peut qu'annoncer l'imminence d'un événement important.

and a strained[1] waiting for something to be telegraphed from the other side of the world, exactly[2] as had happened before. A few great men had died in the past two years, the machines worked with more clatter, and some of the trees in the office garden were a few feet taller. But that was all the difference.

I passed over to the press-room, and went through just such a scene as I have already described. The nervous tension was stronger than it had been two years before, and I felt the heat more acutely[3]. At three o'clock I cried, 'Print off,' and turned to go, when there crept[4] to my chair what was left of a man[5]. He was bent into a circle, his head was sunk[6] between his shoulders, and he moved his feet one over the other like a bear[7]. I could hardly see whether he walked or crawled[8] —this rag-wrapped[9], whining cripple who addressed me by name, crying that he was come back. 'Can you give me a drink?' he whimpered. 'For the Lord's sake, give me a drink!'

I went back to the office, the man following with groans of pain, and I turned up the lamp.

'Don't you know me?' he gasped[10], dropping[11] into a chair, and he turned his drawn[12] face, surmounted by a shock of grey hair, to the light.

---

1. **strained**: cf. **strain**: 1) *tension*; 2) *effort, tension nerveuse*; 3) *entorse, foulure*.

2. **exactly**: le narrateur souligne la similitude avec les autres nuits de tension précédentes.

3. **more clatter... taller... stronger... more acutely**: série de comparatifs pour indiquer que toutes les sensations ont cependant atteint un degré supérieur.

4. **there crept**: toute la fin de ce paragraphe est consacrée à la description de la créature infirme et difforme qui arrive dans le bureau du journaliste.

5. **what was left of a man... cripple**: expressions qui renvoient à l'aspect général.

6. **to sink, sank, sunk**: *couler, sombrer, s'affaisser*.

7. **like a bear**: comparaison suggérant la lourdeur et la lenteur.

et l'attente dans la nervosité de quelque chose qui arriverait par télégramme de l'autre bout du monde, exactement comme cela s'était produit auparavant. Quelques grands hommes étaient morts au cours des deux années écoulées, les machines faisaient encore plus de fracas et certains arbres, dans le jardin du bureau, avaient un ou deux mètres de plus. Mais c'étaient là les seules différences.

Je me rendis dans l'atelier de presse où je vécus une scène tout à fait semblable à celle que j'ai déjà décrite. La tension nerveuse était plus forte que deux ans auparavant et je ressentais plus intensément la chaleur. À trois heures, je m'écriai : ''Commencez l'impression !'' et me retournai pour partir quand se traîna jusqu'à ma chaise ce qui restait d'un homme. Il était plié en deux, la tête enfoncée dans les épaules, et il passait ses pieds l'un par-dessus l'autre comme un ours. Je parvins à peine à distinguer s'il marchait ou s'il rampait, cet infirme geignant, enveloppé dans des haillons, qui m'appelait par mon nom et criait qu'il était revenu.

— Pouvez-vous me donner à boire ? gémit-il. Pour l'amour de Dieu, donnez-moi à boire.

Je rentrai dans le bureau, l'homme derrière moi qui poussait des gémissements de douleur, et j'allumai la lampe.

— Vous ne me reconnaissez pas, haleta-t-il, et il tourna vers la lumière son visage ravagé, surmonté d'une tignasse de cheveux gris.

---

8. **crept... crawled :** les deux verbes veulent dire **ramper** et décrivent les difficultés à se déplacer de l'individu.

9. **rag-wrapped :** allitération puisque le **w** de **wrapped** n'est pas prononcé.

10. **whining... crying... whimpered... groans... gasped :** tous ces termes décrivant les sons proférés par l'homme révèlent sa souffrance.

11. **dropping :** suggère l'épuisement ; cf. **to drop :** ici *se laisser tomber.*

12. **to draw, drew, drawn :** *tirer.*

I looked at him intently. Once before had I seen eyebrows[1] that met over the nose in an inch-broad black band, but for the life of me I could not recall where.

'I don't know you[2],' I said, handing him the whisky. 'What can I do for you?'

He took a gulp of the spirit raw[3], and shivered in spite of the suffocating heat.

'I've come back,' he repeated; 'and I was the King of Kafiristan —me and Dravot— crowned Kings[4] we was! In this office we settled it —you setting there and giving us the books. I am Peachey —Peachey Taliaferro Carnehan, and you've been setting here ever since[5]— oh, Lord!'

I was more than a little astonished, and expressed my feelings accordingly.

'It's true,' said Carnehan, with a dry cackle, nursing his feet, which were wrapped in rags. 'True as gospel[6]. Kings we were, with crowns upon our heads —me and Dravot— poor Dan[7] —oh, poor, poor Dan, that would never take advice, not though I begged of him!'

'Take the whisky,' I said, 'and take your own time. Tell me all you can recollect of everything from beginning to end[8]. You got across the Border on your camels, Dravot dressed as a mad priest and you his servant. Do you remember that?'

'I ain't[9] mad —yet, but I shall be that way soon. Of course I remember.

---

1. **eyebrows** : le narrateur ne maintient qu'à moitié le suspense car le lecteur a déjà pu deviner de qui il s'agissait.

2. **I don't know you** : contrairement à la seconde rencontre, la reconnaissance se fait difficilement, en raison de la dégradation physique de Peachey.

3. **raw** : *cru*.

4. **crowned Kings** : le mot **crowned** indique l'importance de l'emblème comme preuve de la vérité de ses dires.

5. **ever since** : ces deux mots montrent qu'au journal, rien n'a changé.

6. **true as gospel** : vu sa déchéance actuelle, Peachey est obligé d'émettre cette comparaison pour convaincre son interlocuteur.

Je le regardai avec attention. Une fois auparavant, j'avais vu ce genre de sourcils qui se rejoignaient au-dessus du nez et formaient une bande noire de quelques centimètres de large, mais pour rien au monde je ne parvenais à me rappeler où.

— Je ne vous connais pas, dis-je en lui tendant le whisky. Que puis-je faire pour vous ?

Il prit une gorgée d'alcool pur et frissonna malgré la chaleur étouffante.

— Je suis revenu, répéta-t-il, et j'ai été roi du Kafiristan, moi et Dravot, couronnés rois que nous étions ! C'est dans ce bureau que nous l'avions décidé — vous installé ici et vous nous avez donné les livres. Je suis Peachey, Peachey Taliaferro Carnehan, et vous êtes toujours resté ici depuis ! Oh ! mon Dieu !

J'étais passablement étonné et exprimai mes sentiments en conséquence.

— C'est vrai, dit Carnehan avec un gloussement sec, arrangeant ses pieds enveloppés de chiffons, aussi vrai que l'Évangile. Nous avons été rois, avec une couronne sur la tête, moi et Dravot — pauvre Dan ! — oh ! le pauvre, pauvre Dan qui ne voulait jamais écouter les conseils, même quand je l'en suppliais !

— Buvez le whisky, dis-je, et prenez votre temps. Racontez-moi tout ce dont vous vous souvenez du début à la fin. Vous avez traversé la frontière sur vos chameaux, Dravot déguisé en prêtre fou et vous comme son domestique. Vous vous rappelez cela ?

— J'suis pas fou, pas encore, mais cela ne saurait tarder. Bien sûr que je me rappelle.

---

7. **poor Dan** : la répétition de **poor** laisse présager qu'il lui est arrivé malheur.

8. **tell me all... to end** : le narrateur est maintenant fasciné et avide de connaître les aventures des deux hommes.

9. **ain't** : am not.

Keep looking at me, or maybe my words will go all to pieces[1]. Keep looking at me in my eyes and don't say anything.'

I leaned forward and looked into[2] his face as steadily as I could. He dropped one hand upon the table and I grasped it by the wrist. It was twisted like a bird's claw, and upon the back was a ragged[3] red diamond[4]-shaped scar[5].

'No, don't look there. Look at *me*,' said Carnehan. 'That comes afterwards, but for the Lord's sake don't distrack[6] me. We left[7] with that caravan, me and Dravot playing all sorts of antics[8] to amuse the people we were with. Dravot used to make us laugh in the evenings when all the people was[9] cooking their dinners —cooking their dinners, and... what did they do then[10]? They lit little fires with sparks that went into Dravot's beard, and we all laughed —fit to die. Little red fires they was, going into Dravot's big red beard —so funny.' His eyes left mine and he smiled foolishly.

'You went as far as Jagdallak with that caravan,' I said at a venture[11], 'after you had lit those fires. To Jagdallak where you turned off to try to get into Kafiristan.'

'No, we didn't neither[12]. What are you talking about? We turned off before Jagdallak, because we heard the roads was good. But they wasn't good enough for our two camels —mine and Dravot's.

---

1. **go to pieces** : expression imagée indiquant que l'esprit de Peachey n'est plus tout à fait sain.

2. **looked into** : la préposition **into** souligne l'attention avec laquelle le narrateur le regarde : son regard en quelque sorte pénètre dans le visage de Peachey.

3. **ragged** : 1) *en lambeaux, en loques* ; 2) *déchiqueté*.

4. **diamond** : 1) *diamant* ; 2) *losange*.

5. **twisted... scar** : traces apparentes, pour l'instant inexpliquées, des souffrances subies par l'homme.

6. **distrack** : pour **distract**.

7. **we left** : début du récit de Peachey qui enchaîne directement avec la phrase du narrateur un peu plus haut.

8. **antics** : *cabrioles, bouffonneries*.

Ne me quittez pas des yeux, sinon peut-être que mes paroles vont s'en aller en miettes. Continuez à me regarder dans les yeux et ne dites pas un mot.

Je me penchai en avant et regardai son visage aussi fixement que possible. Il laissa tomber sur la table une de ses mains que je saisis par le poignet. Elle était crochue comme la serre d'un oiseau et, sur le dos, on voyait une cicatrice rouge en forme de losange aux contours irréguliers.

— Non, ne regardez pas là. Regardez-*moi*, dit Carnehan. Ça, ça vient après, mais pour l'amour de Dieu, me distrayez pas. Nous sommes partis avec cette caravane, moi et Dravot, jouant toutes sortes de tours pour amuser les gens avec lesquels nous étions. Dravot nous faisait rire le soir quand tout le monde préparait son dîner — préparait son dîner et — qu'est-ce qu'ils faisaient ensuite ? Ils allumaient de petits feux et des étincelles sautaient dans la barbe de Dravot et nous riions tous — à mourir de rire, ces petites flammes rouges qui sautaient dans la grande barbe rousse de Dravot — c'était si drôle.

Ses yeux quittèrent les miens et il sourit d'un air idiot.

— Vous êtes allés jusqu'à Jagdallak avec cette caravane, dis-je à tout hasard, après avoir allumé ces feux. À Jagdallak, vous avez bifurqué pour tenter de pénétrer dans le Kafiristan.

— Non, ni l'un ni l'autre. Qu'est-ce que vous racontez ? Nous avons bifurqué avant Jagdallak parce que nous avons entendu dire que les routes étaient bonnes. Mais elles étaient pas assez bonnes pour nos deux chameaux — le mien et celui de Dravot.

---

9. **all the people was** : on devrait avoir **were**, car **people** est pluriel quand il signifie *gens*.

10. **and... what did they do** : premier trou de mémoire de Peachey.

11. **I said at a venture** : tout au long du récit de Peachey, le narrateur interviendra de la sorte pour l'aider à se souvenir et à retrouver le fil de son histoire. **Venture** : *aventure, entreprise hasardeuse*.

12. **we didn't neither** : incorrect pour **didn't either**.

When we left the caravan, Dravot took off all his clothes and mine too, and said we would be heathen, because the Kafirs didn't allow[1] Mohammedans to talk to them. So we dressed betwixt and between[2], and such a sight as Daniel Dravot I never saw yet nor expect to see again. He burned half his beard, and slung[3] a sheep-skin over his shoulder, and shaved his head into patterns[4]. He shaved mine, too, and made me wear outrageous[5] things to look like a heathen. That was in a most mountainous country, and our camels couldn't go along any more because of the mountains. They were tall and black, and coming home I saw them fight like wild goats[6] —there are lots of goats in Kafiristan. And these mountains, they never keep still, no more than the goats. Always fighting they are, and don't let you sleep at night.'

'Take some more whisky[7],' I said very slowly. 'What did you and Daniel Dravot do when the camels could go no farther[8] because of the rough roads that led into Kafiristan?'

'What did which do[9]? There was a party called Peachey Taliaferro Carnehan that was with Dravot. Shall I tell you about him? He died out there[10] in the cold. Slap from the bridge fell old Peachey, turning and twisting in the air like a penny whirligig that you can sell to the Amir.

---

1. **the Kafirs did not allow**: les Kafirs ne sont ni musulmans ni chrétiens et c'est la raison pour laquelle les deux hommes vont essayer de se faire passer pour païens.

2. **betwixt and between**: les deux mots ont le même sens de *entre*, **betwixt** étant une forme plus littéraire ou dialectale.

3. **to sling, slung, slung**: *jeter, lancer*.

4. **shaved his head into patterns**: littéralement *s'est rasé la tête en y traçant des motifs*.

5. **outrageous**: *atroce, monstrueux, choquant*; cf. **it is outrageous**: *c'est un scandale*!

6. **fight like wild goats**: comparaison surprenante puisqu'il s'agit des montagnes. Soit Peachey a déliré, soit il évoque ici des avalanches ou des tremblements de terre.

Quand nous avons quitté la caravane, Dravot a enlevé tous ses vêtements et moi aussi, et il a dit qu'on serait des païens parce que les Kafirs ne permettaient pas aux musulmans de leur parler. C'est pour cela que nous nous sommes déguisés entre les deux et je n'ai jamais vu un spectacle comme Daniel Dravot et je n'en reverrai probablement jamais. Il a brûlé la moitié de sa barbe et il a jeté une peau de mouton sur ses épaules ; et il a dessiné au rasoir des motifs sur son crâne. Il a rasé le mien également et m'a fait porter des choses extravagantes pour que j'aie l'air d'un païen. C'était un pays montagneux et nos chameaux ne pouvaient plus avancer à cause des montagnes. Elles étaient hautes et noires, et en rentrant je les ai vues se battre comme des chèvres sauvages — il y a des tas de chèvres au Kafiristan. Et ces montagnes, elles ne restent jamais tranquilles, pas plus que des chèvres. Toujours en train de se battre, et elles ne vous laissent pas dormir la nuit.

— Prenez encore un peu de whisky, dis-je très lentement. Qu'est-ce que vous avez fait, Daniel Dravot et vous, quand les chameaux n'ont pu aller plus loin à cause des mauvaises routes qui menaient au Kafiristan ?

— Qu'est-ce qu'on a fait ? Il y avait un type nommé Peachey Taliaferro Carnehan qui était avec Dravot. Vous voulez que je vous parle de lui ? Il est mort là-bas dans le froid. Tout droit du haut du pont, il est tombé, le vieux Peachey, en tournant et en tourbillonnant dans l'air comme un moulin à vent à deux sous que vous pouvez vendre à l'Emir.

---

7. **some more whisky** : l'intervention du narrateur s'impose à ce moment-là et par ses questions, il va essayer de le ramener à un récit plus cohérent.

8. **farther** : comparatif irrégulier de **far**.

9. **what did which do ?** : pour **what did we do** ?

10. **he died out there** : Peachey anticipe sur la suite du récit et évoque la mort violente de son compagnon.

—No; they was two for three-ha'pence, those whirligigs[1], or I am much mistaken and woeful sore[2].... And then these camels were no use, and Peachey said to Dravot[3] —"For the Lord's sake let's get out of this[4] before our heads are chopped off," and with that they killed[5] the camels all among the mountains, not having anything in particular to eat, but first they took off the boxes with the guns and the ammunition, till two men came along driving four mules. Dravot up and dances[6] in front of them, singing: "Sell me four mules." Says the first man: "If you are rich enough to buy, you are rich enough to rob[7]"; but before ever he could put his hand to his knife, Dravot breaks his neck[8] over his knee, and the other party runs away. So Carnehan loaded the mules with the rifles that was taken off the camels, and together we starts[9] forward into those bitter cold mountaineous parts, and never a road broader than the back of your hand.'

He paused for a moment, while I asked[10] him if he could remember the nature of the country through which he had journeyed.

'I am telling you as straight as I can, but my head isn't as good as it might be. They drove nails[11] through it to make me hear better how Dravot died. The country was mountaineous, and the mules were most contrary, and the inhabitants was dispersed and solitary. They went up and up, and down and down,

---

1. **whirligigs** : l'image du tourniquet utilisée pour décrire la chute de Dravot du haut du pont rappelle les jouets qu'ils vendaient lors de leur départ.

2. **woeful sore** : cf. **woe** (littéraire) : *malheur, affliction* ; **sore** : 1) *douloureux, enflammé* ; 2) *contrarié*.

3. **Peachey said to Dravot** : par moments, dans son récit, Peachey parle de lui-même et de son ami à la troisième personne, marquant ainsi une certaine distance.

4. **get out of this** : on ne sait plus très bien à quel moment fait allusion cette remarque.

5. **they killed** : il s'agit des deux hommes.

6. **dances** : utilisation du présent de narration.

Non, i'coûtaient trois sous les deux, ces moulins à vent, ou alors je me trompe complètement et j'en suis affreusement désolé... Et puis ces chameaux ne servaient à rien, et Peachey dit à Dravot : "Pour l'amour du Ciel, sortons d'ici avant de nous faire couper la tête", et là-dessus ils ont tué les chameaux au milieu des montagnes, faute d'avoir quoi que ce soit de particulier à manger ; mais d'abord ils ont emporté les caisses remplies de fusils et de munitions jusqu'à ce que passent deux hommes avec quatre mules. Dravot s'met debout et danse devant eux en chantant : "Vendez-moi quatre mules." Le premier homme, i'dit : "Si vous êtes assez riches pour acheter, vous êtes assez riches pour être volés" ; mais avant qu'il ait le temps de saisir son couteau, Dravot lui brise le cou sur son genou et l'autre type s'enfuit en courant. Alors Carnehan a chargé sur les mules les fusils qui avaient été enlevés des chameaux, et nous v'là partis ensemble dans ces régions montagneuses terriblement froides et sans jamais une route plus large que le dos de ma main.

Il s'arrêta un instant, pendant que je lui demandais s'il se rappelait la nature du pays qu'il avait traversé.

— Je vous dis les choses aussi directement que possible, mais ma tête n'est plus aussi solide. Ils m'ont enfoncé des clous dedans pour que j'entende mieux comment Dravot était mort. Le pays était montagneux, et les mules très récalcitrantes, et les habitants z-étaient dispersés et isolés. Ils montaient et descendaient, montaient et descendaient,

---

7. **to rob** : à prendre dans le sens passif, comme dans **ready-to-wear** : *prêt à porter*.

8. **breaks his neck** : on notera la violence du comportement, même s'il s'agit de légitime défense.

9. **we starts** : pour **we start** ; ce type d'incorrection est fréquent dans la bouche de Peachey.

10. **I asked him** : nouvelle pause et nouvelle relance par une question.

11. **they drove nails** : allusion à des faits pour l'instant inconnus.

and that other party, Carnehan[1], was imploring of Dravot not to sing and whistle so loud, for fear of bringing down the tremenjus[2] avalanches. But Dravot says[3] that if a King couldn't sing it wasn't worth being King, and whacked the mules over the rump, and never took no heed[4] for ten cold days. We came to a big level valley all among the mountains, and the mules were near dead[5], so we killed them, not having anything in special for them or us to eat. We sat upon the boxes, and played odd and even[6] with the cartridges that was jolted out[7].

'Then ten men with bows and arrows ran down that valley, chasing twenty men with bows and arrows, and the row was tremenjus. They was fair[8] men —fairer than you or me— with yellow hair and remarkable well built. Says Dravot, unpacking the guns: "This is the beginning of the business[9]. We'll fight for the ten men," and with that he fires two rifles at the twenty men, and drops one of them at two hundred yards from the rock where he was sitting. The other men began to run, but Carnehan and Dravot sits on the boxes picking them off[10] at all ranges, up and down the valley. Then we goes up to the ten men that had run across the snow too, and they fires[11] a footy little arrow at us. Dravot he shoots above their heads and they all falls down flat[12]. Then he walks over them and kicks them,

---

1. **the other party, Carnehan** : on notera la façon dont il parle de lui, tantôt comme Peachey, tantôt comme Carnehan ; **party** ici a le sens d'*individu*.

2. **tremenjus** : déformation de **tremendous**.

3. **but Dravot says** : allusion à l'obstination de Dravot qui aura son importance ultérieurement.

4. **never took no heed** : la présence de deux négations montre que Peachey utilise un langage populaire.

5. **near dead** : pour **nearly dead**.

6. **odd and even** : **odd** : *impair*, mais aussi *bizarre, étrange* ; **even** : *pair*, mais aussi *uni, égal, régulier*.

7. **jolted out** : cf. **a jolt** : *un cahot*.

8. **fair** : signifie à la fois *blond* et *au teint clair*.

9. **the beginning of the business** : début de la conquête du pouvoir. Le

et cet autre type, Carnehan, implorait Dravot de ne pas chanter ni siffler si fort de peur de déclencher les terrib' avalanches. Mais Dravot dit que si un roi ne pouvait pas chanter, cela ne valait pas la peine d'être roi, et il flanquait de grands coups aux mules sur la croupe et il n'a fait attention à rien pendant dix jours glacials. Nous sommes arrivés dans une grande vallée plate, au milieu des montagnes, et les mules étaient presque mortes, nous les avons donc tuées, car nous n'avions rien de particulier à leur donner ni nous à manger. Nous nous sommes assis sur les caisses et nous avons joué à pair et impair avec les cartouches que les cahots avaient fait tomber.

» Alors dix hommes avec des arcs et des flèches sont descendus en courant dans cette vallée, à la poursuite de vingt hommes avec des arcs et des flèches, et la bagarre a été terrib'. Z'étaient des hommes au teint clair — plus clair que vous et moi — avec des cheveux jaunes et remarquablement bien bâtis. Dravot, i'dit en déballant les fusils : ''Voilà les affaires qui commencent. Nous défendrons le groupe des dix hommes'', et sur ce, il tire deux coups de fusil sur les vingt hommes et en abat un à deux cents mètres du rocher sur lequel il était assis. Les autres hommes se mirent à courir, mais Carnehan et Dravot restent assis sur les caisses et les abattent après les avoir soigneusement visés à toutes distances, du haut en bas de la vallée. Puis nous montons vers les dix hommes qui avaient aussi traversé la neige en courant, et i'tirent sur nous une petite flèche insignifiante. Dravot, il fait feu au-dessus de leurs têtes et i' s'allongent tous par terre. Puis leur marche dessus et leur donne des coups de pied,

---

mot **business** renvoie à ce que Dravot avait expliqué au narrateur sur la manière dont il envisageait de procéder pour devenir roi.

10. **picking them off** : littéralement *abattre après avoir visé soigneusement*.

11. **we goes... they fires** : tournures incorrectes, les désinences en s sont de trop : **we go... they fire**.

12. **flat** : littéralement *plat*, d'où *à plat ventre*.

and then he lifts them up and shakes hands all round to make them friendly like[1]. He calls them and gives them the boxes to carry, and waves[2] his hand for all the world as though he was King already[3]. They takes the boxes and him across the valley and up the hill into a pine wood on the top, where there was half-a-dozen big stone idols. Dravot he[4] goes to the biggest —a fellow[5] they call Imbra— and lays a rifle and a cartridge at his feet, rubbing his nose respectful with his own nose, patting him on the head, and saluting in front of it. He turns round to the men and nods his head and says: "That's all right. I'm in the know too, and all these old jim-jams[6] are my friends." Then he opens his mouth and points[7] down it, and when the first man[8] brings him food, he says: "No"; and when the second man brings him food, he says: "No"; but when one of the old priests and the boss of the village brings him food, he says: "Yes," very haughty, and eats it slow. That was how we came to our first village, without any trouble, just as though we had tumbled from the skies. But we tumbled[9] from one of those damned rope-bridges, you see, and —you couldn't expect a man to laugh much[10] after that?'

'Take some more whisky and go on,' I said. 'That was the first village you came into. How did you get to be King?'

'I wasn't King,' said Carnehan. 'Dravot he was the King, and a handsome man he looked with the gold crown on his head and all.

---

1. **make them friendly like** : litt. *les rendre comme amicaux.*

2. **to wave** : *faire un grand signe, agiter* (la main).

3. **King already** : Peachey semble avoir compris l'attitude de son ami.

4. **Dravot he** : tournure populaire.

5. **a fellow** : bien familier, puisqu'il s'agit d'une idole !

6. **jim-jams** : employé habituellement dans l'expression **to have the jim-jams** : *avoir le frisson, les nerfs en pelote, la chair de poule.*

7. **to point** : *montrer du doigt.*

8. **and when the first man** : on peut admirer dans ce passage l'astuce de Dravot qui pour se faire respecter ne veut traiter qu'avec les personnalités importantes de la tribu.

et puis il les soulève et leur serre la main à tous, comme pour s'en faire des amis. Il les appelle et leur donne les caisses à porter, et il salue de la main exactement comme s'il était déjà roi. Z'emmènent les caisses et lui de l'autre côté de la vallée, en haut d'une colline, avec un bois de pins au sommet, où y avait une demi-douzaine de grandes idoles en pierre. Dravot, i'va jusqu'à la plus grande, un gars appelé Imbra, et dépose un fusil et une cartouche à ses pieds, il frotte respectueusement son nez contre le nez de l'autre, lui tapote la tête et fait devant lui le salut militaire. Il se retourne vers les hommes, incline la tête et dit : "C'est très bien. Je suis au courant, moi aussi, et tous ces vieux guignols sont mes amis." Ensuite, il ouvre la bouche et avec son doigt en montre l'intérieur, et au premier homme qui lui apporte quelque chose à manger, il dit : "Non !" et au deuxième, de même ; mais quand l'un des vieux prêtres et le chef du village lui apportent de la nourriture, il dit : "Oui !" d'un ton très supérieur et la mange lentement. C'est comme cela que nous sommes arrivés à notre premier village, sans aucun ennui, comme si nous étions tombés du ciel. Mais nous sommes tombés d'un de ces satanés ponts de corde, vous voyez, et — on peut pas s'attendre à ce qu'un homme rie beaucoup après cela.

— Reprenez du whisky et continuez, dis-je. C'était le premier village où vous avez pénétré. Comment êtes-vous devenu roi ?

— Je n'ai pas été roi, dit Carnehan. C'est Dravot qui l'a été, et il avait l'air superbe avec la couronne en or sur la tête et tout.

---

9. **tumbled** : Kipling utilise ici avec habileté le principe des associations d'idées et le mot **tumbled** va déclencher une nouvelle allusion à la mort tragique de Dravot.
10. **to laugh much** : on est loin de la gaieté des premiers moments, lors du départ avec la caravane.

Him and the other party[1] stayed in that village, and every morning Dravot sat by the side of old Imbra[2], and the people came and worshipped. That was Dravot's order. Then a lot of men came[3] into the valley, and Carnehan and Dravot picks them off with the rifles before they knew where they was, and runs down into the valley and up again the other side and finds another village, same as the first one, and the people all falls down flat on their faces, and Dravot says: "Now what is the trouble between you two villages?" and the people points to a woman, as fair[4] as you or me, that was carried off, and Dravot takes her back to the first village and counts up the dead —eight there was. For each dead man Dravot pours a little milk[5] on the ground and waves his arms like a whirligig[6], and "That's all right," says he. Then he and Carnehan takes the big boss of each valley by the arm and walks them[7] down into the valley, and shows them[8] how to scratch a line with a spear right down the valley, and gives each a sod of turf from both sides of the line. Then all the people comes down and shouts like the devil and all, and Dravot says: "Go and dig the land[9], and be fruitful and multiply," which they did, though they didn't understand[10]. Then we asks the names of things in their lingo —bread and water and fire and idols and such, and Dravot leads the priest of each village up to the idol, and says he must sit there and judge the people, and if anything goes wrong he is to be shot.

---

1. **Him and the other party :** il s'agit de Dravot et Peachey.

2. **by the side of Imbra :** en s'asseyant à côté de l'idole que les gens viennent adorer, Dravot se fait reconnaître comme l'égal d'un dieu.

3. **a lot of men came :** on retrouve le même scénario que précédemment et ainsi, de village en village, les deux hommes augmentent le territoire sous leur contrôle.

4. **fair :** une fois encore, la similitude d'apparence physique est soulignée et revient comme un leitmotiv.

5. **pours a little milk :** on notera l'importance que Dravot accorde aux rites qu'il accomplit comme s'il était lui-même investi d'un pouvoir religieux.

Lui et l'autre type sont restés dans le village, et tous les matins, Dravot s'asseyait près du vieil Imbra, et les gens venaient l'adorer. C'était l'ordre donné par Dravot. Puis un groupe d'hommes est arrivé dans la vallée, et Carnehan et Dravot tirent dessus avec leurs fusils avant qu'ils aient le temps de dire Ouf!; puis i'descendent dans la vallée et remontent de l'autre côté et découvrent un autre village, pareil au premier, et les gens se mettent tous à plat ventre et Dravot demande: ''Alors, quel est le problème entre vos deux villages?'' et les gens montrent du doigt une femme au teint aussi clair que vous et moi qu'on avait enlevée, et Dravot la ramène au premier village et compte les morts: huit au total. Pour chaque homme mort, Dravot verse un peu de lait sur le sol et agite les bras comme un moulin à vent, et il dit: ''C'est très bien.'' Puis lui et Carnehan prennent le grand chef de chaque village par le bras, les font descendre dans la vallée et leur montrent comment tracer une ligne avec un fer de lance juste au fond de la vallée, et leur donnent à chacun une motte d'herbe provenant des deux côtés de la ligne. Alors tous les gens descendent et poussent des cris d'enfer et tout, et Dravot dit: ''Allez, travaillez la terre, soyez féconds et multipliez-vous''; ce qu'ils ont fait, bien qu'ils n'aient pas compris. Puis nous avons d'mandé les noms des objets dans leur sabir — le pain, l'eau, le feu, les idoles, etc., et Dravot emmène le prêtre de chaque village devant l'idole et lui ordonne de rester assis là pour juger les gens, et que si quelque chose ne va pas, il sera tué d'un coup de fusil.

---

6. **whirligig**: image déjà utilisée, cf. note 1, p. 84.

7. **walks them**: le verbe est ici construit de manière transitive, comme dans l'expression familière **to walk the dog**: *aller promener le chien*.

8. **shows them**: le rôle éducatif et formateur des deux hommes apparaît ici, non sans rappeler le rôle traditionnel des colonisateurs qui transmettent leur savoir-faire.

9. **"Go and dig the land..."**: cf. Genèse 1: 28.

10. **didn't understand**: ce sont, rappelons-le, des païens.

'Next week they was all turning up the land in the valley as quiet as bees[1] and much prettier, and the priests heard all the complaints and told Dravot in dumb show[2] what it was about. "That's just the beginning," says Dravot. "They think we're Gods[3]." He and Carnehan picks out twenty good men and shows them how to click off[4] a rifle, and form fours, and advance in line, and they was very pleased to do so, and clever to see the hang of it. Then he takes out his pipe and his baccy[5]-pouch and leaves one at one village, and one at the other, and off we two goes to see what was to be done in the next valley[6]. That was all rock, and there was a little village there, and Carnehan says: "Send 'em to the old valley to plant," and takes 'em there, and gives 'em some land that wasn't took[7] before. They were a poor lot, and we blooded 'em with a kid[8] before letting 'em into the new Kingdom[9]. That was to impress the people, and then they settled down quiet, and Carnehan went back to Dravot, who had got into another valley, all snow and ice and most mountaineous. There was no people there and the Army got afraid, so Dravot shoots[10] one of them, and goes on till he finds some people in a village, and the Army explains that unless the people wants to be killed they had better not shoot their little matchlocks; for they had matchlocks. We makes friends with the priest, and I stays there alone with two of the Army, teaching the men[11] how to drill,

---

1. **as quiet as bees** : dans cette comparaison se trouvent réunies l'idée de paix et celle de travail.

2. **dumb show** : m. à m. *spectacle muet.*

3. **they think we're Gods** : Dravot et Peachey ont réussi au-delà de leurs espérances.

4. **how to click off** : les deux hommes entreprennent la formation de leurs troupes avec toutes sortes d'exercices militaires traditionnels.

5. **baccy** : cf. **tobacco** : *tabac.*

6. **in the next valley** : poursuite de l'exploration de la région et de la conquête territoriale.

7. **wasn't took** : incorrect pour **wasn't taken.**

» La semaine suivante, z'étaient tous à retourner la terre dans la vallée, aussi paisiblement que des abeilles et bien plus jolis, et les prêtres ont entendu toutes les réclamations et expliqué par des gestes à Dravot ce qu'il en était. "Ce n'est que le début", dit Dravot, "ils croient que nous sommes des dieux." Lui et Carnehan choisissent vingt hommes robustes et leur montrent comment armer un fusil, se mettre en colonne par quatre et avancer en rang, et z'étaient très contents de faire ça et parvenaient rapidement à saisir le coup. Alors, il sort sa pipe et sa blague à tabac et laisse l'une dans l'un des villages et l'autre dans l'autre, et nous v'là partis pour voir ce qu'il y avait à faire dans la vallée suivante. C'était tout du rocher et il y avait un petit village là-bas, et Carnehan dit : "Envoie-les planter dans la vieille vallée", et il les y emmène et leur donne de la terre que personne n'avait prise jusque-là. C'étaient de pauvres gens et nous avons répandu sur eux le sang d'un chevreau avant de les laisser entrer dans le nouveau royaume. C'était pour impressionner les autres, et alors ils se sont installés tranquillement, et Carnehan est retourné voir Dravot qui avait pénétré dans une autre vallée, pleine de neige et de glace et toute montagneuse. Il n'y avait là personne et l'armée a eu peur, alors Dravot en tue un et continue à avancer jusqu'à ce qu'il trouve des gens dans un village, et l'armée explique que si les gens ne veulent pas être tués, ils feraient mieux de ne pas utiliser leurs petits mousquetons ; car ils en avaient. On d'vient amis avec le prêtre, et j'reste seul avec deux hommes de l'armée pour apprendre aux autres à faire l'exercice ;

8. **blooded them with a kid** : nouveau rituel utilisé par Dravot pour asseoir son pouvoir.

9. **the new Kingdom** : ni Dravot ni Peachey ne sont pourtant encore rois officiellement.

10. **Dravot shoots** : le côté impitoyable du personnage se confirme ici.

11. **teaching the men** : rôle imparti dorénavant à Peachey.

and a thundering[1] big Chief comes across the snow with
kettle-drums and horns twanging[2], because he heard there
was a new God[3] kicking about. Carnehan sights for the
brown[4] of the men half a mile across the snow and wings[5]
one of them. Then he sends a message to the Chief that,
unless he wished to be killed, he must come and shake
hands with me and leave his arms[6] behind. The Chief
comes alone first, and Carnehan shakes hands with him
and whirls[7] his arms about, same as Dravot used, and very
much surprised that Chief was, and strokes my eyebrows[8].
Then Carnehan goes alone to the Chief, and asks him in
dumb show if he had an enemy he hated. "I have[9]," says
the Chief. So Carnehan weeds out[10] the pick of his men,
and sets the two of the Army to show them drill, and at the
end of two weeks the men can manœuvre about as well as
Volunteers. So he marches with the Chief to a great big
plain on the top of a mountain, and the Chief's men rushes
into a village and takes it; we three Martinis firing into the
brown of the enemy. So we took that village too, and I
gives the Chief a rag[11] from my coat and says, "Occupy till
I come[12]"; which was scriptural. By way of a reminder[13],
when me and the Army was eighteen hundred yards away,
I drops a bullet near him standing on the snow, and all the
people falls flat on their faces. Then I sends a letter to
Dravot wherever he be by land or by sea.'

---

1. **thundering** : cf. **thunder** : *tonnerre*.
2. **to twang** : *vibrer, pincer les cordes*.
3. **a new God** : la réputation de Dravot commence à se répandre, non
sans inquiéter certains.
4. **sights for the brown** : terme de chasse signifiant qu'on ne vise pas
un oiseau particulier mais qu'on tire au milieu d'un groupe.
5. **to wing** : *toucher, blesser à l'aile* : pour un homme, *blesser au bras*
ou *à la jambe*.
6. **arms** : ici *les armes* ; deux lignes plus bas, *les bras*.
7. **whirls** : cf. *whirligig* : à nouveau ce mouvement de tourniquet.
8. **my eyebrows** : on voit que les sourcils de Peachey ont vraiment
quelque chose d'extraordinaire.

un grand chef tonitruant arrive alors à travers la neige au son des timbales et des cors, parce qu'il a entendu dire qu'un nouveau dieu traîne par là. Carnehan tire au milieu des hommes à 750 mètres de l'autre côté de la neige et touche l'un d'eux. Puis il envoie un message au chef, comme quoi s'il ne veut pas se faire tuer, il doit venir me serrer la main en laissant ses armes derrière. Le chef vient d'abord seul, et Carnehan lui serre la main et fait tournoyer ses bras, tout comme faisait Dravot, et très surpris qu'il était, le chef, et il caresse mes sourcils. Puis Carnehan s'approche tout seul du chef et lui demande par gestes s'il avait un ennemi qu'il haïssait. ''Oui'', dit le chef. Alors Carnehan choisit les meilleurs de ses hommes qu'il confie aux deux de l'armée pour qu'ils leur apprennent à faire l'exercice et au bout de deux semaines, les hommes savent effectuer des manœuvres presque aussi bien que des Volontaires. Alors il marche au combat avec le chef sur un grand et vaste plateau au sommet d'une montagne, et les soldats du chef se précipitent dans un village et s'en emparent pendant que nos trois Martinis tirent dans le tas des ennemis. Nous avons donc pris ce village également, et j'donne au chef un bout de mon manteau et lui dis : ''Faites-le valoir jusqu'à mon retour'', comme on dit dans la Bible. Pour lui rafraîchir la mémoire, quand moi et l'armée on était à 1800 mètres de là, j'tire une balle près de lui, debout dans la neige, et tous les gens s'mettent à plat ventre. Puis j'envoie une lettre à Dravot, où qu'il se trouvait sur terre ou sur mer.

---

9. **I have** : reprise par auxiliaire qui équivaut à une réponse positive.

10. **to weed out** : *désherber, éliminer, trier.*

11. **a rag** : *un bout de chiffon, un haillon.*

12. **''Occupy till I come''** : citation de la parabole des talents, cf. Évangile selon saint Luc, 19 : 13.

13. **reminder** : *rappel, pense-bête.*

At the risk of throwing the creature[1] out of train I interrupted[2]: 'How could you write a letter up yonder?'

'The letter? —Oh!— The letter! Keep looking[3] at me between the eyes, please. It was a string-talk letter[4], that we'd learned the way of it from a blind beggar in the Punjab[5].'

I remembered that there had once come to the office a blind man with a knotted twig and a piece of string which he wound round the twig according to some cipher[6] of his own. He could, after the lapse of days or weeks, repeat the sentence which he had reeled up. He had reduced the alphabet to eleven primitive sounds, and tried to teach me his method, but I could not understand.

'I sent that letter[7] to Dravot,' said Carnehan; 'and told him to come back because this Kingdom was growing too big for me to handle, and then I struck[8] for the first valley, to see how the priests were working. They called the village we took along with the Chief, Bashkai, and the first village we took, Er-Heb. The priests at Er-Heb was doing all right, but they had a lot of pending cases about land to show me, and some men from another village had been firing arrows at night. I went out and looked for that village, and fired four rounds at it from a thousand yards. That used all the cartridges I cared to spend, and I waited for Dravot, who had been away two or three months, and I kept my people[9] quiet.

---

1. **the creature** : terme utilisé par le narrateur lors de l'arrivée de Peachey, méconnaissable, dans son bureau.

2. **I interrupted** : nouvelle pause cette fois-ci amenée volontairement par le narrateur, qui permet de couper un peu le monologue de Peachey.

3. **keep looking** : demande déjà formulée au tout début de son récit.

4. **string-talk letter** : m. à m. *lettre qui parle à l'aide d'une ficelle.*

5. **Punjab** : *Penjab* ou *Panjab*, région située au nord-ouest du sub-continent indien.

6. **cipher** : cf. **to decipher** : *déchiffrer.*

96

Au risque de faire perdre au bonhomme le fil de son récit, je l'interrompis.

— Comment pouviez-vous écrire des lettres là-bas ?

— La lettre ? Oh ! la lettre ! Continuez à me regarder entre les yeux, s'il vous plaît. C'était une lettre en nœuds de ficelle qu'un mendiant aveugle dans le Penjab nous avait appris à faire.

Je me souvins qu'était un jour venu dans mon bureau un aveugle avec une baguette de bois noueuse et un morceau de ficelle qu'il entortillait autour, selon un code qui lui était propre. Après une période de plusieurs jours ou de plusieurs semaines, il pouvait répéter la phrase qu'il avait embobinée. Il avait réduit l'alphabet à onze sons primitifs, et il essaya de m'apprendre sa méthode, mais je ne réussis pas à comprendre.

— J'ai envoyé cette lettre à Dravot, dit Carnehan, et je lui ai dit de revenir parce que son royaume devenait trop vaste pour que j'arrive à le gérer, et je me suis rendu dans la première vallée pour voir comment travaillaient les prêtres. Ils appelaient Bashkai le village que nous avions pris en même temps que le chef, et le premier village Er-Heb. Les prêtres de Er-Heb s'en sortaient bien, mais ils avaient à me soumettre un tas de querelles pendantes concernant la terre, et quelques hommes venus d'un autre village avaient lancé des flèches la nuit. Je partis à la recherche de ce village et tirai quatre salves sur lui d'une distance de mille mètres. Toutes les cartouches que j'étais prêt à utiliser furent ainsi dépensées, et j'attendis Dravot, parti depuis deux ou trois mois, en tenant mes gens tranquilles.

---

7. **I sent that letter :** Peachey reprend le fil de son récit sans aucun problème. Carnehan avouant son incapacité à faire face et la nécessité d'en appeler à Dravot montre sa position subalterne par rapport à celui-ci.

8. **to strike, struck, struck (**rarement **stricken) :** *frapper*.

9. **my people :** notez l'utilisation de l'adjectif possessif.

'One morning[1] I heard the devil's own noise of drums and horns, and Dan Dravot marches down the hill with his Army and a tail of hundreds of men, and, which was the most amazing, a great gold crown[2] on his head. "My Gord[3], Carnehan," says Daniel, "this is a tremenjus business, and we've got the whole country as far as it's worth having. I am the son of Alexander[4] by Queen Semiramis[5], and you're my younger brother and a God too! It's the biggest thing we've ever seen. I've been marching[6] and fighting for six weeks with the Army, and every footy little village for fifty miles has come in rejoiceful; and more than that, I've got the key of the whole show, as you'll see, and I've got a crown for you! I told 'em to make two of 'em at a place called Shu, where the gold[7] lies in the rock like suet in mutton. Gold I've seen, and turquoise I've kicked out of the cliffs, and there's garnets in the sands of the river, and here's a chunk[8] of amber that a man brought me. Call up all the priests and, here take your crown."

'One of the men opens a black hair bag, and I slips the crown on[9]. It was too small and too heavy, but I wore it for the glory. Hammered gold it was —five pound[10] weight, like a hoop of a barrel[11].

' "Peachey," says Dravot, "we don't want to fight no more. The Craft's[12] the trick, so help me!" and he brings forward that same Chief that I left at Bashkai

---

1. **one morning** : annonce la relation d'un événement particulier.
2. **great gold crown** : l'emblème de la royauté sur la tête de Dravot montre qu'il est parvenu à ses fins.
3. **Gord** : déformation de **God**.
4. **Alexander** : Alexandre le Grand qui envahit l'Inde par l'Ouest.
5. **Queen Semiramis** : reine légendaire d'Assyrie et de Babylonie. Mais il s'agit peut-être ici d'une reine afghane.
6. **I've been marching** : Dravot fait état de ses propres conquêtes, réalisées apparemment sans difficultés.
7. **gold** : après l'acquisition des terres et la constitution des armées, Dravot rapporte la richesse.
8. **chunk** : *gros morceau, quignon.*

» Un matin, j'entendis un fracas de tous les diables causé par des tambours et des cornes, et voilà Dravot qui descend la colline avec son armée et des centaines d'hommes à sa suite et, ce qui était le plus surprenant, une grande couronne d'or sur la tête. "Bon sang, Carnehan", dit Daniel, "c'est une histoire terrib', et nous avons conquis tout le pays, au moins ce qui en vaut la peine. Je suis le fils d'Alexandre par la reine Sémiramis, et tu es mon frère cadet, et tu es un dieu, toi aussi ! C'est la plus grosse affaire que nous ayons jamais vue. J'ai marché et combattu avec l'armée depuis six semaines et le moindre petit village à 75 kilomètres à la ronde nous a rejoints, tout joyeux ; et qui plus est, j'ai la clé de tout le spectacle, comme tu verras, et j'ai une couronne pour toi. Je leur ai dit d'en faire deux à un endroit qui s'appelle Shu où la roche contient autant d'or qu'il y a de suif dans la viande de mouton. J'en ai vu de l'or et j'ai fait sauter du rocher des turquoises, et le sable de la rivière contient des grenats, et voici un morceau d'ambre qu'un homme m'a apporté. Appelle tous les prêtres et, tiens, prends ta couronne."

» L'un des hommes ouvre un sac en crin noir et j'mets la couronne. Elle était trop petite et trop lourde, mais je l'ai portée pour la gloire. En or martelé qu'elle était, pesant bien cinq livres, comme le cerceau d'un tonneau.

» "Peachey", dit Dravot, "nous ne voulons plus nous battre. La franc-maçonnerie, voilà le bon truc, j'te jure."

» Et il fait avancer le même chef que j'avais laissé à Bashkai.

---

9. **to slip on :** *enfiler.*

10. **pound :** la livre anglaise pèse 453,6 grammes.

11. **a hoop of a barrel :** cette image dévalorise quelque peu la valeur réelle et symbolique de la couronne.

12. **the Craft :** sens habituel de **craft :** *métier, corps de métier, corporation.*

—Billy Fish[1] we called him afterwards, because he was so like Billy Fish that drove the big tank-engine at Mach on the Bolan[2] in the old days. "Shake hands with him," says Dravot, and I shook hands and nearly dropped, for Billy Fish gave me the Grip[3]. I said nothing, but tried him with the Fellow Craft Grip. He answers all right, and I tried the Master's Grip[4], but that was a slip[5]. "A Fellow Craft he is!" I says to Dan. "Does he know the Word[6]?" —"He does," says Dan, "and all the priests know. It's a miracle! The Chiefs and the priests can work a Fellow Craft Lodge in a way that's very like ours, and they've cut the marks on the rocks, but they don't know the Third Degree[7], and they've come to find out. It's Gord's Truth! I've known these long years that the Afghans knew up to the Fellow Craft Degree, but this is a miracle. A God and a Grand-Master of the Craft[8] am I, and a Lodge in the Third Degree I will open, and we'll raise the head priests and the Chiefs of the villages."

' "It's against all the law[9]," I says, "holding a Lodge without warrant from any one; and you know we never held office in any Lodge."

' "It's a master-stroke o' policy," says Dravot. "It means running the country as easy as a four-wheeled bogie on a down grade. We can't stop to inquire now, or they'll turn against us. I've forty Chiefs at my heel, and passed and raised according to their merit they shall be.

---

1. **Billy Fish :** nom plutôt familier, ce qui produit un effet amusant : **Billy :** diminutif de William ; **Fish :** *poisson*.

2. **the Bolan :** col d'Afghanistan.

3. **the Grip :** signe de reconnaissance des francs-maçons.

4. **Fellow Craft Grip, Master's Grip :** à chaque grade de la hiérarchie maçonnique correspond un attouchement particulier.

5. **slip :** *faux pas, erreur, bévue* ; cf. **slip of the tongue :** *lapsus*.

6. **the Word :** autre signe de reconnaissance des francs-maçons.

7. **the Third Degree :** selon la Grande Loge Unie d'Angleterre, l'ancienne et pure maçonnerie ne comprend que les trois degrés du métier : apprenti, compagnon et maître. Mais de hauts grades peuvent cependant être pratiqués.

Billy Fish, nous l'avons appelé par la suite, parce qu'il ressemblait terriblement au Billy Fish qui conduisait le gros wagon-citerne à Mach, sur le Bolan, autrefois.

» ''Serre-lui la main'', dit Dravot, et je lui ai serré la main, et je suis presque tombé parce que Billy Fish m'a donné l'attouchement maçonnique. Je n'ai rien dit mais je l'ai testé en lui donnant l'attouchement des Compagnons. Il répond parfaitement, et j'ai essayé celui des Maîtres, mais c'était une erreur.

» ''C'est un Compagnon'', j'dis à Dan. ''Connaît-il le Mot ?''

» ''Oui'', dit Dan, ''et tous les prêtres le connaissent. C'est un miracle. Les chefs et les prêtres savent gérer une loge maçonnique de manière très semblable à nous, et ils ont taillé les marques sur les rochers, mais ils ne connaissent pas le troisième Degré, et ils sont venus pour le découvrir. C'est la vérité pure ! Je savais depuis longtemps que les Afghans connaissaient l'initiation des Compagnons, mais c'est un miracle. Je suis dieu et Grand-Maître de l'Ordre, et je vais ouvrir une Loge du troisième Degré, et nous initierons les grands prêtres et les chefs des villages.''

» ''C'est contre la loi'', que j'dis, ''de diriger une Loge sans garantie de qui que ce soit ; et tu sais que nous n'avons jamais occupé de fonction dans aucune Loge.''

» ''C'est un coup de maître politiquement'', dit Dravot. ''Cela signifie diriger le pays aussi facilement qu'un boggie de chemin de fer sur une pente. On ne peut pas prendre le temps de se renseigner, sinon ils se retourneront contre nous. J'ai quarante chefs sur les talons, et ils seront initiés et promus en fonction de leur mérite.

8. **Grand Master of the Craft** : Dravot envisage pour lui-même un des degrés les plus élevés, ce qui n'a rien de surprenant puisqu'il se déclare en même temps dieu ! On aura noté sa tendance à la mégalomanie.

9. **against the law** : prudence et légalisme de Peachey.

Billet[1] these men on the villages, and see that we run up a Lodge of some kind. The temple of Imbra will do for the Lodge-room. The women must make aprons[2] as you show them. I'll hold a levee of Chiefs to-night and Lodge to-morrow."

'I was fair[3] run off my legs, but I wasn't such a fool as not to see what a pull[4] this Craft business gave us. I showed the priests' families how to make aprons of the degrees, but for Dravot's apron[5] the blue border and marks was made of turquoise lumps on white hide, not cloth. We took a great square stone in the temple for the Master's chair, and little stones for the officers' chairs, and painted the black pavement with white squares[6], and did what we could to make things regular.

'At the levee which was held that night on the hillside with big bonfires, Dravot gives out[7] that him and me[8] were Gods and sons of Alexander[9], and Past Grand-Masters in the Craft, and was come to make Kafiristan a country where every man should eat in peace and drink in quiet[10], and 'specially obey us. Then the Chiefs come round to shake hands, and they were so hairy[11] and white and fair[12] it was just shaking hands with old friends. We gave them names according as they was like men we had known in India —Billy Fish, Holly Dilworth, Pikky Kergan, that was Bazar-master when I was at Mhow, and so on, and so on.

---

1. **to billet**: *cantonner, loger* (terme utilisé essentiellement pour les soldats).

2. **aprons**: le tablier maçonnique symbolise le travail constant, fondement de l'ascèse des maçons.

3. **fair**: pour **fairly**.

4. **pull**: *traction, attraction*; cf. **to pull**: *tirer*.

5. **for Dravot's apron**: le tablier de Dravot est différent et orné de pierres précieuses parce qu'il va jouer le rôle d'un Grand Maître.

6. **white squares**: motif habituel des sols maçonniques.

7. **to give out**: 1) *annoncer, déclarer*; 2) *distribuer*.

8. **him and me**: incorrect, on devrait avoir **he and I**.

9. **Gods and sons of Alexander**: Dravot est non seulement de plus en plus mégalomane, mais aussi mythomane.

Cantonne ces hommes dans les villages et occupe-toi d'organiser une Loge d'un genre ou d'un autre. Le temple d'Imbra servira de salle de réunions. Les femmes devront faire des tabliers comme tu leur montreras. J'organiserai une réception pour les chefs ce soir et la Loge demain."

» J'étais franchement épuisé, mais pas assez idiot pour ne pas voir quel avantage cette histoire de franc-maçonnerie nous donnait. Je montrai aux familles des prêtres comment faire les tabliers correspondant aux divers grades, mais pour celui de Dravot, les signes et la bordure bleus furent réalisés avec des morceaux de turquoises sur du cuir blanc, et non en tissu. Nous installâmes une grande pierre carrée dans le temple pour en faire le siège du Maître, et des pierres plus petites pour les Officiers, et nous avons peint des carrés blancs sur le dallage noir, et nous avons fait notre possible pour organiser les choses selon les règles.

» Lors de la cérémonie qui se tint cette nuit-là sur le flanc de la colline, au milieu de grands feux de joie, Dravot déclare que lui et moi sommes des dieux et les fils d'Alexandre et d'anciens Grands-Maîtres de la Corporation, et qu'on est venu faire du Kafiristan un pays où tous les hommes pourront manger en paix et boire en toute tranquillité, et surtout nous obéir. Alors les chefs viennent nous serrer la main, et leurs barbes et leurs cheveux étaient si longs et si blancs et leur teint si clair qu'on avait l'impression de serrer la main de vieux amis. Nous leur avons donné des noms en tenant compte de leur ressemblance avec des hommes que nous avions connus en Inde — Billy Fish, Holly Dilworth, Pikky Kergan qui était surveillant du bazar quand j'étais à Mhow, etc.

---

10. **eat in peace and drink in quiet :** les paroles pacifiques de Dravot laissent un peu sceptique. On notera dans cette phrase un effet de rythme, caractéristique du genre de discours que Dravot est censé faire.

11. **hairy :** de **hair :** *cheveu, poil* ; d'où *chevelu,* et/ou *barbu.*

12. **white and fair :** nouvelle référence à leur apparence.

'The most amazing miracles was at Lodge next night. One of the old priests was watching us continuous, and I felt uneasy, for I knew we'd have to fudge the Ritual, and I didn't know what the men knew[1]. The old priest was a stranger come in from beyond the village of Bashkai. The minute Dravot puts on the Master's apron that the girls had made for him, the priest fetches a whoop[2] and a howl, and tries to overturn the stone that Dravot was sitting on. "It's all up now[3]," I says. "That comes of meddling with the Craft without warrant!" Dravot never winked[4] an eye, not when ten priests took and tilted[5] over the Grand-Master's chair —which was to say the stone of Imbra. The priest begins rubbing the bottom end of it to clear away the black dirt, and presently he shows all the other priests the Master's Mark, same as was on Dravot's apron, cut into the stone. Not even the priests of the temple of Imbra knew it was there. The old chap falls flat on his face at Dravot's feet and kisses 'em. "Luck again[6]," says Dravot, across the Lodge to me; "they say it's the missing Mark that no one could understand the why of. We're more than safe now." Then he bangs the butt of his gun for a gavel[7] and says: "By virtue of the authority vested in me by my own right hand[8] and the help of Peachey, I declare myself Grand-Master of all Freemasonry in Kafiristan in this the Mother Lodge o' the country, and King of Kafiristan equally with Peachey[9]!"

---

1. **knew... know... knew** : on notera la répétition de ce verbe, important dans le contexte.

2. **whoop** : littéralement *cri de joie* (onomatopée, à rapprocher de youpi !)

3. **it's all up now** : alors que Peachey s'inquiète immédiatement, Dravot garde une parfaite maîtrise de lui-même.

4. **to wink** : *cligner de l'œil*.

5. **took and tilted** : remarquer l'allitération.

6. **luck again** : l'optimisme et la sérénité de Dravot transparaissent dans cette remarque.

7. **gavel** : *marteau* de commissaire-priseur ou de juge.

» Le plus étonnant des miracles se produisit à la Loge le lendemain soir. L'un des vieux prêtres nous observait continuellement et je me sentais mal à l'aise, car je savais que nous serions obligés de contrefaire le rituel et je ne savais pas ce que les hommes en connaissaient. Le vieux prêtre était un inconnu venu d'au-delà du village de Bashkai. À la minute même où Dravot revêt le tablier du Maître que les filles lui ont fabriqué, le prêtre se met à brailler et à hurler et essaie de renverser la pierre sur laquelle Dravot était assis.

» "Tout est fichu maintenant", j'dis. "Voilà ce qui arrive quand on se mêle de Franc-Maçonnerie sans autorisation."

» Dravot n'a pas bronché, pas même quand dix prêtres ont saisi le siège du Grand-Maître, c'est-à-dire la pierre d'Imbra, pour le retourner. Le prêtre s'est mis à frotter le dessous pour en ôter la poussière noire, et le voilà qui montre à tous les autres prêtres la Marque du Maître, la même que sur le tablier de Dravot, creusée dans la pierre. Même les prêtres du temple d'Imbra ne savaient pas qu'elle s'y trouvait. Le vieux tombe face contre terre aux pieds de Dravot et les baise.

» "La chance à nouveau", me dit Dravot de l'autre bout de la Loge ; "ils disent que c'est la marque qui manquait sans que personne ait compris pourquoi. Nous sommes tout à fait en sécurité à présent."

» Puis il se sert de la crosse de son fusil comme d'un marteau et frappe un coup et dit : "En vertu de l'autorité dont j'ai été investi de ma propre main droite et avec l'aide de Peachey, je me déclare Grand-Maître de toute la Franc-Maçonnerie du Kafiristan en cette Loge-Mère du pays et Roi du Kafiristan, au même titre que Peachey."

---

8. **by my own right hand :** cette précision prend dans ces circonstances une valeur ironique.

9. **equally with Peachey :** à aucun moment, Dravot ne manque à l'engagement de solidarité du contrat.

At that he puts on his crown and I puts on mine —I was doing Senior Warden— and we opens the Lodge in most ample form[1]. It was a amazing miracle[2]! The priests moved in Lodge through the first two degrees almost without telling, as if the memory[3] was coming back to them. After that, Peachey and Dravot raised such as was worthy — high priests and Chiefs of far-off villages. Billy Fish was the first, and I can tell you we scared the soul out of him[4]. It was not in any way[5] according to Ritual, but it served our turn. We didn't raise more than ten of the biggest men, because we didn't want to make the Degree common. And they was clamouring[6] to be raised.

' "In another six months[7]," says Dravot, "we'll hold another Communication, and see how you are working." Then he asks them about their villages, and learns that they was fighting one against the other, and was sick and tired of it. And when they wasn't doing that they was fighting with the Mohammedans. "You can fight those when they come into our country," says Dravot. "Tell off every tenth man[8] of your tribes for a Frontier guard, and send two hundred at a time to this valley to be drilled. Nobody is going to be shot or speared[9] any more so long as he does well, and I know that you won't cheat[10] me, because you're white people[11] —sons of Alexander— and not like common, black Mohammedans.

---

1. **most ample form** : m. à m. *de la manière la plus ample.*

2. **a amazing miracle** : on devrait avoir **an amazing miracle**.

3. **as if the memory** : les prêtres semblent donc avoir connu le rituel.

4. **scared the soul out of him** : cf. **to scare** : *effrayer* ; **soul** : *âme.*

5. **not in any way** : les deux hommes prennent délibérément des libertés avec le rituel pour assurer leur pouvoir.

6. **they was clamouring** : on devrait avoir **they were** ; l'habileté de Dravot apparaît dans cet épisode puisqu'il n'accorde de promotion qu'avec parcimonie, préservant ainsi l'avenir.

7. **another six months** : notez cette tournure tout à fait correcte dans laquelle **another**, terme au singulier, est employé devant un nom pluriel précédé d'un chiffre.

Sur ce, il met sa couronne et j'mets la mienne — je faisais fonction de Vénérable — et nous ouvrons la Loge en grande pompe. C'était un miracle incroyable ! Les prêtres passent les deux premiers Degrés pour entrer en Loge presque sans rien dire, comme si la mémoire leur revenait. Après cela, Peachey et Dravot ont élevé d'un Degré ceux qu'étaient jugés dignes — les grands prêtres et les chefs des villages éloignés. Billy Fish fut le premier, et je peux vous dire que nous lui avons donné une sacrée frousse. Ce n'était pas du tout selon le Rituel, mais cela nous arrangeait. Nous n'avons pas élevé au Degré supérieur plus de dix hommes parmi les personnages importants parce que nous ne voulions pas rendre le Degré banal. Et i'vociféraient tous pour l'être.

» "Dans six mois", dit Dravot, "nous tiendrons une autre assemblée et nous verrons comment vous travaillez."

» Puis il les interroge sur leurs villages et apprend qu'ils s'battaient les uns contre les autres et qu'ils en avaient par-dessus la tête. Et quand ce n'était pas le cas, ils s'battaient contre les musulmans.

» "Vous pouvez combattre ceux-là quand ils pénètrent dans votre pays", dit Dravot. "Prenez un homme sur dix par tribu pour organiser une garde à la frontière, et envoyez-en deux cents à la fois dans cette vallée pour qu'on leur apprenne l'exercice. Personne ne sera plus tué par balle ou à la lance tant qu'il agira bien, et je sais que vous ne me tromperez pas parce que vous êtes des Blancs — des fils d'Alexandre — et non de vulgaires musulmans noirs.

---

8. **tell off every tenth man :** m. à m. *sélectionnez chaque dixième homme.*

9. **speared :** cf. **a spear :** *une lance.*

10. **to cheat :** *tricher.*

11. **you're white people :** cette fois-ci, Dravot insiste sur ce détail pour les opposer aux musulmans.

You are *my* people, and by God," says he, running off into English[1] at the end, "I'll make a damned fine Nation of you, or I'll die in the making!"

'I can't tell all we did for the next six months, because Dravot did a lot[2] I couldn't see the hang of, and he learned their lingo in a way I never could. My work was to help the people plough, and now and again go out with some of the Army and see what the other villages were doing, and make 'em throw rope-bridges across the ravines which cut up the country horrid[3]. Dravot was very kind to me, but when he walked up and down[4] in the pine-wood pulling that bloody red beard of his with both fists I knew he was thinking plans I could not advise about, and I just waited for orders.

'But Dravot never showed me disrespect before the people. They were afraid of me[5] and the Army, but they loved Dan. He was the best of friends with the priests and the Chiefs; but any one could come across the hills with a complaint, and Dravot would hear him out fair, and call four priests together and say what was to be done. He used to call in Billy Fish from Bashkai, and Pikky Kergan from Shu, and an old Chief we called Kafoozelum[6] —it was like enough to his real name— and hold councils with 'em when there was any fighting to be done in small villages. That was his Council of War, and the four priests of Bashkai, Shu, Khawak, and Madora was his Privy Council[7].

---

1. **running off into English** : Dravot, si l'on considère le long discours qui précède, maîtrise parfaitement la langue de « son » peuple, cf. un peu plus loin **he learned their lingo in a way I never could**.

2. **Dravot did a lot** : dans tout ce passage, Peachey décrit ses relations avec Dravot et leur situation l'un par rapport à l'autre. Dravot apparaît nettement comme son supérieur sur tous les plans.

3. **horrid** : *méchant, vilain*. Employé ici de manière adverbiale.

4. **walked up and down** : cette description de Dravot apparaît chaque fois qu'il prépare un nouveau projet.

Vous êtes mon peuple et", se remettant à parler anglais à la fin, "par Dieu", dit-il, "je ferai de vous une nation sacrément belle ou je mourrai à la tâche".

» Je ne peux pas raconter tout ce que nous avons fait pendant les six mois suivants, parce que Dravot fit des tas de choses dont je ne voyais pas l'intérêt, et il apprit leur sabir, comme je n'y suis jamais parvenu moi-même. Mon travail consistait à aider les gens à labourer et, de temps en temps, à aller voir avec une partie de l'armée ce que devenaient les autres villages et leur faire construire des ponts en corde par-dessus les ravins qui entrecoupent le pays de manière épouvantable. Dravot était très gentil avec moi, mais quand il faisait les cent pas dans le bois de pins en tirant des deux poings sur sa fichue barbe rousse, je savais qu'il formait des projets pour lesquels je ne pourrais pas lui donner de conseil et je me contentais d'attendre les ordres.

» Mais Dravot ne m'a jamais manqué de respect devant les gens. Ils avaient peur de moi et de l'armée ; mais ils adoraient Dan. Il était au mieux avec les prêtres et les chefs ; mais si quelqu'un traversait les collines pour venir se plaindre, Dan l'écoutait soigneusement et il réunissait les prêtres et disait ce qu'il fallait faire. En général, il convoquait Billy Fish, de Bashkai, et Pikky Kergan, de Shu, et un vieux chef que nous appelions Kafoozelum — son véritable nom ressemblait à ça — et il tenait conseil avec eux en cas de bataille à livrer dans les petits villages. C'était son Conseil de guerre et les quatre prêtres de Bashkai, de Shu, de Khawak et de Madora, formaient son Conseil privé.

---

5. **afraid of me :** Peachey oppose la crainte qu'il suscite chez les indigènes à l'amour que ceux-ci portent à Dravot.

6. **Kafoozelum :** nom de la prostituée de Jérusalem dans une chanson paillarde célèbre.

7. **Privy Council :** Dravot a organisé son gouvernement.

Between the lot of 'em they sent me, with forty men and twenty rifles and sixty men carrying turquoises, into the Ghorband[1] country to buy those hand-made Martini rifles, that come out of the Amir's workshops at Kabul, from one of the Amir's Herati[2] regiments that would have sold the very teeth[3] out of their mouths for turquoises.

'I stayed in Ghorband a month, and gave the Governor there the pick of my baskets for hush-money[4], and bribed the Colonel of the regiment some more, and, between the two and the tribes-people, we got more than a hundred hand-made Martinis, a hundred good Kohat[5] *jezails*[6] that'll throw to six hundred yards, and forty man-loads of very bad ammunition for the rifles. I came back with what I had, and distributed 'em among the men that the Chiefs sent in to me to drill. Dravot was too busy[7] to attend to those things, but the old Army that we first made helped me, and we turned out five hundred men that could drill, and two hundred that knew how to hold arms pretty straight. Even those cork-screwed[8], hand-made guns was a miracle to them. Dravot talked big[9] about powder-shops and factories[10], walking up and down[11] in the pine-wood when the winter was coming on.

' "I won't make a Nation," says he. "I'll make an Empire[12]! These men aren't niggers; they're English! Look at their eyes —look at their mouths.

---

1. **Ghorband :** localité au nord de Kaboul.

2. **Herati :** c.-à-d. enrôlés à Herat, ville située à 600 km à l'ouest de Kaboul.

3. **the very teeth :** *very*, employé comme adjectif, signifie *même, exact, précis.*

4. **hush-money :** cf. note 10, p. 39.

5. **Kohat :** localité au sud de Peshawar.

6. **jezails :** long mousquet afghan.

7. **too busy :** les affaires qui occupent Dravot sont pour le moins mystérieuses.

8. **cork-screwed :** cf. **corkscrew :** *tire-bouchon.*

9. **talked big :** littéralement *fanfaronner.*

Entre eux, ils décidèrent de m'envoyer dans le pays de Ghorband avec quarante hommes et vingt fusils, plus soixante hommes chargés de turquoises, pour acheter ces fusils Martini de fabrication artisanale, qui sortent des ateliers de l'Emir à Kaboul, à l'un des régiments Herati de l'Emir qui auraient vendu les dents de leur mâchoire pour des turquoises.

» Je suis resté un mois à Ghorband et là-bas j'ai donné le meilleur de mes marchandises au gouverneur pour le faire taire et j'ai acheté le silence du colonel du régiment avec d'autres marchandises encore, et entre ces deux-là et les peuplades des tribus, nous nous sommes procuré plus de cent de ces Martinis, cent bons *jezails* de Kohat qui tirent à une distance de six cents mètres et de quoi charger quarante hommes en très mauvaises munitions pour ces fusils. Je suis revenu avec ce que j'avais, et je les ai distribués à ceux que les chefs m'avaient envoyés à entraîner. Dravot était trop occupé pour s'intéresser à ce genre de choses, mais la vieille armée, la première que nous avions constituée, m'a aidé et nous nous sommes retrouvés avec 500 hommes capables de faire l'exercice et 200 qui savaient comment tenir leur arme à peu près droite. Même ces fusils bricolés et fabriqués à la main étaient pour eux un miracle. Dravot tenait de grands discours concernant fabriques et magasins d'explosifs, en faisant les cent pas dans le bois de pins, alors que l'hiver approchait.

» ''Je ne vais pas créer une nation'', dit-il, ''mais un empire ! Ces hommes ne sont pas des nègres, ils sont anglais ! Regarde leurs yeux ! Regarde leurs bouches !

---

10. **powder-shops and factories :** Dravot en est probablement déjà à concevoir le stade suivant, c'est-à-dire la production industrielle d'armes.

11. **walking up and down :** signe de grande préoccupation chez Dravot, cf. note 4, p. 108.

12. **I'll make an Empire ! :** la mégalomanie de Dravot transparaît ici, un royaume ne lui suffit plus.

Look at the way they stand up. They sit on chairs in their own houses. They're the Lost Tribes[1], or something like it, and they've grown to be English[2]. I'll take a census in the spring if the priests don't get frightened. There must be a fair two million[3] of 'em in these hills. The villages are full o' little children. Two million people —two hundred and fifty thousand fighting men— and all English! They only want the rifles and a little drilling. Two hundred and fifty thousand men, ready to cut in on Russia's right flank[4] when she tries for India! Peachey, man," he says, chewing his beard in great hunks, "we shall be Emperors — Emperors of the Earth[5]! Rajah Brooke[6] will be a suckling[7] to us. I'll treat with the Viceroy on equal terms[8]. I'll ask him to send me twelve picked English —twelve that I know of— to help us govern a bit. There's Mackray, Sergeant-pensioner at Segowli— many's the good dinner he's given me, and his wife a pair of trousers. There's Donkin, the Warder of Tounghoo Jail. There's hundreds that I could lay my hand on if I was in India. The Viceroy shall[9] do it for me. I'll send a man through in the spring for those men, and I'll write for a Dispensation from the Grand Lodge for what I've done as Grand-Master. That —and all the Sniders[10] that'll be thrown out when the native troops in India take up the Martini. They'll be worn smooth, but they'll do for fighting in these hills.

---

1. **the Lost Tribes**: allusion aux tribus perdues d'Israël.

2. **they've grown to be English**: en raison de leur teint pâle, Dravot assimile maintenant les indigènes à des Anglais. Dans tout ce passage, Dravot devient de plus en plus exalté et ses propos relèvent du délire mégalomane.

3. **a fair two million**: tous les chiffres qu'il donne sont excessifs et invraisemblables.

4. **on Russia's flank**: des petites escarmouches locales, on est maintenant passé au conflit international !

5. **Emperors of the Earth**: d'abord roi, puis empereurs, et à présent maîtres du monde: Dravot ne conçoit plus de limite à sa puissance.

Regarde comment ils se tiennent debout ! Dans leurs maisons, ils s'assoient sur des chaises. Ce sont les Tribus perdues ou quelque chose comme ça, et ils sont prêts à devenir anglais. Si les prêtres ne s'en effraient pas, je ferai un recensement au printemps. Il doit y en avoir un bon million dans ces collines. Les villages sont pleins de jeunes enfants. Deux millions d'individus — deux cent cinquante mille combattants — et tous anglais ! Ils n'ont besoin que de fusils et d'un peu d'entraînement. Deux cent cinquante mille soldats, prêts à intervenir sur le flanc droit de la Russie quand elle s'en prendra à l'Inde ! Peachey, mon ami !" dit-il en mordillant de grosses touffes de sa barbe, "nous serons empereurs — empereurs de la terre ! Le Rajah Brooke aura l'air d'un nourrisson à côté de nous. Je traiterai avec le Vice-Roi sur un pied d'égalité. Je lui demanderai de m'envoyer douze Anglais triés sur le volet — douze que je connaisse — pour nous aider un peu à gouverner. Il y a Mackray, le sergent en retraite à Segowli, il m'a offert plus d'un bon dîner et sa femme un pantalon. Il y a Donkin, le gardien de la prison de Tounghoo. Y en a des centaines sur lesquels je pourrais mettre la main si j'étais en Inde. Le Vice-Roi fera cela pour moi. Au printemps, j'enverrai chercher ces hommes et je demanderai par écrit une dispense à la Grande Loge pour ce que j'ai fait comme Grand-Maître. Ça — et tous les Sniders qui seront jetés à la poubelle quand les troupes indigènes de l'Inde adopteront le Martini. L'usure les aura rendus lisses, mais ils feront l'affaire pour combattre dans ces collines.

6. **Rajah Brooke** : cf. note 4, p. 58.
7. **suckling** : cf. to suckle : *allaiter*.
8. **with the Viceroy on equal terms** : la remarque concernant ses rapports avec le vice-roi révèle la vanité de Dravot, et les propos concernant Mackray constituent un contrepoint amusant.
9. **shall** : implique l'obligation.
10. **Sniders** : vieux fusils, remplacés par les Martinis.

Twelve English, a hundred thousand Sniders run through the Amir's country in driblets[1] —I'd be content with twenty thousand in one year— and we'd be an Empire. When everything was shipshape[2], I'd hand over the crown —this crown I'm wearing now— to Queen Victoria[3] on my knees, and she'd say: 'Rise up, Sir Daniel Dravot[4].' Oh, it's big! It's big, I tell you! But there's so much to be done in every place —Bashkai, Khawak, Shu, and everywhere else."

' "What is it[5]?" I says. "There are no more men coming in to be drilled this autumn. Look at those fat, black clouds. They're bringing the snow."

' "It isn't that," says Daniel, putting his hand very hard on my shoulder; "and I don't wish to say anything that's against you, for no other living man[6] would have followed me and made me what I am as you have done. You're a first-class Commander-in-Chief[7], and the people know you; but —it's a big country, and somehow you can't help me[8], Peachey, in the way I want to be helped."

' "Go to your blasted priests[9], then!" I said, and I was sorry when I made that remark, but it did hurt me sore[10] to find Daniel talking so superior, when I'd drilled all the men, and done all he told me.

' "Don't let's quarrel, Peachey," says Daniel without cursing. "You're a King too, and the half of this Kingdom is yours;

---

1. **driblet** : *gouttelette* ; cf. **to dribble** : *tomber goutte à goutte.*

2. **shipshape** : *bien rangé, en ordre.*

3. **Queen Victoria** : reine d'Angleterre de 1837 à 1901 et impératrice des Indes à partir de 1876. Dravot se laisse emporter par son imagination et visualise toute cette scène avec la reine.

4. **Sir Daniel Dravot** : l'utilisation du mot **Sir** est pour Dravot la marque de reconnaissance de la reine qui s'adresse à lui avec respect.

5. **What is it ?** : Peachey intervient en contrepoint et manifeste son bon sens et son réalisme.

6. **no other man** : la gratitude que Dravot manifeste à Peachey n'est pas dénuée d'un certain paternalisme.

Douze Anglais, cent mille Sniders déversés au compte-gouttes dans tout le pays de l'Amir — je me contenterais de vingt mille par an — et nous serions un empire. Une fois tout organisé impeccablement, je remettrais à genoux la couronne, cette couronne que je porte aujourd'hui, à la reine Victoria, et elle dirait : "Relevez-vous, Sir Daniel Dravot." Oh ! c'est énorme ! C'est énorme, je te dis. Mais il y a tant à faire de tous les côtés — à Bashkai, à Khawak, à Shu, et partout ailleurs."

» "Qu'est-ce que c'est que ça ?" j'dis. "Il n'y a plus personne qui vienne s'entraîner à l'exercice cet automne. Regarde ces gros nuages noirs. Ils apportent la neige."

» "Ce n'est pas cela", dit Daniel, en appuyant très fort sa main sur mon épaule ; "et je ne souhaite rien dire contre toi, car aucun autre homme que toi ne m'aurait suivi ni fait ce que je suis. Tu es un commandant en chef de tout premier ordre et les gens te connaissent ; mais — c'est un énorme pays et d'une certaine manière, Peachey, tu ne peux pas m'aider comme je le voudrais."

» "Va voir tes sacrés prêtres, alors", dis-je en regrettant cette remarque ; cela me faisait vraiment mal de découvrir Dan en train de parler d'un ton si supérieur, alors que j'avais entraîné tous les hommes et fait tout ce qu'il m'avait dit.

» "Ne nous disputons pas, Peachey", dit Daniel sans jurer. "Tu es roi, toi aussi, et la moitié de ce royaume t'appartient ;

---

7. **a first-class Commander-in-chief :** Dravot utilise maintenant la flatterie en utilisant et cet adjectif élogieux et ce titre inattendu et purement honorifique.

8. **but... you can't help me :** la réserve était prévisible et Peachey est d'une certaine manière rejeté par Dravot.

9. **your blasted priests :** Peachey manifeste à juste titre sa mauvaise humeur par cette exclamation. Cf. **to blast :** *anéantir, foudroyer, maudire.*

10. **it did hurt me sore :** Peachey est véritablement blessé.

but can't you see, Peachey, we want cleverer men than us[1] now —three or four of 'em, that we can scatter about for our Deputies. It's a hugeous[2] great State, and I can't always tell the right thing to do, and I haven't time for all I want to do, and here's winter coming on and all." He stuffed half his beard[3] into his mouth, all red[4] like the gold of his crown.

' "I'm sorry, Daniel," says I. "I've done all I could. I've drilled the men and shown the people how to stack[5] their oats better; and I've brought in those tinware[6] rifles from Ghorband —but I know what you're driving at. I take it Kings always[7] feel oppressed that way."

' "There's another thing too," says Dravot, walking up and down[8]. "The winter's coming and these people won't be giving much trouble, anf if they do we can't move about. I want a wife[9]."

' "For Gord's sake, leave the women alone!" I says. "We've both got all the work we can, though I *am* a fool. Remember the Contrack[10], and keep clear o' women."

' "The Contrack only lasted till such time as we was Kings; and Kings we have been these months past," says Dravot, weighing his crown in his hand. "You go get a wife[11], too, Peachey —a nice, strappin', plump girl that'll keep you warm in the winter. They're prettier than English girls, and we can take the pick of'em.

---

1. **cleverer men than us** : Dravot essaie de calmer Peachey en laissant entendre que lui non plus n'est pas à la hauteur des tâches qu'il veut mener.

2. **hugeous** : déformation de **huge** : *immense*.

3. **he stuffed half his beard** : l'exagération des propos de Peachey signifie en fait que Dravot est très préoccupé. **To stuff** : *bourrer, remplir, farcir*.

4. **all red** : la couleur rouge est associée à Daniel Dravot tout au long de la nouvelle.

5. **to stack** : cf. **a stack** : *une meule (de foin)*.

6. **tinware** : composé de **tin** : *fer-blanc*, et **ware** : *matériel, marchandises* (cf. **hardware, software**).

mais tu ne vois donc pas, Peachey, que nous avons maintenant besoin d'hommes plus intelligents que nous, trois ou quatre, que nous pourrons répartir dans le pays comme délégués. C'est un grand État gigantesse, et je ne sais pas toujours ce qu'il convient de faire, et je n'ai pas le temps nécessaire pour tout ce que je veux accomplir, et voici l'hiver qui arrive, et tout."

» Il enfonça dans sa bouche la moitié de sa barbe, aussi rousse que l'or de sa couronne.

» "Je suis désolé, Daniel", j'dis. "J'ai fait tout ce que je pouvais. J'ai entraîné les hommes et montré aux gens comment mettre en meule leur avoine ; et j'ai rapporté de Ghorband ces fusils de ferraille, mais je ne sais pas à quoi tu veux en venir. Je crois savoir que les rois se sentent toujours oppressés comme ça."

» "Il y a autre chose aussi", dit Dravot en marchant de long en large. "L'hiver arrive et ces gens ne me donneront pas beaucoup de soucis et, de toute façon, nous ne pourrons pas nous déplacer. Je veux une épouse."

» "Pour l'amour d'Dieu, touche pas aux femmes", j'dis. "Nous avons tous les deux tout le travail voulu, même si je suis un imbécile. Souviens-toi du Pac', et t'approche pas des femmes."

» "Le Pac' n'avait de valeur que jusqu'à ce que nous dev'nions rois, et ça fait des mois que nous sommes rois", dit Dravot en soupesant sa couronne. "Va te chercher une épouse, toi aussi, Peachey. Un beau brin de fille potelée qui te tiendra chaud l'hiver. Elles sont plus jolies que les Anglaises et nous pouvons choisir le gratin.

---

7. **Kings always...** : Dravot s'attribue même des réactions psychologiques de roi !

8. **walking up and down** : signe fréquent d'énervement chez Dravot.

9. **I want a wife** : la brièveté de la déclaration met en relief la détermination de Dravot contenue dans l'expression **I want**.

10. **remember the Contrack** : Peachey selon son habitude voit le danger et exprime ses réserves.

11. **get a wife too** : argument pour amadouer Peachey.

Boil 'em[1] once or twice in hot water and they'll come out like chicken and ham."

' "Don't tempt me!" I says. "I will not[2] have any dealings with a woman not till we are a dam' sight more settled than we are now. I've been doing the work o' two men, and you've been doing the work o' three[3]. Let's lie off a bit, and see if we can get some better tobacco from Afghan country and run in some good liquor; but no women."

' "Who's talking o' *women*[4]?" says Dravot. "I said *wife* — a Queen[5] to breed a King's son for the King. A Queen out of the strongest tribe, that'll make them your blood-brothers, and that'll lie by your side and tell you all the people thinks about you and their own affairs. That's what I want."

' "Do you remember that Bengali[6] woman I kept at Mogul[7] Serai when I was a plate-layer?" says I. "A fat lot o' good she was to me. She taught me the lingo and one or two other things; but what happened? She ran away with the Station-master's servant and half my month's pay. Then she turned up at Dadur[8] Junction in tow of a half-caste, and had the impidence to say I was her husband — all among the drivers in the running-shed too!"

' "We've done with that[9]," says Dravot; "these women are whiter[10] than you or me, and a Queen I will have for the winter months."

' "For the last time o'asking, Dan, do *not*[11]," I says. "It'll only bring us harm.

---

1. **boil 'em** : remarque peu élogieuse pour les jeunes filles en question !

2. **I will not** : la modalité **will** montre que Peachey est farouchement contre le projet de son ami.

3. **the work o' three** : on notera le sens de la hiérarchie de Peachey qui se juge inférieur à Dravot.

4. **women** : habileté de Dravot qui souligne la différence entre **women** et **wife**.

5. **a Queen** : nouvel aspect de la mégalomanie de Dravot.

6. **Bengali** : habitant du Bengale, région orientale de l'Inde.

7. **Mogul** : désigne habituellement les dynasties timurides musulmanes qui régnèrent jadis sur le nord de l'Inde.

Passe-les une ou deux fois à l'eau bouillante et elles sortiront appétissantes comme du poulet au jambon."

» "Ne me tente pas", j'dis, "je ne veux pas avoir affaire à une femme, pas avant que nous soyons sacrément mieux établis qu'aujourd'hui. J'ai fait le travail de deux hommes et tu as fait celui de trois. Reposons-nous un peu, et voyons si on ne peut pas se trouver du meilleur tabac dans le pays afghan et faire venir du bon alcool; mais pas de femmes."

» "Qui parle de *femmes*?" dit Dravot. "J'ai dit une *épouse* — une reine pour donner un fils de roi au roi. Une reine issue de la tribu la plus forte, qui en fera tes frères de sang et qui s'allongera près de toi et te racontera tout ce que le peuple pense de toi et de leurs propres affaires. Voilà ce que je veux."

» "Tu te souviens de cette femme bengali que j'entretenais au caravansérail de Mogul, quand j'étais poseur de rails?" j'lui dis. "Un grand bien qu'elle m'a fait. Elle m'a appris le jargon et une ou deux autres choses; mais qu'est-ce qui s'est passé? Elle est partie avec le domestique du chef de gare et la moitié de ma paye du mois. Puis elle a réapparu à la gare de Dadur à la remorque d'un métis et a eu l'impudence d'affirmer que j'étais son mari — et devant tous les mécaniciens du dépôt, en plus!"

» "L'affaire est réglée", dit Dravot, "ces femmes sont plus blanches que toi ou moi, et je veux avoir une reine pour les mois d'hiver."

» "J'te le demande pour la dernière fois, Dan, ne fais pas ça", j'dis. "Ça ne nous vaudra que des ennuis.

---

8. **Dadur** : probablement dans le Baluchistan.

9. **we've done with that** : m. à m. *nous en avons fini avec cela.*

10. **whiter** : reprise du thème de la blancheur du teint des indigènes qui les rend dignes de devenir les épouses des deux hommes.

11. **do** *not* : les italiques montrent la force avec laquelle Peachey essaie d'empêcher Dravot de commettre une erreur.

The Bible[1] says that Kings ain't to waste their strength on women, 'specially when they've got a raw new Kingdom to work over."

' "For the last time[2] of answering, I will[3]," said Dravot, and he went away through the pine-trees looking like a big red devil, the sun being on his crown and beard and all.

'But getting a wife was not as easy as Dan thought. He put it before the Council, and there was no answer[4] till Billy Fish said that he'd better ask the girls. Dravot damned them all round. "What's wrong with me?" he shouts, standing by the idol Imbra. "Am I a dog or am I not enough of a man for your wenches? Haven't I put the shadow of my hand over this country? Who stopped the last Afghan raid?" It was me really[5], but Dravot was too angry to remember. "Who bought your guns? Who repaired the bridges? Who's the Grand-Master of the Sign cut in the stone?" says he, and he humped his hand on the block that he used to sit on in Lodge, and at Council, which opened like Lodge always. Billy Fish said nothing[6] and no more did the others. "Keep your hair on, Dan," said I; "and ask the girls. That's how it's done at Home, and these people are quite English[7]."

' "The marriage of the King is a matter of State," says Dan, in a red-hot rage[8], for he could feel, I hope, that he was going against his better mind.

---

1. **the Bible :** la citation évoquée vient du Livre des Proverbes, 31 : 3 : "Ne livre pas ta vigueur aux femmes, ni tes flancs à celles qui perdent les rois."

2. **for the last time :** tournure qui fait écho à celle utilisée par Peachey un peu plus haut.

3. **I will :** expression très forte : *je le veux et je le ferai.*

4. **no answer :** l'absence de réponse manifeste l'embarras, sinon les réticences du Conseil.

5. **it was me really :** à force de s'énerver, Dravot devient injuste à l'égard de Peachey.

6. **Billy Fish said nothing :** les membres du Conseil opposent un silence persistant aux questions véhémentes de Dravot.

La Bible dit que les rois ne doivent pas gaspiller leurs forces avec les femmes, surtout quand ils ont à s'occuper d'un royaume tout neuf."

» "Pour la dernière fois, je te réponds que je le veux", dit Dravot, et il partit dans le bois de pins, l'air d'un gros diable rouge, avec les rayons du soleil sur sa couronne et sa barbe et tout.

» Mais trouver une épouse n'était pas aussi facile que le pensait Dan. Il souleva la question devant le Conseil et personne ne répondit jusqu'à ce que Billy Fish déclare qu'il ferait mieux de demander aux jeunes filles. Dravot les envoya tous promener.

» "Qu'est-ce que j'ai qui ne va pas?" crie-t-il, debout près de l'idole Imbra. "Est-ce que je suis un chien, est-ce que je ne suis pas assez un homme pour vos gueuses? L'ombre de ma main ne s'étend-elle pas sur ce pays? Qui a arrêté la dernière incursion afghane?"

» En fait, c'était moi, mais Dan était trop furieux pour s'en souvenir.

» "Qui a acheté vos fusils? Qui a réparé le pont? Qui est le Grand-Maître du Signe gravé dans la pierre?" dit-il, et il donna un grand coup de poing sur le bloc de pierre où il siégeait habituellement en Loge et lors du Conseil, qui débutait toujours comme une Loge. Billy Fish ne dit rien, et les autres non plus.

» "Ne t'emballe pas, Dan", ai-je dit, "et demande aux filles. C'est comme ça qu'on fait chez nous et ces gens sont tout à fait anglais."

» "Le mariage du roi est une affaire d'État", dit Dan dans une colère noire, car il sentait, j'espère, qu'il allait contre son intérêt.

---

7. **these people are quite English :** on admirera ici l'habileté de Peachey qui renvoie à Dravot son propre argument en lui conseillant de demander une jeune fille en mariage comme on le ferait en Angleterre.

8. **red-hot rage :** en anglais, la fureur est rouge (comme Dravot !).

He walked out of the Council-room, and the others sat still, looking at the ground[1].

' "Billy Fish," says I to the Chief of Bashkai, "what's the difficulty here? A straight answer[2] to a true friend."

' "You know," says Billy Fish. "How should a man tell you who knows[3] everything? How can daughters of men marry Gods or Devils[4]? It's not proper."

'I remembered something like that in the Bible[5]; but if, after seeing us as long as they had, they still believed we were Gods, 'twasn't for me to undeceive them.

' "A God can do anything[6]," says I. "If the King is fond of a girl he'll not let her die." —"She'll have to," says Billy Fish. "There are all sorts of Gods and Devils in these mountains, and now and again a girl marries one of them and isn't seen any more. Besides, you two know the Mark cut in the stone. Only the Gods know that. We thought you were men till you showed the Sign of the Master."

'I wished then[7] that we had explained about the loss of the genuine secrets of a Master-Mason at the first go-off; but I said nothing. All that night there was a blowing[8] of horns in a little dark temple half-way down the hill, and I heard a girl crying fit to die. One of the priests told us that she was being prepared to marry the King.

' "I'll have no nonsense of that kind," says Dan.

---

1. **looking at the ground :** le silence et le regard fixé au sol des membres du Conseil manifestent leur embarras.

2. **a straight answer :** m. à m. *une réponse directe.*

3. **know... knows :** pour Billy Fish, Peachey ne peut ignorer les raisons qui s'opposent au désir de Dravot d'épouser une indigène.

4. **Gods or Devils :** dans cette remarque, transparaissent les doutes de Billy Fish sur la véritable nature de Dravot et de Peachey.

5. **in the Bible :** allusion au passage de la Genèse (VI, 3) : "les fils de Dieu trouvèrent que les filles des hommes leur convenaient et ils prirent pour femmes toutes celles qu'il leur plut."

6. **do anything :** on notera l'habileté de Peachey qui profite de ce que Dravot et lui passent toujours pour être des dieux.

Il sortit de la salle du Conseil et les autres restèrent assis immobiles, les yeux fixés au sol.

» "Billy Fish", j'dis au chef de Bashkai, "quel est le problème ? Réponds franchement comme à un ami véritable."

» "Vous savez bien", dit Billy Fish. "Comment vous dire à vous qui savez tout ? Comment les filles des hommes peuvent-elles épouser des dieux ou des démons ? Ce n'est pas convenable."

» Je me souvins de quelque chose de similaire dans la Bible, mais si après nous avoir vus aussi longtemps, ils nous prenaient encore pour des dieux, ce n'était pas à moi de les détromper.

» "Un dieu peut tout faire", j'dis. "Si le roi aime une jeune fille, il ne la laissera pas mourir."

» "Il le faudra", dit Billy Fish. "Il y a toutes sortes de dieux et de démons dans ces montagnes, et de temps en temps, une jeune fille épouse l'un d'eux et on ne la revoit plus. En outre, vous connaissez la marque creusée dans la pierre. Seuls les dieux la connaissent. Nous pensions que vous étiez des hommes jusqu'à ce que vous nous montriez le Signe du Maître."

» J'ai alors regretté que nous ne leur ayons pas expliqué à la première occasion la disparition des secrets authentiques d'un Maître-Maçon ; mais je n'ai rien dit. Toute cette nuit-là, le son des cors retentit dans un petit temple obscur à mi-pente de la colline et j'entendis une jeune fille pleurer à en mourir. L'un des prêtres nous a dit qu'on la préparait à épouser le roi.

» "Je ne veux pas de ce genre d'ineptie", dit Dan.

---

7. **I wished then** : bien que le verbe **to wish** signifie *souhaiter*, Peachey exprime ici un regret. Littéralement : *j'ai alors souhaité que nous leur ayons expliqué* (mais nous ne l'avons pas fait).

8. **a blowing** : cf. **to blow, blew, blown** : *souffler*.

"I don't want to interfere with your customs, but I'll take my own wife." —"The girl's a little bit afraid," says the priest. "She thinks she's going to die, and they are a-heartening[1] of her up down in the temple."

' "Hearten[2] her very tender, then," says Dravot, "or I'll hearten you with the butt of a gun so you'll never want to be heartened again." He licked his lips, did Dan[3], and stayed up walking about more than half the night, thinking of the wife that he was going to get in the morning. I wasn't any means comfortable, for I knew that dealings with a woman in foreign parts, though you was a crowned King twenty times over[4], could not but be risky[5]. I got up very early in the morning while Dravot was asleep, and I saw the priests talking together in whispers[6], and the Chiefs talking together too, and they looked at me out of the corners of their eyes.

' "What is up, Fish?" I says to the Bashkai man, who was wrapped up in his furs and looking splendid to behold.

' "I can't rightly say," says he; "but if you can make the King drop all this nonsense[7] about marriage, you'll be doing him and me and yourself a great service."

' "That I do believe[8]," says I. "But sure, you know, Billy, as well as me, having fought against and for us, that the King and me are nothing more than two of the finest men[9] that God Almighty ever made. Nothing more, I do assure you."

---

1. **a-heartening** : le préfixe a- s'employait autrefois devant les formes verbales en -ing de ce type, pour exprimer une action en déroulement.

2. **hearten** : la répétition de ce verbe exprime l'irritation de Dravot qui l'amène à se faire menaçant.

3. **did Dan** : reprise de **he licked**, littéralement : *voilà ce qu'il a fait*. On notera que progressivement Peachey va appeler de plus en plus souvent Dravot par son prénom.

4. **twenty times over** : le récit que Peachey est en train de faire au journaliste (et qui n'a pas été interrompu par lui depuis un certain temps) ne manque pas de pittoresque.

124

"Je ne veux pas intervenir dans vos coutumes, mais je choisirai mon épouse moi-même."

» "La jeune fille a un peu peur", dit le prêtre. "Elle croit qu'elle va mourir et ils lui remontent le moral là-bas, dans le temple."

» "Alors, faites-le en douceur", dit Dravot, "ou je vais vous remonter le moral à coups de crosse, moi, à vous en ôter l'envie pour toujours !"

» Il se passa la langue sur les lèvres, Dan, et il resta debout à battre la semelle la moitié de la nuit, en pensant à l'épouse qu'il allait avoir au matin. Je ne me sentais pas du tout à l'aise, car je savais qu'avoir des relations avec une femme dans un pays étranger, même en étant roi et couronné vingt fois, ne pouvait pas être sans risques. Je me suis levé tôt le matin pendant que Dravot dormait encore, et j'ai vu les prêtres discuter ensemble à voix basse, et les chefs aussi, et ils m'ont regardé du coin de l'œil.

» "Qu'est-ce qui se trame, Fish ?" j'dis à l'homme de Bashkai qui, enveloppé dans son manteau de fourrure, était superbe à voir.

» "Je ne peux pas vraiment dire", répondit-il, "mais si vous pouvez convaincre le roi de renoncer à toute cette histoire stupide de mariage, vous nous rendrez, à lui, et à moi, et à vous, un grand service."

» "Ça, je le crois volontiers", j'dis. "Mais sûrement, Billy, vous savez aussi bien que moi pour avoir combattu contre et avec nous, que le roi et moi ne sommes rien d'autre que deux des hommes les plus remarquables que le Dieu Tout-Puissant ait jamais créés. Rien d'autre, je vous l'assure."

---

5. **risky** : Peachey, comme précédemment, est conscient du danger et essaie d'amener Dravot à plus de raison.

6. **whispers** : *murmures, chuchotements.*

7. **nonsense** : *inepties, idioties.* Le terme est fort.

8. **That I do believe** : la position de **that** en début de phrase et la présence de l'auxiliaire **do** donnent force aux propos de Peachey.

9. **men** : Peachey se résout à parler clairement.

' "That may be[1]," says Billy Fish, "and yet I should be sorry if it was." He sinks his head upon his great fur cloak for a minute and thinks. "King," says he, "be you man or God or Devil, I'll stick[2] by you to-day. I have twenty of my men with me, and they will follow me. We'll go to Bashkai until the storm blows over[3]."

'A little snow had fallen in the night, and everything was white except them greasy fat clouds that blew down and down[4] from the north. Dravot came out with his crown on his head, swinging his arms[5] and stamping his feet, and looking more pleased than Punch[6].

' "For the last time, drop it, Dan," says I in a whisper. "Billy Fish here says that there will be a row."

' "A row among my people!" says Dravot. "Not much. Peachey, you're a fool not to get a wife too. Where's the girl?" says he with a voice as loud as the braying of a jackass[7]. "Call up all the Chiefs and priests, and let the Emperor[8] see if his wife suits him,"

'There was no need to call any one. They were all there leaning on their guns and spears round the clearing in the centre of the pine-wood. A lot of priests went down to the little temple to bring up the girl, and the horns blew fit to wake the dead[9]. Billy Fish saunters round and gets as close to Daniel as he could, and behind him stood his twenty men with matchlocks. Not a man of them under six feet.

---

1. **may be**: Billy Fish ne repousse pas cette idée, mais la suite de sa remarque montre qu'il ne sait plus trop bien que penser.

2. **to stick, stuck, stuck**: *coller*.

3. **the storm blows over**: cette réflexion montre que Billy Fish est parfaitement conscient qu'un incident grave va survenir. **Over** a ici le sens de *terminé*.

4. **blew down and down**: littéralement *descendaient poussés par le vent*.

5. **swinging his arms**: on retrouve le geste de moulin à vent caractéristique de Dravot.

6. **more pleased than Punch**: *heureux comme un roi*. Allusion au spectacle de marionnettes, **Punch and Judy Show**, Punch étant l'équivalent de Polichinelle.

» "Peut-être", dit Billy Fish, "et pourtant, si c'était le cas, j'en serais désolé."

» Il enfonce la tête dans son grand manteau de fourrure pendant une minute et réfléchit.

» "Roi", dit-il, "que vous soyez ou dieu ou diable, je ne vous abandonnerai pas aujourd'hui. J'ai vingt de mes hommes avec moi et ils me suivront. Nous irons à Bashkai jusqu'à ce que l'orage se calme."

» Il avait un peu neigé pendant la nuit et tout était blanc, excepté ces gros nuages graisseux que le vent apportait du nord. Dan est sorti, sa couronne sur la tête, en balançant les bras et en tapant des pieds, l'air ravi.

» "Pour la dernière fois, laisse tomber, Dan", lui ai-je dit à voix basse. "Billy Fish ici dit qu'il va y avoir de la bagarre."

» "De la bagarre parmi mon peuple ! dit Dravot. "J't'en fiche ! Peachey, tu es un imbécile de ne pas prendre femme, toi aussi. Où est la jeune fille ?" dit-il d'une voix forte comme un âne qui brait. "Convoquez tous les chefs et tous les prêtres, et que l'empereur voie si son épouse lui convient."

» Il était inutile de convoquer qui que ce soit. Ils étaient tous là, appuyés sur leurs fusils et leurs lances, autour de la clairière au milieu du bois de pins. Un groupe de prêtres descendit jusqu'au petit temple pour amener la jeune fille, et les cors retentirent à réveiller les morts. Billy Fish arrive et s'approche aussi près que possible de Daniel, et derrière lui, se tenaient ses vingt hommes avec des mousquetons. Pas un d'entre eux mesurant moins d'un mètre quatre-vingts.

---

7. **jackass** : la comparaison n'est guère flatteuse pour Dravot et souligne son entêtement et sa stupidité.

8. **the Emperor** : toujours la mégalomanie de Dravot qui se considère déjà comme un empereur.

9. **to wake the dead** : l'expression est un cliché, mais dans le contexte l'idée de mort peut paraître inquiétante.

I was next to Dravot, and behind me was twenty men of the regular Army. Up comes the girl[1], and a strapping wench she was, covered with silver and turquoises, but white as death[2], and looking back every minute[3] at the priests.

' "She'll do[4]," said Dan, looking her over. "What's to be afraid of, lass? Come and kiss me." He puts his arm round her. She shuts her eyes, gives a bit of a squeak, and down goes her face in the side of Dan's flaming red beard.

' "The slut's[5] bitten me!" says he, clapping his hand to his neck, and, sure enough, his hand was red[6] with blood. Billy Fish and two of his matchlock-men catches hold of Dan by the shoulders and drags him into the Bashkai lot, while the priests howls in their lingo: "Neither God nor Devil but a man[7]!" I was all taken aback, for a priest cut at me in front, and the Army behind began firing into the Bashkai men.

' "God A'mighty[8]!» says Dan. "What is the meaning o' this?"

' "Come back! Come away!" says Billy Fish. "Ruin and Mutiny's the matter. We'll break for[9] Bashkai if we can."

'I tried to give some sort of orders to my men —the men o' the regular Army— but it was no use, so I fired into the brown of 'em with an English Martini and drilled three beggars[10] in a line. The valley was full of shouting, howling people, and every soul was shrieking, "Not a God nor a Devil but only a man!"

---

1. **up comes the girl** : l'inversion souligne l'effet produit par l'arrivée de la jeune fille.

2. **white as death** : nouveau cliché suggérant encore l'idée de mort.

3. **every minute** : l'inquiétude de la jeune fille transparaît ici.

4. **she'll do** : ton condescendant, sinon méprisant de Dravot.

5. **slut** : péjoratif : *souillon, salope.*

6. **red** : le rouge est encore une fois associé à Dravot.

7. **neither God nor Devil but a man !** : le sang qui a coulé de la morsure faite à Dravot par la jeune fille a clairement prouvé qu'il n'était qu'un simple mortel.

J'étais à côté de Dravot, et derrière moi y avait vingt hommes de l'armée régulière. Arrive la jeune fille, un beau brin de fille c'était, couverte d'argent et de turquoises, mais aussi blanche que la mort et regardant derrière elle à tout instant.

» "Elle fera l'affaire", dit Dan, en l'examinant. "De quoi as-tu peur, fillette ? Viens m'embrasser."

» Il passe son bras autour d'elle. Elle ferme les yeux, pousse un petit cri et enfonce son visage sur le côté, dans la barbe rousse flamboyante de Dan.

» "La garce m'a mordu", dit-il en portant la main à son cou et, pour sûr, il la retire rouge de sang. Billy Fish et deux de ses hommes armés de mousquetons saisissent Dan par les épaules et l'entraînent au milieu des gens de Bashkai, tandis que les prêtres hurlent dans leur sabir : "Ni dieu ni diable ! seulement un homme !" Je suis resté tout interdit car un prêtre m'a porté un coup par-devant et l'armée derrière a commencé à faire feu sur les hommes de Bashkai.

» "Dieu Tout-Puissant !" s'écrie Dan. "Qu'est-ce que ça veut dire ?"

» "Revenez ! Partez !" dit Billy Fish. "Destruction et insurrection, voilà de quoi il s'agit ! Nous allons gagner Bashkai si possible."

» J'essayai de donner des ordres à mes hommes — les soldats de l'armée régulière — mais cela ne servait à rien, et j'ai donc tiré dans le tas avec un Martini anglais et transpercé trois malheureux d'affilée. La vallée était remplie de gens qui criaient et hurlaient, chacun d'eux vociférant : "Ni dieu ni diable, mais seulement un homme !"

---

8. **A'mighty** : pour **Almighty**.
9. **break for** : *sortir, s'échapper en direction de.*
10. **beggar** : *mendiant* ; ici employé dans le sens d'*individu*. Cf. **a lucky beggar** : *un veinard.*

The Bashkai troops stuck to Billy Fish all they were worth[1], but their matchlocks wasn't half as good as the Kabul breech-loaders[2], and four of them dropped. Dan was bellowing like a bull, for he was very wrathy[3]; and Billy Fish had a hard job to prevent him running out at the crowd.

' "We can't stand[4]," says Billy Fish. "Make a run[5] for it down the valley! The whole place is against us." The matchlock-men ran, and we went down the valley in spite of Dravot. He was swearing horrible and crying out he was a King. The priests rolled great stones on us, and the regular Army fired hard, and there wasn't more than six men, not counting Dan, Billy Fish, and me, that came down to the bottom of the valley alive.

'Then they stopped firing and the horns in the temple blew again[6]. "Come away —for God's sake come away!" says Billy Fish. "They'll send runners out to all the villages before ever we get to Bashkai. I can protect you there, but I can't do anything now."

'My own notion[7] is that Dan began to go mad in his head from that hour. He stared[8] up and down like a stuck pig. Then he was all for[9] walking back alone and killing the priests with his bare hands; which he could have done[10]. "An Emperor am I," says Daniel, "and next year I shall be a Knight of the Queen[11]."

---

1. **to be worth**: *valoir, mériter*. **For all he is worth**: *de toutes ses forces*.

2. **breech-loaders**: fusils se chargeant par la culasse. Cf. **to load**: *charger*.

3. **wrathy**: mot forgé par Peachey sur **wrath**: *colère, fureur*. L'adjectif habituel est **wrathful**.

4. **stand**: ici employé dans le sens de **to withstand**: *résister*.

5. **a run**: *une course, un tour, un parcours*.

6. **blew again**: Billy Fish comprend tout de suite que cette sonnerie sert à alerter les autres villages et à rameuter des troupes supplémentaires.

7. **my own notion**: littéralement *mon idée à moi*. Cf. **own**: *propre, sien*.

Les troupes de Bashkai restèrent aux côtés de Billy Fish comme elles purent, mais leurs mousquetons z'étaient guère meilleurs que les armes de Kaboul et quatre hommes tombèrent. Dan, fou furieux, beuglait comme un taureau ; et Billy Fish eut bien du mal à l'empêcher de foncer sur la foule.

» ''Nous ne pouvons pas résister'', dit Billy Fish. ''Fuyez dans la vallée ! Tout cet endroit est contre nous.''

» Les hommes aux mousquetons partirent en courant et nous descendîmes dans la vallée malgré Dravot. Il proférait d'horribles jurons et criait qu'il était roi. Les prêtres firent rouler sur nous de grosses pierres, et l'armée régulière tirait sans relâche, et guère plus de six hommes, en dehors de Dan, Billy Fish et moi, arrivèrent vivants au fond de la vallée.

» Alors ils s'arrêtèrent de tirer et les cors dans le temple se mirent à retentir.

» ''Allez-vous-en ! Pour l'amour du ciel, allez-vous-en !'' dit Billy Fish. ''Ils vont envoyer des messagers dans tous les villages avant que nous ayons le temps d'atteindre Bashkai. Je peux vous protéger là-bas, mais je ne peux rien faire maintenant.''

» D'après moi, c'est à partir de ce moment-là que Dan commença à devenir fou. Il levait et baissait les yeux comme un cochon égorgé. Puis il voulait absolument retourner tout seul tuer les prêtres de ses mains nues, ce qu'il aurait réussi à faire.

» ''Je suis empereur'', dit Daniel, ''et l'an prochain je serai chevalier de la reine.''

---

8. **to stare** : *regarder fixement*.

9. **to be all for** : *être en faveur de, ne demander qu'à*.

10. **which he could have done** : littéralement *ce qu'il aurait pu faire*, c'est-à-dire à la fois ce dont il aurait été capable et ce qu'il aurait sans doute été prêt à faire.

10. **Knight of the Queen** : Dravot est toujours dans ses rêves de grandeur et de gloire.

' "All right, Dan," says I; "but come along now while there's time."

' "It's your fault[1]," says he, "for not looking after your Army better. There was mutiny in the midst, and you didn't know —you damned[2] engine-driving, plate-laying, missionary's-pass-hunting hound[3]!" He sat upon a rock and called me every name he could lay tongue to[4]. I was too heart-sick[5] to care, though it was all his foolishness that brought the smash[6].

' "I'm sorry, Dan," says I, "but there's no accounting for[7] natives. This business, is our 'Fifty-Seven[8]. Maybe we'll make something out of it yet, when we've got to Bash-kai."

' "Let's get to Bashkai, then," says Dan, "and, by God, when I come back[9] here again I'll sweep the valley so there isn't a bug in a blanket left[10]!"

'We walked all that day, and all that night Dan was stumping up and down on the snow, chewing his beard and muttering[11] to himself.

' "There's no hope o' getting clear[12],", said Billy Fish. "The priests will have sent runners to the villages to say that you are only men. Why didn't you stick on as Gods[13] till things was more settled? I'm a dead man," says Billy Fish, and he throws himself down on the snow and begins to pray to his Gods.

---

1. **your fault** : pour la première fois, Dravot s'en prend directement et injustement à son ami qu'il rend responsable de ce qui se passe.

2. **damned** : *maudit, satané.*

3. **hound** : les divers qualificatifs que Dravot lance à la tête de Peachey comme des insultes sont tous des allusions à ses activités passées.

4. **lay tongue to** : m. à m. *mettre la langue sur.*

5. **to be heart-sick** : *avoir mal au cœur, avoir de la peine.*

6. **smash** : *effondrement, débâcle.*

7. **to account for** : *expliquer, justifier.*

8. **Fifty-Seven** : allusion à la mutinerie survenue en 1857 au cours de laquelle les soldats de l'armée du Bengale se révoltèrent contre les officiers britanniques.

» ''D'accord, Dan'', j'dis, ''mais viens à présent pendant qu'il est temps.''

» ''C'est de ta faute'', dit-il, ''car tu aurais dû mieux surveiller ton armée. La mutinerie y couvait et tu n'en as rien su — espèce de conducteur de locomotive, de poseur de rails et de chasseur de permis de missionnaires raté !''

» Il s'assit sur un rocher et me traita de tous les noms qui lui passaient par la tête. J'étais trop écœuré pour y prêter attention, même si c'étaient ses bêtises qui avaient fait tout capoter.

» ''Je suis désolé, Dan'', j'dis, ''mais on ne peut pas compter sur les indigènes. Cette affaire est notre 57. Peut-être que nous en tirerons quelque chose encore, une fois arrivés à Bashkai.''

» ''Allons à Bashkai alors'', dit Dan, '' et par Dieu, quand je reviendrai ici, je nettoierai si bien la vallée qu'il n'y restera pas une punaise dans une couverture.''

» Nous avons marché toute la journée, et toute la nuit Dan a battu la semelle de long en large dans la neige, en mâchonnant sa barbe et en marmonnant pour lui seul.

» ''Il n'y a aucun espoir de nous en sortir'', dit Billy Fish. ''Les prêtres auront envoyé des messagers dans les villages pour dire que vous n'êtes que des hommes. Pourquoi n'avez-vous pas continué à dire que vous étiez des dieux, en attendant que les choses soient réglées ? Je suis un homme mort'', dit Billy Fish, et il se jette à plat ventre dans la neige et commence à implorer ses dieux.

---

9. **come back** : Dravot ne se rend toujours pas compte qu'il risque de ne jamais revenir.

10. **a bug in a blanket left** : cf. **there is nothing left** : *il ne reste rien*.

11. **stumping... chewing... muttering** : tous ces verbes révèlent la nervosité et la préoccupation de Dravot.

12. **to get clear** : *s'éloigner, s'écarter, se débarrasser*.

13. **stick on as Gods** : c'est la préposition **on** qui exprime l'idée de continuer.

'Next morning we was in a cruel bad country[1] —all up and down, no level ground at all, and no food either. The six Bashkai men looked at Billy Fish hungry-ways[2] as if they wanted to ask something, but they said never a word. At noon we came to the top of a flat mountain all covered with snow, and when we climbed up into it, behold[3], there was an Army in position waiting in the middle!

' "The runners have been very quick," says Billy Fish, with a little bit[4] of a laugh. "They are waiting for us."

'Three or four men began to fire from the enemy's side, and a chance[5] shot took Daniel in the calf of the leg. That brought him to his senses. He looks across[6] the snow at the Army, and sees the rifles that we had brought into the country.

' "We're done for," says he. "They are Englishmen[7], these people, —and it's my blasted nonsense that has brought you to this. Get back, Billy Fish, and take your men away. You've done what you could, and now cut for it. Carnehan[8]," says he, "shake hands with me and go along with Billy. Maybe they won't kill you. I'll go and meet 'em alone. It's me that did it[9]. Me, the King!"

' "Go!" says I. "Go to Hell[10], Dan! I'm with you here. Billy Fish, you clear out, and we two will meet those folk."

' "I'm a Chief," says Billy Fish, quite quiet[11]. "I stay with you. My men can go."

---

1. **a cruel bad country** : **cruel** est employé comme adverbe à la place de **cruelly**. Ce genre de tournure n'est pas rare chez Peachey.

2. **hungry-ways** : **in a hungry way**. Expression amusante, forgée par Peachey à partir de **hungry** : *affamé* et du suffixe **-ways** qu'on trouve par exemple dans **crossways** : *en travers*.

3. **behold** : littéralement *contemplez*.

4. **a little bit** : cf. note 5, p. 128.

5. **chance** : *hasard, chance*.

6. **looks across** : on notera le présent de narration pour souligner le fait que Dravot a retrouvé ses esprits.

7. **Englishmen** : l'idée, qui n'a pas quitté Dravot, que les indigènes

» Le lendemain matin, on était dans une vilaine région cruelle, tout accidentée, sans aucune partie plane, et sans nourriture non plus. Les six hommes de Bashkai regardaient Billy Fish, l'air affamé, comme s'ils voulaient demander quelque chose, mais ils ne dirent jamais rien. À midi, nous arrivâmes sur le sommet plat d'une montagne toute couverte de neige, et après l'avoir escaladé, nous y trouvâmes en plein milieu une armée en position qui nous attendait !

» ''Les messagers ont été très rapides'', dit Billy Fish avec un petit rire. ''Ils nous attendent.''

» Trois ou quatre hommes du côté ennemi commencèrent à faire feu et une balle perdue atteignit Daniel au mollet. Le coup lui fit retrouver ses esprits. Il regarde l'armée de l'autre côté de la neige et voit les fusils que nous avions apportés dans le pays.

» ''Nous sommes cuits'', dit-il. Ce sont des Anglais, ces gens — et c'est à cause de ma sacrée stupidité que vous en êtes là. Repars, Billy Fish, et emmène tes hommes. Tu as fait ce que tu pouvais et maintenant, décampe ! Carnehan'', dit-il, ''serre-moi la main et va-t'en avec Billy Fish. Peut-être qu'ils ne te tueront pas. Je vais les affronter seul. C'est moi qui ai fait tout cela. Moi, le roi !''

» ''Partir !'' j'dis. ''Va au diable, Dan ! Je suis ici avec toi. Billy Fish, file, toi, et nous deux, allons affronter ces gens.''

» ''Je suis un chef'', dit Billy Fish très calmement. ''Je reste avec vous. Mes hommes peuvent partir.''

---

sont des Anglais est reprise une fois encore non sans ironie, puisque Dravot et Peachey risquent d'en faire les frais.

8. **Carnehan :** il n'est pas habituel d'entendre Dravot appeler son compagnon par cette partie de son nom.

9. **it's me that dit it :** revenu à lui-même, Dravot assume ses responsabilités, mais sans renoncer à se considérer roi.

10. **hell :** *enfer.*

11. **quite quiet :** Billy Fish fait preuve de grande dignité.

'The Bashkai fellows didn't wait for a second word[1], but ran off, and Dan and me and Billy Fish walked across to where the drums were drumming and the horns were horning. It was cold —awful cold[2]. I've got that cold in the back of my head now[3]. There's a lump[4] of it there.'

The punkah-coolies[5] had gone to sleep. Two kerosene lamps were blazing in the office, and the perspiration poured down my face and splashed on the blotter as I leaned forward. Carnehan was shivering[6], and I feared that his mind might go. I wiped my face, took a fresh grip[7] of the piteously mangled hands, and said: 'What happened after that?'

The momentary shift of my eyes had broken the clear current.

'What was you pleased to say?' whined Carnehan. 'They took them[8] without any sound. Not a little whisper all along the snow, not though the King knocked down the first man that set hand on him —not though old Peachey fired his last cartridge into the brown of 'em. Not a single solitary sound did those swines make. They just closed up tight, and I tell you their furs stunk[9]. There was a man called Billy Fish, a good friend of us all, and they cut his throat, sir, then and there, like a pig; and the King kicks up the bloody snow and says: "We've had a dashed[10] fine run[11] for our money.

---

1. **didn't wait for a second word**: m. à m. *n'attendirent pas une seconde parole.*

2. **awful cold: awfully cold**, cf. note 1 p. 134.

3. **I've got... now**: Peachey garde le souvenir du froid glacial durant leur fuite désespérée.

4. **a lump**: *un morceau.*

5. **the punkah-coolies**: sans aucune transition et alors qu'aucune interruption n'était survenue dans le récit de Peachey depuis longtemps, on retrouve l'atmosphère torride du bureau du journal.

6. **shivering**: c'est le souvenir du froid glacial évoqué plus haut qui fait frissonner Peachey malgré la chaleur environnante.

7. **grip**: *poigne, étreinte.*

» Les gars de Bashkai ne se le firent pas dire deux fois et sont partis en courant, et Dan et moi et Billy Fish, nous avons avancé vers l'endroit où les tambours résonnaient et les cors retentissaient. Il faisait froid, terriblement froid. Je sens encore ce froid dans la nuque aujourd'hui. Il en reste un peu là.

Les coolies des pancas s'étaient endormis. Deux lampes à kérosène brûlaient dans le bureau, et la sueur ruisselait sur mon visage, éclaboussant le buvard quand je me penchais. Carnehan, lui, frissonnait et je craignais de le voir perdre la raison. Je m'essuyai le visage, saisis à nouveau les mains pitoyablement mutilées, et dis :

— Qu'est-il arrivé ensuite ?

Le déplacement momentané de mes yeux avait interrompu le cours limpide du récit.

— Que disiez-vous ? gémit Carnehan. Ils les ont pris sans faire aucun bruit. Pas le moindre murmure sur toute la neige, même quand le roi a abattu le premier homme qui a mis la main sur lui — pas non plus quand le vieux Peachey a tiré dans le tas sa dernière cartouche. Pas un seul et unique bruit ils ont fait, ces porcs. Ils se sont simplement approchés tout près et je vous le dis, leurs fourrures puaient. Il y avait un homme appelé Billy Fish, un de nos bons amis à tous, et ils l'ont égorgé comme un cochon, Monsieur, séance tenante ; et le roi soulève à coups de pied la neige ensanglantée et dit : "Nous en avons eu fichtrement pour notre argent.

---

8. **they took them** : le récit devient moins cohérent, on ne sait de qui parle Peachey.

9. **their furs stunk** : autre sensation dont Peachey a gardé le souvenir. Cf. **to stink, stank, stunk** : *sentir mauvais*.

10. **dashed** : équivalent moins grossier de **damned**.

11. **run** : cf. note 5, p. 130.

What's coming next?" But Peachey, Peachey Taliaferro[1], I tell you, sir, in confidence as betwixt two friends, he lost his head, sir. No, he didn't neither[2]. The King lost his head, so he did, all along o' one of those cunning rope-bridges. Kindly let me have the paper-cutter, sir[3]. It tilted this way. They marched him a mile across that snow to a rope-bridge over a ravine with a river at the bottom. You may have seen such. They prodded[4] him behind like an ox. "Damn your eyes!" says the King. "D'you suppose I can't die like a gentleman?" He turns to Peachey —Peachey that was crying like a child. "I've brought you to this, Peachey," says he. "Brought you out of your happy life to be killed in Kafiristan, where you was late Commander-in-Chief[5] of the Emperor's forces. Say you forgive me, Peachey." —"I do," says Peachey. "Fully and freely do I forgive[6] you, Dan." — "Shake hands, Peachey," says he. "I'm going now." Out he goes, looking neither right nor left, and when he was plumb in the middle of those dizzy[7] dancing ropes —"Cut, you beggars," he shouts; and they cut, and old Dan fell, turning round and round and round, twenty thousand miles, for he took half an hour[8] to fall till he struck the water, and I could see his body caught on a rock with the gold crown close beside.

---

1. **Taliaferro :** non seulement Peachey se met à parler de lui-même à la troisième personne, mais il donne une deuxième partie de son nom.

2. **No, he didn't neither :** on notera l'accumulation des négations. Peachey se reprend, car il vient de dire quelque chose d'erroné.

3. **sir :** Peachey s'adresse au journaliste.

4. **to prod :** *pousser du doigt, par petits coups.*

5. **Commander-in-chief :** l'amour des titres et des honneurs de Dravot est toujours là.

6. **fully... freely... forgive :** on peut remarquer l'allitération en "f" et la place des deux adverbes en début de phrase qui donnent un ton solennel et pathétique.

7. **dizzy :** *qui a* ou *qui donne une sensation de vertige.*

8. **half an hour :** la manière dont Peachey décrit la chute de Dravot,

Qu'est-ce qui va arriver ensuite ?" Mais Peachey, Peachey Taliaferro, je vous le dis, Monsieur confidentiellement, comme entre amis, il a perdu la tête, Monsieur. Non, il ne l'a pas perdue non plus. Le roi a perdu la tête, c'est sûr, Monsieur, tout le long d'un de ces perfides petits ponts de corde. Veuillez me passer le coupe-papier, Monsieur. Il penchait, le pont, comme ça. Ils lui ont fait parcourir un kilomètre et demi à pied à travers la neige jusqu'à un pont de corde au-dessus d'un ravin, avec une rivière au fond. Vous en avez peut-être vu des comme ça. Ils le poussaient par-derrière comme un bœuf.

» "Que le diable vous emporte !" dit le roi. "Croyez-vous que je ne peux pas mourir comme un gentleman ?"

» Il se tourne vers Peachey — Peachey qui pleurait comme un enfant.

» "Peachey, c'est moi qui t'ai mis dans cette situation", dit-il. "Je t'ai fait abandonner ton existence heureuse pour te faire tuer au Kafiristan où tu étais anciennement commandant en chef des forces de l'empereur. Dis que tu me pardonnes, Peachey."

» "Je te pardonne", dit Peachey. "Bien sûr que j'te pardonne, entièrement et librement, Dan."

» "Serrons-nous la main, Peachey", dit-il. "Je m'en vais maintenant."

» Il s'éloigne, sans regarder ni à gauche ni à droite et quand il s'est trouvé au beau milieu de ces cordes qui dansaient à vous donner le vertige :

» "Coupez, misérables", crie-t-il, et ils coupent, et le vieux Dan est tombé en tournant interminablement pendant trente-cinq mille kilomètres, car il a mis une demi-heure à tomber avant de heurter l'eau, et j'ai vu son corps immobile sur un rocher, la couronne d'or juste à côté.

---

en mentionnant ce qu'il croit en avoir été la distance et la durée, montre à quel point elle lui a paru interminable et impressionnante.

'But do you know what they did to Peachey between two pine-trees? They crucified him, sir, as Peachey's hands[1] will show. They used wooden pegs for his hands and his feet; and he didn't die. He hung[2] there and screamed, and they took him down next day, and said it was a miracle that he wasn't dead. They took him down —poor old Peachey[3] that hadn't done them any harm —that hadn't done them any[4]—'

He rocked to and fro and wept bitterly, wiping his eyes with the back of his scarred[5] hands and moaning like a child for some ten minutes.

'They was cruel enough to feed him up in the temple, because they said he was more of a God[6] than old Daniel that was a man. Then they turned him out on the snow, and told him to go home, and Peachey came home in about a year, begging along the roads quite safe; for Daniel Dravot he walked before[7] and said: "Come along, Peachey. It's a big thing we're doing." The mountains they danced at night, and the mountains they tried to fall on Peachey's head, but Dan he held up his hand, and Peachey came along bent double. He never let go of Dan's hand, and he never let go of Dan's head[8]. They gave it to him as a present in the temple, to remind him not to come again, and though the crown was pure gold, and Peachey was starving, never would Peachey sell the same[9].

---

1. **Peachey's hands** : l'explication des cicatrices en losanges que portent les mains de Peachey nous est donnée ici.

2. **to hang, hung, hung** : *suspendre, pendre, être pendu*.

3. **poor old Peachey** : exemple typique de ce qu'on appelle en anglais **self-pity** : Peachey s'attendrit sur le Peachey d'alors.

4. **any...** : Peachey répète la phrase sans la terminer, signe qu'il perd à nouveau le fil de ses idées, ce qui donne l'occasion au narrateur de décrire en quelques lignes ses gestes et son allure.

5. **scarred** : cf. **a scar** : *une cicatrice*.

6. **more of a God** : ironie du destin qui fait à présent de Peachey presque un dieu, parce qu'il a survécu aux tortures.

» Mais vous ne savez pas ce qu'ils ont fait à Peachey entre deux pins ? Ils l'ont crucifié, Monsieur, comme ça se voit sur les mains de Peachey. Ils ont utilisé des chevilles en bois pour ses mains et ses pieds ; et il n'est pas mort. Il est resté accroché là, et il hurlait, et le lendemain ils l'ont décroché et ils ont dit que c'était un miracle qu'il ne soit pas mort. Ils l'ont descendu — le pauvre vieux Peachey qui ne leur avait pas fait de mal, qui ne leur avait pas fait de...

Pendant dix bonnes minutes, il se balança d'avant en arrière et pleura amèrement, en s'essuyant les yeux du revers de ses mains couvertes de cicatrices et en gémissant comme un enfant.

— I'furent assez cruels pour le nourrir dans le temple parce qu'ils disaient qu'il était davantage dieu que le vieux Daniel qui était un homme. Puis ils l'ont envoyé dans la neige, en lui disant de rentrer chez lui, et ça lui a pris près d'un an pour rentrer chez lui, en mendiant le long des routes en toute sécurité, car Daniel Dravot, il marchait devant et disait : ''Avance, Peachey. C'est une grande chose que nous accomplissons.'' Elles dansaient la nuit, les montagnes, et elles essayaient de tomber sur la tête de Peachey, mais Dan lui tenait la main et Peachey avançait, courbé en deux. Il n'a jamais lâché la main de Dan et il n'a jamais lâché la tête de Dan. Ils la lui ont donnée comme cadeau dans le temple, pour qu'il n'oublie pas de ne jamais revenir, et bien que la couronne ait été en or pur et que Peachey ait été affamé, jamais Peachey n'a accepté de la vendre.

---

7. **walked before** : les quelques lignes consacrées à la description du retour de Peachey en Inde montrent à quel point son esprit vacille et est en proie aux hallucinations.

8. **Dan's head** : à partir de cette remarque, une fois de plus on ne comprend pas bien de quoi parle Peachey.

9. **the same** : équivalent de **it** ici.

You knew Dravot, sir! You knew Right Worshipful Brother Dravot[1]! Look at him now[2]!'

He fumbled in the mass of rags round his bent waist; brought out a black horsehair bag embroidered with silver thread, and shook therefrom[3] on to my table —the dried, withered head of Daniel Dravot! The morning sun that had long been paling the lamps struck the red[4] beard and blind sunken eyes; struck, too, a heavy circlet of gold studded with raw turquoises, that Carnehan placed tenderly on the battered temples.

'You behold[5] now,' said Carnehan, 'the Emperor in his habit as he lived[6] —the King of Kafiristan with his crown upon his head. Poor old Daniel[7] that was a monarch once!"

I shuddered, for, in spite of defacements manifold[8], I recognized the head of the man of Marwar Junction. Carnehan rose to go. I attempted to stop him. He was not fit to walk abroad[9]. 'Let me take away the whisky, and give me a little money,' he gasped. 'I was a King once. I'll go to the Deputy-Commissioner[10] and ask to set in the Poorhouse till I get my health. No, thank you, I can't wait till you get a carriage for me. I've urgent private affairs —in the South— at Marwar[11].'

He shambled out of the office and departed in the direction of the Deputy-Commissioner's house.

---

1. **Right Worshipful Brother :** titre maçonnique.

2. **look at him now :** la remarque, pour le moins surprenante, prépare la vision dramatique qui va suivre.

3. **shook therefrom :** littéralement : *en fit tomber en le secōuant*. Cf. **to shake, shook, shaken :** *secouer*.

4. **red :** la barbe de Dravot n'a pas perdu sa couleur.

5. **you behold :** le ton de Peachey est très solennel.

6. **in his habit as he lived :** dans la pièce de Shakespeare, Hamlet, décrivant le fantôme de son père, utilise cette expression. (*Hamlet*, acte III, scène IV, vers 135.)

7. **Poor old Daniel :** contraste entre les titres que Peachey redonne à Dravot et l'expression familière qu'il utilise ensuite en se replaçant sur le plan de l'amitié.

Vous connaissiez Dravot, Monsieur. Vous connaissiez le Très Honorable Frère Dravot! Regardez-le maintenant!

Il fouilla dans la masse de haillons qui entouraient sa taille toute repliée, en sortit un sac de crin noir brodé d'un fil d'argent et en fit tomber sur ma table... la tête desséchée, atrophiée, de Dravot! Le soleil du matin qui depuis longtemps avait fait pâlir les lampes vint frapper la barbe rousse et les orbites aveugles enfoncées, ainsi que le lourd cercle d'or garni de turquoises brutes que Carnehan plaça tendrement sur les tempes meurtries.

— Vous contemplez en ce moment l'empereur dans la tenue qu'il portait de son vivant, dit Carnehan, le roi du Kafiristan avec sa couronne sur la tête. Le pauvre vieux Daniel qui fut un jour monarque.

Je frémis d'horreur car, malgré les nombreuses mutilations, je reconnus la tête de l'homme rencontré à la gare de Marwar. Carnehan se leva pour partir. Je tentai de l'arrêter. Il n'était pas en état de sortir.

— Laissez-moi emporter le whisky et donnez-moi un peu d'argent, dit-il, le souffle court. J'ai été roi jadis. Je vais aller voir le commissaire-adjoint pour lui demander de m'installer à l'hospice jusqu'à ce que je recouvre la santé. Non merci, je ne peux pas attendre que vous me trouviez une voiture. J'ai des affaires privées urgentes, dans le Sud, à Marwar.

Il sortit du bureau à pas traînants et partit en direction de la maison du commissaire adjoint.

---

8. **defacements manifold**: style quelque peu recherché, en raison notamment de l'adjectif placé après le substantif. **Manifold**: *multiples.*

9. **abroad**: *à l'étranger, au loin.*

10. **Deputy-Commissioner**: cf. **deputy-chairman**: *vice-président*; **deputy-head**: *directeur adjoint.*

11. **Marwar**: ce nom renvoie au début de la nouvelle, puisque c'est à la gare de Marwar que le journaliste a transmis le message de Peachey à Dravot.

That day at noon I had occasion to go down the blinding hot[1] Mall, and I saw a crooked man crawling[2] along the white dust of the roadside, his hat in his hand, quavering[3] dolorously after the fashion of street-singers at Home. There was not a soul in sight, and he was out of all possible earshot of the houses. And he sang through his nose, turning his head from right to left: —

'The Son of God[4] goes forth to war,
A kingly crown to gain;
His blood-red[5] banner streams afar!
Who follows in his train?'

I waited to hear no more, but put the poor wretch into my carriage and drove him to the nearest missionary for eventual[6] transfer to the Asylum. He repeated the hymn twice while he was with me, whom he did not in the least recognize, and I left him singing it to the missionary.

Two days later I inquired after his welfare of the Superintendent of the Asylum.

'He was admitted suffering from sunstroke[7]. He died early yesterday morning,' said the Superintendent. 'Is it true that he was half an hour bare-headed in the sun at mid-day?'

'Yes,' said I, 'but do you happen to know[8] if he had anything upon him by any chance when he died?'

'Not to my knowledge,' said the Superintendent.

And there the matter rests[9].

---

1. **blinding hot** : littéralement *chaud et aveuglant* ; cf. **blind** : *aveugle*.

2. **a crooked man crawling** : cette description suffit à nous faire comprendre qu'il s'agit de Peachey. Notez l'allitération **crooked... crawling**.

3. **to quaver** : *trembler, chevroter*.

4. **the Son of God** : chant religieux bien connu dont les variantes introduites par Kipling ne sont pas sans rapport avec les aventures qui viennent d'être relatées.

5. **blood red** : dernière allusion à la couleur caractéristique de Dravot, ainsi qu'au sang qui a marqué son histoire.

6. **eventual** : faux ami ici, car utilisé dans son sens de *ultérieur, qui va suivre*.

Ce jour-là, à midi, j'eus l'occasion de descendre le Mall dans la chaleur aveuglante et je vis un homme tout tordu avancer péniblement dans la poussière blanche au bord de la route, le chapeau à la main, chantant d'une voix tremblotante et plaintive comme le font les chanteurs des rues en métropole. Il n'y avait personne en vue et il était hors de portée de voix des maisons avoisinantes. Et il chantait d'un ton nasillard, tournant la tête à gauche et à droite :

> *Le Fils de Dieu part à la guerre*
> *Pour gagner une couronne de roi,*
> *Sa bannière rouge sang flotte au loin !*
> *Qui vient à sa suite ?*

Je n'attendis pas d'en entendre davantage : je mis le pauvre malheureux dans ma voiture et le conduisis chez le missionnaire le plus proche pour qu'on le transfère ensuite à l'asile. Il répéta deux fois le cantique le temps qu'il resta avec moi, sans me reconnaître le moins du monde, et quand je l'ai laissé, il le chantait encore au missionnaire.

Deux jours plus tard, je m'enquis de sa santé auprès du directeur de l'asile.

— Quand il a été admis, il souffrait d'insolation. Il est mort de bonne heure hier matin, dit le directeur. Est-il vrai qu'il est resté une demi-heure tête nue au soleil, à midi ?

— Oui, répondis-je, mais sauriez-vous si par hasard il avait quelque chose sur lui quand il est mort ?

— Pas à ma connaissance, dit le directeur.

Et l'affaire en est restée là.

---

7. **sunstroke** : ce n'est sûrement pas la seule raison du délire de Peachey.

8. **do you happen to know** : cf. **I happen to know** : *il se trouve que je sais.*

9. **and there the matter rests** : Kipling conclut cette histoire dramatique de manière étonnamment brève et sèche.

False Dawn

Fausse aurore

To-night, God knows what thing shall tide,
The Earth is racked[1] and fain—
Expectant[2], sleepless, open-eyed;
And we, who from the Earth were made,
Thrill with our Mother's pain.

In Durance

No man will ever know the exact truth of this story[3]; though women[4] may sometimes whisper[5] it to one another after a dance, when they are putting up their hair for the night and comparing lists of victims. A man, of course, cannot assist at these functions. So the tale[6] must be told from the outside —in the dark— all wrong.

Never praise a sister to a sister, in the hope of your compliments reaching the proper ears, and so preparing the way for you later on. Sisters are women first[7], and sisters afterwards; and you[8] will find that you do yourself harm.

Saumarez knew this when he made up his mind to propose to the elder[9] Miss Copleigh. Saumarez was a strange man, with few merits so far as men could see, though he was popular with women, and carried enough conceit to stock[10] a Viceroy's Council and leave a little over for the Commander-in-Chief's Staff. He was a Civilian. Very many women took an interest in Saumarez, perhaps because his manner to them was offensive.

---

1. **racked**: cf. **rack**: *chevalet* (instrument de torture).

2. **expectant... Mother's pain**: ces termes suggèrent l'idée d'un accouchement. Cf. **to expect a baby**: *attendre un bébé*.

3. **the exact truth of this story**: type de remarque fréquemment utilisé par l'écrivain pour introduire son récit.

4. **women**: s'oppose au **no man** du début.

5. **to whisper**: *murmurer, chuchoter*.

6. **so the tale...**: conclusion de ce paragraphe introductif destiné à mettre le lecteur en condition et à éveiller son intérêt.

7. **sisters are women first**: que de sous-entendus dans tout ce paragraphe d'où une certaine misogynie n'est pas absente !

8. **you**: le narrateur s'adresse ici directement au lecteur.

9. **elder**: l'un des comparatifs de **old**, l'autre étant **older. Elder**

Dieu sait ce qui adviendra cette nuit !
La Terre est torturée, accablée,
Dans l'attente, sans sommeil, les yeux ouverts ;
Et nous, créatures de la Terre,
Tressaillons aux souffrances de notre Mère.

Au cachot

Personne ne connaîtra jamais la stricte vérité sur cette histoire, même si parfois des femmes se la racontent à voix basse après un bal, lorsqu'elles nouent leurs cheveux pour la nuit et comparent la liste de leurs victimes. Bien entendu, un homme ne peut assister à ces rites. Il faut donc relater ce récit de l'extérieur, dans le noir, tout de travers.

Ne faites jamais l'éloge d'une jeune fille à sa sœur dans l'espoir que vos compliments parviendront aux oreilles de leur destinataire et vous prépareront ainsi la voie ultérieurement. Les sœurs sont d'abord des femmes et seulement dans un deuxième temps des sœurs, et vous découvrirez que vous vous faites du tort.

Saumarez savait cela quand il décida de demander en mariage l'aînée des demoiselles Copleigh. C'était un homme étrange, sans grands mérites autant qu'on pouvait en juger, bien qu'il ne manquât pas de popularité auprès des femmes et possédât suffisamment de vanité pour en approvisionner tous les conseillers d'un vice-roi réunis en en laissant même encore un peu pour le personnel du commandant en chef. Il était fonctionnaire. De très nombreuses femmes s'intéressaient à Saumarez, peut-être à cause de son attitude agressive à leur égard.

---

s'emploie au lieu de **older** quand il s'agit de membres d'une même famille. Par ailleurs, il faut noter que le comparatif précédé de l'article **the** s'emploie à la place du superlatif (**eldest, oldest**) quand il n'y a que deux personnes ou deux objets comparés.

10. **to stock** : l'image qui est développée ici revient à dire que Saumarez avait de la vanité à en revendre.

If you hit a pony[1] over the nose at the outset of your acquaintance, he may not love you[2], but he will take a deep interest in your movements ever afterwards[3]. The elder Miss Copleigh[4] was nice, plump, winning, and pretty. The younger was not so pretty[5], and, from men disregarding the hint set forth above, her style was repellent[6] and unattractive. Both girls had, practically, the same figure[7], and there was a strong likeness[8] between them in look and voice; though no one could doubt for an instant which was the nicer of the two.

Saumarez made up his mind, as soon as they came into the station from Behar[9], to marry the elder one. At least, we all made sure[10] that he would, which comes to the same thing. She was two-and-twenty, and he was thirty-three, with pay and allowances of nearly fourteen hundred rupees a month. So the match, as we arranged it[11], was in every way a good one. Saumarez was his name, and summary[12] was his nature, as a man once said. Having drafted his Resolution, he formed a Select Committee of One to sit upon it, and resolved to take his time. In our unpleasant slang, the Copleigh girls 'hunted in couples'. That is to say, you could do nothing with one without the other. They were very loving sisters; but their mutual affection was sometimes inconvenient. Saumarez held the balance hair-true[13] between them, and none but himself could have said to which side his heart inclined, though every one guessed.

---

1. **a pony :** comparaison caractéristique de Kipling, et en raison de la référence au cheval, et sur le plan du style.

2. **he may not love you :** littéralement *il peut ne pas vous aimer.*

3. **afterwards :** Kipling laisse au lecteur le soin de comprendre ce que son exemple signifie.

4. **Miss Copleigh :** la description des deux demoiselles Copleigh est faite avec une brièveté extrêmement efficace.

5. **not so pretty :** bel exemple d'euphémisme.

6. **repellent :** *repoussant.*

7. **figure :** faux ami : *silhouette.*

8. **a strong likeness :** *une forte ressemblance.*

Si vous frappez un poney sur le nez la première fois que vous avez affaire à lui, il est probable qu'il ne vous aimera pas, mais par la suite il s'intéressera toujours de près à vos mouvements. L'aînée des demoiselles Copleigh était jolie, rondelette, gracieuse et engageante. La cadette n'était pas aussi avenante et d'après des hommes indifférents à l'avertissement donné ci-dessus, ses manières n'avaient rien d'attrayant ni de plaisant. De silhouettes pratiquement identiques, les deux jeunes filles se ressemblaient beaucoup d'allure et de voix, même si personne ne se demandait jamais un seul instant laquelle des deux était la plus charmante.

Dès qu'elles arrivèrent du Bihar dans la station, Saumarez décida d'épouser l'aînée. Du moins, nous veillâmes tous à ce qu'il y parvînt, ce qui revient au même. Elle avait vingt-deux ans et lui trente-trois, avec un salaire et des allocations mensuelles s'élevant à près de 1 400 roupies. Le mariage, tel que nous l'avions arrangé, s'annonçait satisfaisant à tous égards. L'homme s'appelait Saumarez et sommaire était sa nature, comme le remarqua un jour quelqu'un. Une fois arrêtée sa décision, il créa une commission parlementaire d'une personne pour en discuter et résolut de prendre son temps. Dans notre vilain argot, nous disions que les demoiselles Copleigh "chassaient à deux". C'est-à-dire que vous ne pouviez rien faire avec l'une sans l'autre. Elles s'aimaient beaucoup, mais leur affection mutuelle présentait parfois des inconvénients. Saumarez maintenait scrupuleusement l'équilibre entre elles et personne à part lui n'aurait pu dire de quel côté penchait son cœur, même si tout le monde le devinait.

9. **Behar** : région située au nord-est de l'Inde.
10. **we all made sure** : il s'agit en fait d'une hypothèse.
11. **we arranged it** : là encore, rien n'est fondé et ce sont les amis de Saumarez qui en ont décidé ainsi.
12. **summary** : jeu de mots sur le nom de Saumarez.
13. **hair-true** : littéralement *à un cheveu près*.

He rode with them a good deal and danced with them, but he never succeeded in detaching them from each other for any length of time[1].

Women said[2] that the two girls kept together through deep mistrust, each fearing that the other would steal a march on her. But that has nothing to do with a man. Saumarez was silent for good or bad, and as business-likely[3] attentive as he could be, having due regard to his work and his polo[4]. Beyond doubt both girls were fond of him.

As the hot weather drew nearer and Saumarez made no sign, women said that you could see[5] their trouble in the eyes of the girls —that they were looking strained, anxious, and irritable. Men are quite blind[6] in these matters unless they have more of the woman than the man in their composition; in which case it does not matter[7] what they say or think. I maintain[8] it was the hot[9] April days that took the colour out of the Copleigh girls' cheeks. They should have been sent to the Hills early. No one —man or woman— feels an angel[10] when the hot weather is approaching. The younger sister grew more cynical, not to say acid, in her ways; and the winningness of the elder wore thin[11]. There was effort in it.

The station wherein all these things happened was, though not a little one[12], off the line of rail, and suffered through want of attention.

_____

1. **for any length of time**: m. à m. *pendant une certaine longueur de temps*.

2. **women said**: les femmes sont souvent médisantes chez Kipling.

3. **business-likely**: composé de **business**: *affaires, entreprise*, suivi du suffixe adjectival **like**: *ressemblant à, digne de*, avec la désinence adverbiale **-ly**.

4. **his polo**: remarque ironique qui place le travail et le polo sur le même plan.

5. **see**: allusion à la perspicacité et à l'intuition féminines !

6. **blind**: ce qualificatif attribué aux hommes vient en opposition à la remarque précédente.

Il allait souvent se promener à cheval et danser avec elles, mais il ne parvenait jamais à les détacher longtemps l'une de l'autre.

Les femmes disaient que les deux jeunes filles ne se quittaient pas en raison d'un profond manque de confiance, chacune redoutant que l'autre ne la prît de vitesse. Mais ce problème ne concerne pas les hommes. Saumarez était silencieux à tort ou à raison, et aussi efficacement attentionné que possible, accordant le soin nécessaire à son travail et à son polo. Sans aucun doute, les deux jeunes filles étaient amoureuses de lui.

Quand la saison chaude approcha et que Saumarez ne se manifesta pas, les femmes déclarèrent que l'inquiétude se lisait dans le regard des deux jeunes filles, qu'elles paraissaient tendues, impatientes et irritables. Les hommes sont complètement aveugles dans ce domaine, sauf si leur nature est plus féminine que masculine, auquel cas ce qu'ils disent ou pensent importe peu. Je soutiens que ce sont les journées chaudes d'avril qui firent pâlir les joues des demoiselles Copleigh. On aurait dû les envoyer dans les collines. Personne, ni homme ni femme, ne se comporte comme un ange quand arrive la saison chaude. La cadette devint plus cynique, pour ne pas dire revêche, et le charme de l'aînée s'atténua. On y sentait de l'effort.

Bien que de taille correcte, la station où tous ces événements se passèrent était, en raison de son éloignement de tout chemin de fer, un peu délaissée.

---

7. **it does not matter** : m. à m. *cela n'a pas d'importance*.

8. **I maintain** : le narrateur intervient ici en son nom propre pour donner son opinion personnelle.

9. **hot** : l'adjectif est repris trois fois dans ce paragraphe et situe l'histoire à l'époque de la saison chaude.

10. **feels an angel** : littéralement *ne se sent un ange*.

11. **wore thin** : cf. **to wear, wore, worn** : *porter, (s')user* et **thin** : *mince*.

12. **not a little one** : m. à m. *pas une petite*.

There were no Gardens or bands or amusements worth speaking of, and it was nearly a day's journey[1] to come into Lahore[2] for a dance. People were grateful for small things to interest them.

About the beginning of May, and just before the final exodus[3] of Hill-goers, when the weather was very hot and there were not more than twenty people in the station, Saumarez gave a moonlight riding-picnic[4] at an old tomb, six miles away, near the bed of the river. It was a 'Noah's Ark'[5] picnic; and there was to be the usual arrangement of quarter-mile intervals between each couple on account of the dust. Six couples came altogether, including chaperons. Moonlight picnics are useful[6] just at the very end of the season, before all the girls go away to the Hills. They lead to understandings[7], and should be encouraged by chaperons, especially those whose girls look sweetest in riding-habits[8]. I knew a case[9] once... But that is another story. That picnic was called the 'Great Pop Picnic', because every one knew[10] Saumarez would propose then to the elder Miss Copleigh; and, besides his affair, there was another which might possibly come to happiness. The social atmosphere was heavily charged and wanted clearing.

We met at the parade-ground at ten. The night was fearfully hot.

---

1. **journey** : (faux ami) *voyage, trajet.*

2. **Lahore** : capitale du Penjab, à présent au Pakistan, où vivait alors Kipling.

3. **exodus** : le terme n'est pas trop fort puisque toute la population britannique fuyait la chaleur pour se réfugier dans la fraîcheur des collines.

4. **riding-picnic** : *pique-nique* où l'on se rend à cheval. Cf. **to ride** : *aller à cheval.*

5. **Noah's Ark** : comparaison avec l'Arche de Noé dans lequel, selon la Bible, Noé embarqua un couple de chaque race animale, afin de protéger l'espèce pendant le déluge. Pour le pique-nique, les participants partent de la même manière deux par deux.

6. **useful** : l'adjectif est inattendu, l'explication ne vient qu'ensuite.

On n'y trouvait aucun jardin, aucun orchestre ni aucune distraction valant la peine qu'on en parlât et il fallait près d'une journée de voyage pour aller danser à Lahore. Les gens appréciaient les petits incidents qui créaient de l'intérêt.

Vers le début du mois de mai et juste avant l'exode définitif dans les collines, alors que règnait une forte chaleur et que guère plus de vingt personnes se trouvaient encore dans la station, Saumarez organisa un pique-nique de nuit : on devait se rendre à cheval jusqu'à un vieux tombeau, à neuf kilomètres de là, près du lit de la rivière. Il s'agissait d'un pique-nique "Arche de Noé", c'est-à-dire que selon l'arrangement habituel, un intervalle de 400 mètres séparait chaque couple, de manière à éviter la poussière. Au total, y participèrent six couples, chaperons compris. Les pique-niques au clair de lune sont utiles en fin de saison, avant que toutes les jeunes filles ne partent dans les collines. Ils aboutissent à des alliances et devraient être encouragés par les chaperons, surtout ceux chargés de surveiller des jeunes filles à qui la tenue d'amazone donne encore plus de charme. J'ai connu une fois un exemple... Mais c'est une autre histoire. Ce pique-nique-là fut appelé "le pique-nique du grand saut" parce que tout le monde savait que Saumarez y demanderait la main de l'aînée des demoiselles Copleigh ; et en dehors de son affaire à lui, il se pouvait qu'une autre y connût également une fin heureuse. L'atmosphère sociale très lourde demandait à être éclaircie.

Nous nous retrouvâmes sur le terrain de manœuvres à dix heures. La nuit était terriblement chaude.

---

7. **understandings** : *accord, entente.* Cf. **to understand** : *comprendre.*

8. **whose girls... habits** : littéralement : *dont les jeunes filles paraissent très douces en tenue d'amazone.*

9. **I knew a case...** : amorce vite interrompue d'une digression.

10. **every one knew** : souligne cette fois-ci la certitude.

The horses sweated even at walking-pace[1], but anything was better than sitting still in our own dark houses. When we moved off under the full moon we were four couples, one triplet, and me. Saumarez rode with the Copleigh girls, and I loitered at the tail of the procession wondering with whom Saumarez would ride home[2]. Every one was happy and contented; but we all felt[3] that things[4] were going to happen. We rode slowly; and it was nearly midnight before we reached the old tomb[5], facing the ruined tank, in the decayed gardens where we were going to eat and drink. I was late in coming up[6]; and, before I went into the garden, I saw that the horizon to the north carried a faint, dun[7]-coloured feather. But no one would have thanked me for spoiling so well-managed an entertainment[8] as this picnic —and a dust-storm[9], more or less, does no great harm.

We gathered by[10] the tank. Some one had brought out a banjo —which is a most sentimental[11] instrument— and three or four of us sang. You[12] must not laugh at this. Our amusements in out-of-the-way stations are very few indeed. Then we talked in groups or together, lying under the trees, with the sun-baked[13] roses dropping their petals on our feet, until supper was ready. It was a beautiful supper, as cold and as iced as you could wish; and we stayed long over it.

---

1. **walking-pace** : cf. **pace** : *allure* ; **to walk** : *marcher, aller au pas.*
2. **ride home** : m. à m. *rentrerait à cheval.*
3. **we all felt** : à nouveau, le narrateur insiste sur le sentiment d'expectative ressenti par tous ceux qui accompagnent Saumarez et les demoiselles Copleigh.
4. **things** : le mot est vague, tout est encore possible, même s'ils croient tous savoir ce qui va se passer.
5. **the old tomb** : le décor dans lequel est prévu le pique-nique ne semble pas particulièrement attrayant (cf. aussi des termes comme **decayed** ou **ruined**) et guère adéquat pour une demande en mariage.
6. **late in coming up** : m. à m. *en retard pour arriver.*
7. **dun** : *brun foncé* ou *brun grisâtre.*
8. **so well-managed an entertainment** : on remarquera dans cette

Les chevaux transpiraient même en avançant au pas, mais tout cela valait mieux que de rester dans nos maisons obscures. Au moment du départ sous la pleine lune, nous étions répartis en quatre couples, un groupe de trois et moi. Saumarez chevauchait avec les demoiselles Copleigh et je m'attardai à l'arrière de la procession en me demandant avec qui Saumarez ferait le chemin du retour. Tout le monde était heureux et satisfait ; mais nous sentions tous qu'il allait se passer quelque chose. Nous avancions lentement ; et il était près de minuit lorsque nous atteignîmes le vieux tombeau, en face du réservoir en ruine, dans les jardins à l'abandon où nous allions manger et boire. J'arrivai plus tard que les autres et avant de pénétrer dans le jardin, je notai que vers le nord, l'horizon était recouvert de légères plumes de couleur brune. Mais personne ne m'aurait remercié de gâcher un divertissement aussi bien organisé que ce pique-nique, et dans l'ensemble, un tourbillon de poussière ne fait pas grand mal.

Nous nous regroupâmes près du réservoir. Quelqu'un avait apporté un banjo, instrument des plus sentimentaux, et trois ou quatre d'entre nous chantèrent. Ne vous moquez pas de nous. Nos distractions dans ces stations éloignées de tout sont vraiment très rares. Puis nous bavardâmes tous ensemble ou par groupes, allongés sous les arbres, en attendant que le souper fût prêt, et les pétales des roses cuites par le soleil tombaient sur nos pieds. Le repas fut splendide, frais et glacé à souhait, et nous lui consacrâmes un long moment.

---

tournure l'ordre des mots : **so** + adjectif + article indéfini + nom singulier.

9. **storm** : *orage, tempête.*

10. **by** : ici *près de.*

11. **most sentimental** : l'instrument de musique convient bien, lui, à l'idylle qui se prépare !

12. **you** : le narrateur interpelle ici le lecteur.

13. **to bake** : *cuire au four.*

I had felt[1] that the air was growing hotter and hotter[2]; but nobody seemed to notice it until the moon went out and a burning hot wind began lashing the orange-trees with a sound like the noise of the sea. Before we knew where we were[3] the dust-storm was on us, and everything was roaring, whirling darkness[4]. The supper-table was blown bodily[5] into[6] the tank. We were afraid of staying anywhere near the old tomb for fear it might be blown down[7]. So we felt our way[8] to the orange-trees where the horses were picketed and waited for the storm to[9] blow over. Then the little light that was left vanished, and you could not see your hand before your face. The air was heavy with dust and sand from the bed of the river, that filled boots and pockets, and drifted[10] down necks, and coated[11] eyebrows and moustaches. It was one of the worst dust-storms of the year. We were all huddled together close to the trembling horses, with the thunder chattering overhead, and the lightning spurting like water from a sluice, all ways at once. There was no danger, of course, unless the horses broke loose[12]. I was standing with my head down wind and my hands over my mouth, hearing the trees thrashing each other. I could not see who was next me till the flashes came. Then I found that I was packed near Saumarez and the elder Miss Copleigh, with my own horse just in front of me.

1. **felt** : cette sensation vient compléter la notation faite précédemment par le narrateur qui avait remarqué "de légères plumes de couleur brune".

2. **hotter and hotter** : on notera le double comparatif pour traduire *de plus en plus*.

3. **before we knew where we were** : m. à m. *avant de savoir où nous étions*.

4. **roaring, whirling darkness** : la ponctuation en anglais est différente de la ponctuation française. Ici **roaring**, comme **whirling**, porte sur **darkness**.

5. **bodily** : *en masse*.

6. **blown into** : toutes les actions qui se succèdent sont décrites à l'aide du verbe **to blow, blew, blown** : *souffler*, puisque tout se produit sous l'action du vent.

J'avais senti que l'air devenait de plus en plus chaud, mais personne ne parut le remarquer jusqu'à ce que la lune se fût couchée et qu'un vent brûlant et torride eût commencé à fouetter les orangers avec un bruit semblable à celui de la mer. Avant même de nous en rendre compte, le tourbillon de poussière arriva sur nous et une obscurité tournoyante et rugissante envahit tout. La table du souper fut entièrement emportée dans le réservoir. Redoutant de rester près du vieux tombeau de peur qu'il ne s'effondre sous l'effet du vent, nous allâmes à tâtons jusqu'aux orangers où les chevaux se trouvaient attachés et nous attendîmes que la tempête s'apaisât. Alors la petite lumière encore perceptible disparut, rendant impossible de voir sa main devant son visage. L'air était chargé de poussière et de sable provenant du lit de la rivière, qui emplissait nos bottes et nos poches, glissait le long de nos cous et recouvrait nos sourcils et nos moustaches. Il s'agissait de l'un des pires tourbillons de poussière de l'année. Nous nous tenions tous serrés contre les chevaux tremblants, et le tonnerre claquait au-dessus de nos têtes, et les éclairs jaillissaient comme l'eau d'une écluse de tous les côtés en même temps. Bien entendu, nous ne courions aucun danger, sauf si les chevaux s'échappaient. J'étais debout, tournant le dos au vent et les mains sur la bouche, et j'entendais les arbres s'entrechoquer. Je ne parvins pas à voir qui se trouvait à mes côtés avant que n'apparussent les éclairs. Je découvris alors que j'étais tout près de Saumarez et de l'aînée des demoiselles Copleigh, mon propre cheval juste devant moi.

---

7. **blown down**: cf. note 6.

8. **felt our way**: littéralement: *trouver son chemin en tâtonnant*. **To feel** a ici le sens de *toucher*.

9. **waited for... to**: on notera la construction infinitive.

10. **to drift**: *dériver*.

11. **to coat**: *recouvrir comme d'un manteau* (**coat**).

12. **broke loose**: cf. **to break, broke, broken**: *briser, casser*, et **loose**: *qui se détache, non attaché, flottant*.

I recognized the elder Miss Copleigh, because she had a *pagri*[1] round her helmet, and the younger had not. All the electricity in the air had gone into my body, and I was quivering and tingling from head to foot —exactly as a corn[2] shoots and tingles before rain. It was a grand storm. The wind seemed[3] to be picking up the earth and pitching it to leeward[4] in great heaps, and the heat beat up from the ground like the heat[5] of the Day of Judgment.

The storm lulled slightly after the first half-hour, and I heard a despairing little voice close to my ear, saying to itself, quietly and softly, as if some lost soul[6] were flying about with the wind, 'Oh, my God!' Then the younger Miss Copleigh stumbled[7] into my arms, saying, 'Where is my horse? Get my horse. I want to go home. I want to go home[8]. Take me home.'

I thought that the lightning and the black darkness had frightened her. So I said there was no danger, but she must wait till the storm blew over. She answered, 'It is not that[9]! I want to go home! Oh, take me away from here!'

I said[10] that she could not go till the light came; but I felt her brush past me[11] and go away. It was too dark to see where. Then the whole sky was split[12] open with one tremendous flash, as if the end of the world were coming, and all the women shrieked.

---

1. **pagri** : sorte de petit turban.
2. **as a corn** : l'image choisie par le narrateur est surprenante et guère raffinée !
3. **seemed** : ce terme exprime les difficultés rencontrées par le narrateur pour raconter ce qui se passe.
4. **leeward** : *sous le vent*.
5. **like the heat** : une comparaison est à nouveau nécessaire pour essayer de décrire la sensation éprouvée.
6. **as if some lost soul** : l'image surprend, on comprendra par la suite pourquoi cette âme égarée.
7. **to stumble** : *trébucher, faire un faux pas*.
8. **I want to go home** : la répétition de cette phrase, suivie de **take me home**, exprime le désarroi de la jeune fille.

Je reconnus la jeune fille parce que, contrairement à sa sœur, elle portait un *pugree* autour de son casque. Toute l'électricité de l'air avait pénétré dans mon corps, et je tremblais et ressentais des picotements des pieds à la tête, exactement comme un cor au pied élance et picote avant la pluie. C'était une tempête grandiose. Le vent semblait soulever la terre et la projeter en avant par grandes quantités et la chaleur montait du sol comme de la fournaise du Jugement dernier.

La tempête s'apaisa un peu au bout d'une demi-heure et j'entendis tout près de mon oreille une petite voix désespérée, s'adressant à elle-même doucement et gentiment, comme quelque âme égarée portée par le vent : "Oh, mon Dieu !" Alors la plus jeune des demoiselles Copleigh s'effondra dans mes bras avec ces mots : "Où est mon cheval ? Trouvez-moi mon cheval. Je veux rentrer chez moi, je veux rentrer chez moi. Emmenez-moi à la maison."

Je crus que les éclairs et l'épaisseur de l'obscurité l'effrayaient. Aussi lui dis-je qu'elle ne courait aucun danger mais qu'elle devait attendre que la tempête se calme. Elle répondit : "Ce n'est pas cela ! Je veux rentrer chez moi. Oh ! emmenez-moi loin d'ici !"

Je lui fis remarquer qu'elle ne pouvait pas s'en aller avant qu'on y voie de nouveau plus clair ; mais je la sentis passer devant moi et partir. Il faisait trop sombre pour distinguer dans quelle direction. Puis le ciel tout entier s'entrouvrit dans un éclair épouvantable, comme si la fin du monde arrivait, et toutes les femmes poussèrent des hurlements.

---

9. **It is not that !** : le narrateur, malgré sa bonne volonté et sa bienveillance, a mal interprété les réactions de la jeune fille.

10. **I said** : on notera que dans ce passage les paroles de la jeune fille sont en style direct tandis que celles du narrateur sont rapportées.

11. **brush past me** : m. à m. *passer devant moi en m'effleurant.*

12. **to split, split, split** : *(se) fendre.*

Almost directly after this I felt a man's hand[1] on my shoulder, and heard Saumarez bellowing in my ear. Through the rattling of the trees and howling[2] of the wind I did not catch his words at once, but at last I heard him say, 'I've proposed to the wrong[3] one! What shall I do[4]?' Saumarez had no occasion to make this confidence to me. I was never a friend of his[5], nor am I[6] now; but I fancy neither of us[7] were ourselves just then. He was shaking as he stood with excitement, and I was feeling queer all over with the electricity. I could not think of anything to say except, 'More fool you[8] for proposing in a dust-storm.' But I did not see how that would improve the mistake.

Then he shouted, 'Where's Edith —Edith Copleigh?' Edith was the younger sister. I answered out of my astonishment, 'What do you want with *her*?' For the next two minutes he and I were shouting at each other like maniacs, —he vowing that it was the younger sister he had meant to propose to all along, and I telling him, till my throat was hoarse, that he must have made a mistake[9]! I cannot account for this except, again, by the fact that we were neither of us ourselves. Everything seemed to me like a bad dream —from the stamping of the horses in the darkness to Saumarez telling me the story of his loving Edith[10] Copleigh from the first.

---

1. **I felt a man's hand :** dans l'obscurité, il ne peut rien voir et il ne peut identifier la personne qui le touche.

2. **howling :** on aura remarqué que tous les bruits sont très violents, cf. **bellowing** et **rattling**.

3. **wrong :** *faux, erroné*, d'où **the wrong one :** littéralement *la mauvaise, pas celle qu'il fallait*.

4. **What shall I do ?** Saumarez se sent complètement désemparé.

5. **a friend of his :** littéralement *un ami parmi les siens*. **His** ici est pronom possessif. De la même manière, on dit **a friend of mine :** *un de mes amis*.

6. **nor am I :** cf. **nor :** *et... ne... pas*. **Nor** placé en début de proposition impose l'inversion auxiliaire/sujet.

7. **neither of us :** littéralement *ni l'un ni l'autre d'entre nous*. De la même manière, on dira **neither of them, neither of you**.

Presque immédiatement après, je sentis une main d'homme se poser sur mon épaule et j'entendis Saumarez brailler dans mon oreille. Au milieu du craquement des arbres et du hurlement du vent, je ne saisis pas immédiatement ses paroles, mais je finis par comprendre qu'il disait : "J'ai demandé l'autre en mariage par erreur. Qu'est-ce que je vais faire ?" Saumarez n'avait aucune raison de me faire cette confidence. Je n'ai jamais été de ses amis, ni autrefois ni maintenant ; mais j'imagine que ni l'un ni l'autre n'étions tout à fait nous-mêmes à cet instant. Il se tenait là, tremblant d'énervement, et l'électricité me procurait une sensation bizarre dans tout le corps. Je ne parvenais pas à trouver quelque chose à lui dire sinon : "Quelle bêtise que d'avoir fait une demande en mariage pendant un tourbillon de poussière !" Mais je ne voyais pas en quoi ces mots répareraient son erreur.

Puis il s'écria : "Où est Edith — Edith Copleigh ?" Edith était la cadette. Au milieu de mon étonnement, je lui répondis : "Que lui voulez-vous à celle-là ?" Pendant les deux minutes suivantes, nous nous invectivâmes comme des forcenés, lui jurant que c'était la cadette qu'il avait voulu demander en mariage depuis le début et moi lui disant jusqu'à ce que ma voix s'enroue qu'il avait dû faire une erreur ! Je ne peux justifier cette scène sinon, encore une fois, parce que nous n'étions ni l'un ni l'autre dans notre état normal. Toute cette histoire ressemblait à un mauvais rêve, qu'il s'agisse du piétinement des chevaux dans l'obscurité ou de Saumarez me racontant qu'il aimait Edith Copleigh depuis le début.

---

8. **more fool you** : littéralement *d'autant plus idiot vous*.

9. **made a mistake** : dans tout ce passage, il apparaît que le narrateur met un certain temps à comprendre et à admettre que, contrairement à ce qui se disait, c'est Edith, et non Maud Copleigh, que Saumarez voulait épouser.

10. **the story of his loving Edith** : littéralement *l'histoire de son amour pour Edith*.

He was still clawing[1] my shoulder and begging me to tell him where Edith Copleigh was, when another lull came and brought light with it, and we saw the dust-cloud forming on the plain in front of us. So we knew the worst[2] was over. The moon was low down, and there was just the glimmer of the false dawn[3] that comes about an hour before the real one. But the light was very faint, and the dun cloud roared like a bull. I wondered where Edith Copleigh had gone, and as I was wondering I saw[4] three things together. First, Maud Copleigh's face come smiling out of the darkness[5] and move towards Saumarez who was standing by me. I heard the girl whisper[6], 'George,' and slide her arm through the arm that was not clawing my shoulder, and I saw[7] that look on her face which only comes once or twice in a lifetime —when a woman is perfectly happy and the air is full of trumpets and gorgeously-coloured fire[8], and the Earth turns into cloud because she loves and is loved. At the same time, I saw Saumarez's face as he heard Maud Copleigh's voice, and fifty yards away from the clump of orange-trees, I saw a brown holland habit[9] getting upon a horse.

It must have been my state of over-excitement that made me so ready to meddle with what did not concern me. Saumarez was moving off to the habit; but I pushed him back and said, 'Stop here and explain. I'll fetch her back[10]!'

---

1. **clawing**: cf. **claw**: *griffe, serre.*

2. **worst**: superlatif irrégulier de **bad** (comparatif: **worse**).

3. **false dawn**: justifie le sens littéral du titre de la nouvelle, mais on voit que dans ce mot **false**, il y a également une allusion à l'erreur dans la demande en mariage.

4. **I saw**: le ciel s'étant éclairci, on retrouve les sensations visuelles (**to see, saw, seen**).

5. **come smiling out of the darkness**: n'est pas sans évoquer le célèbre chat du Cheshire d'*Alice au pays des merveilles*, de Lewis Carroll, dont on ne voit parfois que le sourire.

6. **whisper**: le mot suggère l'intimité nouvelle de la jeune fille avec Saumarez.

164

Il continuait à étreindre mon épaule et à me supplier de lui dire où se trouvait la jeune fille quand survint une autre accalmie qui ramena la lumière, et nous vîmes le nuage de poussière se former sur la plaine devant nous. Nous avons su alors que le pire était terminé. La lune était très basse dans le ciel et l'on ne percevait que la lueur de la fausse aurore qui apparaît environ une heure avant la vraie. Mais la lumière restait très faible et le nuage brun mugissait comme un taureau. Je me demandais où était partie Edith Copleigh et alors que je me posais cette question, je notai trois choses en même temps : d'abord le visage de Maud Copleigh sortant tout souriant de l'obscurité et avançant vers Saumarez debout à mes côtés. J'entendis la jeune fille murmurer ''George'' et glisser son bras sous celui des bras de Saumarez qui ne m'étreignait pas l'épaule, et je lus sur son visage cette expression qu'on n'y trouve qu'une fois ou deux au cours d'une existence, lorsqu'une femme est parfaitement heureuse, que l'air retentit de sonneries de trompettes et s'embrase de couleurs magnifiques et que la Terre se transforme en nuage parce que cette femme aime et est aimée. En même temps, je remarquai le visage de Saumarez lorsqu'il entendit la voix de Maud Copleigh et, à cinquante mètres du bosquet d'orangers, je vis une robe de toile brune monter sur un cheval.

Mon état de surexcitation explique probablement pourquoi je me suis senti si enclin à me mêler de ce qui ne me regardait pas. Alors que Saumarez s'éloignait en direction de la robe en question, je le retins et lui dis : ''Restez ici et expliquez-vous. Je vais la chercher.''

---

7. **I saw** : le verbe sera répété quatre fois en tout dans ce paragraphe, cf. note 4.

8. **full... fire** : littéralement *rempli de trompettes et de feux aux couleurs magnifiques.*

9. **habit** : c'est ainsi que le narrateur décrit Edith Copleigh dans ce passage, car il ne discerne que sa robe.

10. **to fetch back** : *aller chercher et ramener.*

And I ran out to get at my own horse. I had a perfectly unnecessary notion that everything must be done decently and in order, and that Saumarez's first care was to wipe the happy look out[1] of Maud Copleigh's face. All the time I was linking up the curb-chain[2] I wondered how he would do it.

I cantered after Edith Copleigh, thinking to bring her back slowly on some pretence or another. But she galloped away as soon as she saw me, and I was forced to ride after her in earnest. She called back over her shoulder, 'Go away! I'm going home. Oh, go away[3]!' two or three times; but my business[4] was to catch her first, and argue later. The ride fitted in with the rest of the evil dream[5]. The ground was very rough, and now and again we rushed through[6] the whirling, choking 'dust-devils[7]' in the skirts[8] of the flying storm. There was a burning hot wind blowing that brought up a stench of stale[9] brick-kilns with it; and through the half-light and through the dust-devils, across that desolate plain, flickered[10] the brown holland habit on the grey horse. She headed for the station at first. Then she wheeled round and set off for the river through beds[11] of burnt-down jungle-grass, bad even to ride pig over. In cold blood I should never have dreamed of going over such a country at night, but it seemed quite right and natural with the lightnings crackling overhead, and a reek like the smell of the Pit[12] in my nostrils.

---

1. **to wipe... out** : littéralement : *faire disparaître en essuyant.*

2. **curb-chain** : *gourmette, chaîne qui fixe le mors.*

3. **go away** : comme précédemment, la répétition manifeste son état de nervosité et de désespoir.

4. **business** : ce terme montre comme le narrateur se sent chargé d'une responsabilité importante.

5. **evil dream** : la description que fait ensuite Kipling de cette folle chevauchée dans un décor lunaire illustre bien cette impression de cauchemar ressentie par le narrateur.

6. **to rush through** : *traverser à vive allure.*

7. **dust-devil** : terme utilisé dans ces régions pour décrire les tourbillons de poussière. **Devil** : *diable.*

Et je courus vers mon cheval. Je pensais tout à fait inutilement que les choses devaient se dérouler correctement et dans l'ordre, et que le premier devoir de Saumarez consistait à faire disparaître cet air de bonheur sur le visage de Maud Copleigh. Durant tout le temps passé à attacher le mors de mon cheval, je me demandais comment il s'y prendrait.

Je partis au petit galop à la poursuite d'Edith Copleigh, pensant la ramener lentement sous un prétexte ou sous un autre. Mais elle s'éloigna au galop dès qu'elle m'aperçut et je fus forcé de m'élancer réellement à sa poursuite. Elle se retourna et cria deux ou trois fois par-dessus son épaule : ''Allez-vous-en ! Je rentre à la maison. Oh ! allez-vous-en !'' Mais il fallait d'abord que je la rattrape avant de commencer à discuter. Cette course s'accordait tout à fait avec le reste du cauchemar. Le sol était très raboteux et de temps à autre nous franchissions à toute vitesse les nuages de poussière tourbillonnante et étouffante dans le sillage de l'orage qui s'éloignait. Un vent torride et brûlant soufflait, apportant avec lui l'odeur fétide des vieux fours à briques ; dans le demi-jour et au milieu des nuages de poussière, sur cette plaine désolée, apparaissait par instants la robe d'amazone en toile brune sur le cheval gris. La jeune fille se dirigea d'abord vers la station. Puis elle bifurqua et partit en direction de la rivière à travers les touffes d'herbe haute brûlées où même un cochon ne serait pas passé. À tête reposée, je n'aurais jamais imaginé parcourir de nuit une telle contrée, mais cela semblait parfaitement normal et naturel, avec les éclairs qui claquaient au-dessus de nos têtes et dans mes narines une puanteur semblable à l'odeur de l'Enfer.

---

8. **skirt :** *jupe.*
9. **stale :** *qui n'est plus frais, rance, rassis, desséché.*
10. **to flicker :** *vaciller, trembloter.*
11. **bed :** ici *massif, parterre.*
12. **Pit :** *puits, cavité.* La majuscule indique qu'il s'agit de l'Enfer.

I rode and shouted[1], and she bent forward and lashed her horse, and the aftermath[2] of the dust-storm came up, and caught us both, and drove us down wind[3] like pieces of paper.

I don't know how far[4] we rode; but the drumming[5] of the horse-hoofs and the roar of the wind and the race of the faint blood-red[6] moon through the yellow mist[7] seemed to have gone on for years and years, and I was literally drenched with sweat from my helmet to my gaiters when the grey[8] stumbled, recovered himself, and pulled up dead lame[9]. My brute was used up altogether. Edith Copleigh was bareheaded, plastered with dust, and crying bitterly. 'Why can't you let me alone?' she said. 'I only wanted to get away and go home. Oh, *please* let me go!'

'You have got to come back with me, Miss Copleigh. Saumarez has something to say to you.'

It was a foolish way of putting[10] it; but I hardly knew Miss Copleigh, and, though I was playing Providence[11] at the cost of my horse, I could not tell her in as many words[12] what Saumarez had told me. I thought he could do that better himself. All her pretence about being tired and wanting to go home broke down, and she rocked herself to and fro[13] in the saddle as she sobbed, and the hot wind blew her black hair to leeward. I am not going to repeat what she said, because she was utterly[14] unstrung.

---

1. **rode and shouted** : m. à m. *chevauchais et criais.*

2. **aftermath** : *regain, suites.*

3. **down wind** : *en ayant le vent derrière soi.*

4. **how far** : cf. **how old are you ?** quel âge avez-vous ? **how long is it ?** combien de temps cela dure-t-il ?

5. **drumming** : cf. **drum** : *tambour.*

6. **blood-red** : la couleur de la lune ajoute au côté dramatique de la scène.

7. **through the yellow mist** : littéralement : *à travers la brume jaune.*

8. **the grey : the grey horse** : le cheval gris d'Edith Copleigh.

9. **dead lame** : **dead** est employé de manière adverbiale, au sens de *complètement, absolument.* La blessure du cheval intervient de manière providentielle pour mettre un terme à la poursuite.

Tout en chevauchant, je criais et elle se penchait en avant et fouettait son cheval, et quand se produisit le contrecoup du tourbillon de poussière, nous fûmes emportés tous les deux et poussés à vau-vent comme des bouts de papier.

Je ne sais pas jusqu'où nous allâmes ; mais le martèlement des sabots des chevaux, le rugissement du vent et la course de la lune rouge sang que voilait la brume jaune parurent durer une éternité, et j'étais littéralement trempé par la sueur qui coulait de mon casque jusque dans mes guêtres quand le cheval gris trébucha, se rattrapa, puis s'arrêta, complètement estropié. Ma bête était totalement épuisée. Edith Copleigh, tête nue, couverte de poussière, pleurait amèrement.

— Pourquoi ne pouvez-vous pas me laisser tranquille ? dit-elle. Je voulais seulement m'en aller et rentrer chez moi. Oh ! je vous en prie, laissez-moi partir.

— Il faut que vous reveniez avec moi, mademoiselle Copleigh. Saumarez a quelque chose à vous dire.

C'était une façon stupide de formuler les choses ; mais je connaissais à peine Mlle Copleigh et, même si, au prix de mon cheval, je jouais le rôle de la Providence, je ne pouvais pas lui raconter en détail ce que m'avait dit Saumarez. Je considérais qu'il ferait cela beaucoup mieux lui-même. Tous les prétextes concernant sa fatigue et son désir de rentrer chez elle s'effondrèrent, et elle se balança sur sa selle en sanglotant, et le vent torride soulevait de côté ses cheveux noirs. Je ne répéterai pas ses paroles, car elle avait les nerfs totalement à fleur de peau.

---

10. **putting** : cf. **how can I put it ?** *comment puis-je dire cela ?* La remarque confirme l'embarras du narrateur de se trouver mêlé à toute cette histoire.

11. **Providence** : montre à quel point le narrateur a pris les choses à cœur.

12. **in as many words** : littéralement : *en autant de mots.*

13. **to and fro** : *çà et là.*

14. **utterly** : cf. **utter** : *extrême.*

This was the cynical Miss Copleigh, and I, almost an utter stranger to her, was trying to tell her that Saumarez loved her, and she was to come back to hear him say so[1]. I believe I made myself understood, for she gathered the grey together[2] and made him hobble somehow, and we set off for the tomb, while the storm went thundering down to Umballa[3] and a few big drops of warm rain fell. I found out[4] that she had been standing close to Saumarez when he proposed to her sister, and had wanted to go home to cry in peace, as an English girl should[5]. She dabbed her eyes with her pocket-handkerchief as we went along, and babbled to me out of sheer lightness of heart and hysteria. That was perfectly unnatural; and yet it seemed all right at the time and in the place. All the world was only the two Copleigh girls, Saumarez, and I, ringed in[6] with the lightning and the dark; and the guidance of this misguided[7] world seemed to lie in my hands.

When we returned to the tomb in the deep, dead[8] stillness that followed the storm, the dawn was just breaking and nobody had gone away. They were waiting for our return. Saumarez most of all[9]. His face was white and drawn. As Miss Copleigh and I limped up, he came forward to meet us, and, when he helped her down from her saddle, he kissed her before all the picnic[10].

---

1. **hear him say so**: m. à m. *l'entendre dire cela*. À noter, l'emploi de so, comme dans **I think so**: *je le pense*, littéralement, *je pense ainsi*.

2. **gathered together**: tenir un cheval pour le préparer aux mouvements qu'on veut lui faire faire.

3. **Umballa**: ville du Pendjab.

4. **I found out**: l'explication de la fuite éperdue de la jeune fille s'imposait d'elle-même.

5. **as an English girl should**: Edith Copleigh s'est donc comportée de manière tout à fait convenable jusqu'au moment où le narrateur, essayant de la retenir, l'a obligée à s'enfuir au galop.

6. **ringed in**: cf. ring: *cercle, anneau*.

7. **guidance... misguided**: on remarquera l'effet produit par le rapprochement de ces deux mots. À nouveau, le narrateur insiste sur l'importance de son rôle dans toute cette histoire.

Voilà donc la cynique Mlle Copleigh ! Et moi, qui lui étais presque totalement inconnu, j'essayais de lui expliquer que Saumarez l'aimait et qu'elle devait revenir pour se l'entendre dire. Je crois que je me fis comprendre car elle rassembla le cheval gris et le fit avancer en clopinant tant bien que mal, et nous partîmes en direction de la tombe alors que la tempête desccendait vers Ambala dans un bruit de tonnerre et que tombaient quelques grosses gouttes de pluie chaude. Je découvris qu'elle s'était trouvée tout près de Saumarez quand il avait demandé sa sœur en mariage et qu'elle avait voulu rentrer chez elle pour y pleurer en paix, comme toute jeune fille anglaise qui se respecte. Pendant le trajet du retour, elle se tamponna les yeux avec son mouchoir et balbutia quelques propos dictés par la légèreté de son cœur et par l'hystérie. Il n'y avait rien de naturel dans tout cela et pourtant, à ce moment-là et à cet endroit-là, tout semblait normal. Le monde se réduisait aux deux demoiselles Copleigh, à Saumarez et à moi, environnés d'éclairs et d'obscurité ; et mes mains paraissaient détenir la faculté de remettre dans le droit chemin ce monde égaré.

Quand nous arrivâmes à la tombe dans l'immobilité profonde et totale qui suivit l'orage, l'aurore commençait à poindre et personne n'était parti. On attendait notre retour. Surtout Saumarez. Son visage était livide, ses traits tirés. Tandis que Mlle Copleigh et moi avancions en clopinant, il vint à notre rencontre et quand il l'aida à descendre de cheval, il l'embrassa devant tous les participants du pique-nique.

8. **deep, dead :** allitération qui renforce l'impression d'immobilité et de silence total.

9. **most of all :** la précision apporte une note d'humour qui nous replace dans un mode comique.

10. **kissed... picnic :** on peut aisément imaginer la scène et l'effet produit par le comportement de Saumarez qui préfère les actes aux paroles.

It was like a scene in a theatre[1], and the likeness was heightened[2] by all the dust-white, ghostly-looking[3] men and women under the orange-trees clapping their hands — as if they were watching a play[4]— at Saumarez's choice. I never knew anything so un-English[5] in my life.

Lastly, Saumarez said we must all go home or the station would come out to look for us, and would I be[6] good enough to ride home with Maud Copleigh? Nothing would give me greater pleasure, I said.

So we formed up, six couples in all, and went back two by two[7]; Saumarez walking at the side of Edith Copleigh, who was riding his horse. Maud Copleigh did not talk to me at any length[8].

The air was cleared; and, little by little, as the sun rose, I felt we were all dropping back again into ordinary[9] men and women, and that the 'Great Pop Picnic' was a thing altogether apart and out of the world —never to happen again. It had gone with the dust-storm and the tingle in the hot air.

I felt tired and limp[10], and a good deal ashamed of myself, as I went in for a bath and some sleep.

There is a woman's version[11] of this story, but it will never be written... unless Maud Copleigh cares to try.

---

1. **a scene in a theatre** : tout ceci est effectivement très théâtral.
2. **heightened** : cf. **height** : *hauteur*.
3. **ghostly** : cf. **ghost** : *fantôme*.
4. **clapping... a play** : Kipling file la comparaison avec le théâtre.
5. **un-English** : **un-** : préfixe négatif, donc littéralement : *non anglais*.
6. **would I be** : exemple de ce qu'on appelle le style indirect libre, c'est-à-dire à mi-chemin entre le style direct **(would you be ?)** et le style indirect **(he asked me if I would be)**.
7. **two by two** : on se rappellera qu'au début du pique-nique, il y avait un groupe de trois (Saumarez et les deux demoiselles Copleigh) et un homme seul, le narrateur.
8. **at any length** : *longuement*.
9. **ordinary** : l'aventure est terminée, c'est le retour à la vie normale.

On se serait cru au théâtre et cette ressemblance était accentuée par la présence sous les orangers de tous les hommes et de toutes les femmes auxquels la poussière blanche qui les recouvrait donnait l'allure de fantômes et qui applaudirent au choix de Saumarez comme s'ils assistaient à une représentation. Je n'ai jamais rien vu d'aussi peu anglais de ma vie.

Enfin, Saumarez déclara que nous devions tous rentrer chez nous, sinon les gens de la station partiraient à notre recherche. Voulais-je bien avoir l'amabilité de rentrer avec Maud Copleigh? Rien ne pourrait me faire plus grand plaisir, répondis-je.

Répartis en couples, six au total, nous rentrâmes deux par deux, Saumarez marchant à côté d'Edith Copleigh qu'il avait installée sur son cheval. Maud Copleigh ne me parla guère.

L'atmosphère s'était éclaircie et peu à peu, à mesure que le soleil se levait, je sentis que nous redevenions tous des hommes et des femmes ordinaires et que le "pique-nique du grand saut" représentait quelque chose de tout à fait extraordinaire et hors du commun, qui ne se reproduirait jamais. Il s'était envolé avec le tourbillon de poussière et le picotement de l'air chaud.

En allant prendre mon bain et dormir un peu, je me sentis fatigué, sans énergie et considérablement honteux.

Il existe une version féminine de cette histoire, mais elle ne sera jamais écrite... à moins que Maud Copleigh ne veuille essayer.

---

10. **limp**: *mou, avachi*. Le narrateur montre qu'il ressent le contre-coup physique et moral de cette histoire à laquelle il s'est trouvé mêlé plus ou moins volontairement.

11. **a woman's version**: la conclusion de la nouvelle qui renvoie aux remarques du début est pleine de sous-entendus...

The Gate of the Hundred Sorrows

La Porte des Cent Douleurs

If I can attain Heaven for a pice[1],
why should you be envious?
Opium Smoker's Proverb

This is no work of mine[2]. My friend, Gabral Misquitta, the half-caste, spoke it all, between moonset and morning, six weeks before he died[3]; and I took it down from his mouth as he answered my questions. So: —

It[4] lies between the Coppersmith's Gully and the pipe-stem sellers' quarter within a hundred yards, too, as the crow[5] flies, of the Mosque of Wazir Khan[6]. I don't mind telling any one this much, but I defy him to find the Gate, however well[7] he may think he knows the City. You might even go through the very gully it stands in a hundred times, and be none the wiser. We used to call the gully 'The Gully of the Black Smoke[8],' but its native name is altogether different, of course. A loaded donkey couldn't pass between the walls; and, at one point, just before you reach the Gate, a bulged house-front makes people go along all sideways.

It isn't really a gate, though. It's a house. Old Fung-Tching[9] had it first five years ago. He was a boot-maker in Calcutta. They say that he murdered his wife there when he was drunk. That was why he dropped bazar-rum[10] and took to the Black Smoke instead. Later on, he came up north and opened the Gate as a house where you could get your smoke in peace and quiet.

1. **a pice** : *une petite pièce,* appelée "païsa", valant 4 roupies et demie.

2. **no work of mine** : selon un procédé habituel chez Kipling, le narrateur laisse la parole à un autre narrateur, qui a vécu l'histoire qui va être racontée.

3. **he died** : les confidences d'un homme condamné à mourir prochainement donnent de l'authenticité au récit.

4. **it** : l'utilisation du pronom **it** comme tout premier mot du récit de Gabral Misquitta crée l'expectative, puisque le lecteur ne peut savoir à quoi il renvoie.

5. **crow** : *corneille.*

6. **Wazir Khan** : grande mosquée de Lahore, construite à l'époque mogole.

Si je peux monter au Ciel pour un sou,
Pourquoi en seriez-vous jaloux ?
Proverbe d'opiomane

Cette œuvre n'est pas de moi. C'est mon ami, Gabral Misquitta, le métis, qui m'a tout raconté, entre le coucher de la lune et l'aube, six semaines avant sa mort. Je l'ai recueillie de sa bouche alors qu'il répondait à mes questions. Voici :

Elle se trouve entre la ruelle du Chaudronnier et le quartier des vendeurs de tuyaux de pipes, à une centaine de mètres aussi, à vol d'oiseau, de la mosquée de Wazir Khan. Je suis disposé à raconter toute cette histoire à n'importe qui, mais je le défie de trouver la Porte, même s'il croit bien connaître la ville. Vous pourriez traverser cent fois la ruelle où elle se trouve sans en savoir davantage. Nous l'appelions jadis la ''ruelle de la Fumée noire'', mais il va de soi que le nom indigène est tout à fait différent. Un âne chargé de son fardeau ne pourrait passer entre les murs ; et, à un certain endroit, juste avant d'atteindre la Porte, une façade de maison en saillie oblige les gens à avancer de côté.

Ce n'est pas vraiment une porte, en fait. C'est une maison. Elle a d'abord appartenu au vieux Fung-Tching, voilà cinq ans. Il était cordonnier à Calcutta. On dit que là-bas il avait assassiné sa femme, un jour où il était saoul. C'est pourquoi il renonça au rhum de bazar et à la place se mit à la Fumée noire. Plus tard, il gagna le Nord et fit de la Porte une maison où vous pouviez venir fumer en toute tranquillité.

---

7. **however well** : correspond à la tournure française *quelque... que, aussi... que.*

8. **Black Smoke** : il s'agit de l'opium. L'adjectif **black** a une connotation maléfique.

9. **Old Fung-Tching** : Misquitta raconte les faits à sa manière. Ce qui caractérise d'abord la fumerie, c'est son propriétaire, personnage pittoresque et inoubliable.

10. **bazar-rum** : rhum de qualité médiocre.

Mind you, it was a *pukka*[1], respectable opium-house, and not one of those stifling, sweltering[2] *chandoo-khanas*[3] that you can find all over the City. No; the old man knew his business thoroughly, and he was most clean for a Chinaman. He was[4] a one-eyed little chap, not much more than five feet high, and both his middle fingers were gone. All the same, he was the handiest[5] man at rolling black pills I have ever seen. Never seemed to be touched by the Smoke, either; and what he took day and night, night and day, was a caution. I've been at it five years, and I can do my fair share[6] of the Smoke with any one; but I was a child to Fung-Tching that way. All the same, the old man was keen on his money; very keen; and that's what I can't understand. I heard he saved a good deal before he died, but his nephew has got all that now; and the old man's gone back to China to be buried.

He kept the big upper room, where his best customers gathered, as neat as a new pin[7]. In one corner used to stand Fung-Tching's Joss[8] —almost as ugly as Fung-Tching— and there were always sticks burning under his nose; but you never smelt 'em when the pipes were going thick. Opposite the Joss was Fung-Tching's coffin. He had spent a good deal of his savings on that, and whenever a new man came to the Gate he was always introduced[9] to it. It was lacquered black, with red and gold writings on it, and I've heard[10] that Fung-Tching brought it out all the way from China.

---

1. **pukka** : *de la bonne sorte*. Le mot anglo-indien est explicité par le mot suivant **respectable**.
2. **stifling, sweltering** : les deux mots ont quasiment le même sens : *étouffant*.
3. **chandoo-khanas** : bouges où l'on fume de l'opium.
4. **he was** : débute ici le portrait physique du vieux chinois, suivi de certaines de ses particularités qui font vraiment de lui un être hors du commun.
5. **handiest** : superlatif de **handy** : *habile*.
6. **my fair share** : littéralement *ma part équitable*.

Remarquez, c'était une fumerie d'opium respectable, *pukka*, et non une de ces *chandoo-khanas* où l'on étouffe de chaleur comme on peut en trouver dans toute la ville. Non ; le vieux connaissait bien son affaire et il était très propre pour un Chinois. C'était un petit bonhomme borgne, mesurant à peine un mètre cinquante et dont les deux mains n'avaient plus de médius. Malgré tout, l'homme n'avait pas son pareil pour rouler les boulettes noires. Semblait jamais souffrir de la Fumée non plus ; pourtant il en prenait du matin au soir et du soir au matin, et une quantité incroyable. Je fume depuis cinq ans et je peux rivaliser avec quiconque côté opium ; mais sur ce point, comparé à Fung-Tching, j'étais un enfant. Tout de même, le vieux tenait beaucoup à son argent : il y tenait énormément ; et c'est ce que je n'arrive pas à comprendre. J'ai entendu dire qu'il avait amassé de grosses économies avant sa mort, mais son neveu a tout récupéré à présent et le vieux est retourné en Chine pour y être enterré.

Il gardait propre comme un sou neuf la grande salle du haut où se réunissaient ses meilleurs clients. Dans un coin se dressait le dieu domestique de Fung-Tching — presque aussi laid que lui — et sous son nez brûlaient toujours des bâtonnets d'encens, mais on ne les sentait jamais quand la fumée des pipes devenait trop épaisse. En face du dieu se trouvait le cercueil de Fung-Tching. Il avait dépensé une bonne part de ses économies pour l'acheter et chaque fois qu'un nouveau client venait à la Porte, on le lui présentait toujours. Ce cercueil était en laque noire et orné d'inscriptions en lettres rouge et or ; et j'ai entendu dire que Fung-Tching l'avait apporté de Chine avec lui.

---

7. **as neat as a new pin** : *aussi propre qu'une épingle neuve*.

8. **Joss** : *dieu domestique, dieu lare*. Il s'agit d'une statuette.

9. **introduced** : cf. **to introduce someone to someone else** : *présenter une personne à une autre*. Ici le geste est chargé de signification...

10. **I've heard** : toutes sortes d'histoires courent sur le compte du Chinois et ajoutent à son mystère.

I don't know whether that's true or not, but I know that, if I came first in the evening, I used to[1] spread my mat just at the foot of it. It was a quiet corner, you see, and a sort of breeze from the gully came in at the window now and then. Besides the mats, there was no other furniture[2] in the room —only the coffin, and the old Joss all green and blue and purple[3] with age and polish.

Fung-Tching never told us why he called the place 'The Gate of the Hundred Sorrows'. (He was the only Chinaman I know who used bad-sounding[4] fancy[5] names. Most of them are flowery. As you'll see in Calcutta.) We used to find that out for ourselves[6]. Nothing grows on you so much, if you're white, as the Black Smoke. A yellow man is made different. Opium doesn't tell on him scarcely at all; but white and black suffer[7] a good deal. Of course, there are some people that the Smoke doesn't touch any more than tobacco would at first. They just doze a bit, as one would fall asleep naturally[8], and next morning they are almost fit for work. Now, I was one of that sort when I began, but I've been at it for five years pretty[9] steadily[10], and it's different now. There was an old aunt of mine, down Agra[11] way, and she left me a little at her death. About sixty rupees a month[12] secured. Sixty isn't much. I can recollect a time, seems hundreds and hundreds of years ago[13],

---

1. **I used to** : indique un passé révolu, qui n'est plus.
2. **furniture** : mot indénombrable. *Un meuble* : **a piece of furniture**.
3. **green and blue and purple** : la statue fait partie des objets dont les couleurs contribuent à l'atmosphère de la fumerie.
4. **bad-sounding** : *qui sonne mal, inquiétant*.
5. **fancy** : *imagination, fantaisie*.
6. **for ourselves** : cette remarque est pleine de sous-entendus, d'autant plus que Misquitta poursuit son histoire en évoquant l'emprise de la drogue. Les "cent douleurs" sont donc celles causées par l'opium.
7. **suffer** : le mot est clair...
8. **naturally** : l'opium n'a rien de naturel, par opposition.
9. **pretty** : employé adverbialement : *passablement, assez*.
10. **steadily** : cf. **steady** : *stable, régulier*.

Je ne saurais dire si c'est la vérité ou non, mais je sais que si j'arrivais le premier le soir, j'étalais ma natte juste au pied du cercueil. C'était un coin tranquille, voyez-vous, et de temps à autre une sorte de brise arrivait de la ruelle par la fenêtre. À part les nattes, la pièce ne contenait aucun mobilier. Uniquement le cercueil et le vieux dieu auquel l'âge et le lustre avaient donné des tons vert, bleu et violet.

Fung-Tching ne nous a jamais dit pourquoi il avait appelé l'endroit "la Porte des Cent Douleurs". (C'était le seul Chinois de ma connaissance à utiliser des noms imaginaires aux connotations sinistres. La plupart sont d'un style fleuri, comme vous le constaterez à Calcutta.) Nous trouvions l'explication par nous-mêmes. Si vous êtes blanc, rien n'exerce autant d'emprise sur vous que la Fumée noire. Un Jaune est bâti différemment. L'opium n'a guère d'effet sur lui ; mais les Blancs et les Noirs en souffrent beaucoup. Évidemment, il existe quelques personnes sur qui la Fumée n'agit pas plus que le tabac, au départ. Ils somnolent simplement un peu, comme s'ils s'endormaient naturellement, et le lendemain matin, ils sont quasiment en forme pour travailler. En fait, je faisais partie de ceux-là au début, mais cela fait cinq ans que je fume assez régulièrement et les choses sont différentes aujourd'hui. J'avais une vieille tante, du côté d'Agra, qui m'a laissé un peu d'argent après sa mort. Environ soixante roupies d'assurées par mois. Ce n'est pas beaucoup. Je me souviens d'une époque, il y a des centaines et des centaines d'années, me semble-t-il,

---

11. **Agra** : ville indienne, au sud de Delhi.

12. **a month** : on dit aussi **per month** : *par mois*.

13. **hundreds and hundreds years ago** : à plusieurs reprises, on notera que, sous l'effet de l'opium, Gabral Misquitta a perdu la notion du temps.

that I was getting my three hundred a month, and pickings[1], when I was working on a big timber-contract in Calcutta.

I didn't stick[2] to that work for long. The Black Smoke does not allow of much other business[3]; and even though I am very little affected by it, as men go, I couldn't do a day's work[4] now to save my life[5]. After all, sixty rupees is what I want. When old Fung-Tching was alive he used to draw the money for me, give me about half of it to live on (I eat very little), and the rest he kept himself. I was free of the Gate[6] at any time of the day and night, and could smoke and sleep there when I liked; so I didn't care. I know the old man made a good thing out of it; but that's no matter[7]. Nothing matters much to me; and besides, the money always came fresh and fresh each month.

There was ten of us met at the Gate when the place was first opened. Me, and two Babus[8] from a Government Office somewhere in Anarkulli[9], but they got the sack and couldn't pay (no man[10] who has to work in the daylight can do the Black Smoke for any length of time straight on); a Chinaman that was Fung-Tching's nephew; a bazar-woman that had got a lot of money somehow; an English loafer[11] —MacSomebody[12], I think, but I have forgotten,— that smoked heaps, but never seemed to pay anything (they said[13] he had saved Fung-Tching's life at some trial in Calcutta when he was a barrister);

---

1. **pickings** : cf. **to pick** : *cueillir, ramasser*.

2. **to stick, stuck, stuck** : *coller*.

3. **does not allow of much other business** : allusion aux effets soporifiques de l'opium.

4. **a day's work** : le cas possessif est ici utilisé pour exprimer une durée, cf. **a nine days' journey** : *un voyage de neuf jours*.

5. **to save my life** : m. à m. *pour sauver ma vie*.

6. **I was free of the Gate** : tournure elliptique, littéralement *j'étais libre de venir à la Porte*.

7. **no matter** : l'indifférence à tout ce qui n'est pas l'opium est indiquée par cette expression, reprise immédiatement sous une autre forme.

où je gagnais mes trois cents roupies par mois, plus quelques petits à-côtés, quand je travaillais pour une grosse affaire de bois à Calcutta.

Je ne suis pas resté longtemps dans ce travail. La Fumée noire ne permet pas d'avoir beaucoup d'autres activités ; et même si elle m'affecte peu, comparé à certains, aujourd'hui je ne pourrais pour rien au monde accomplir une journée de travail. Après tout, soixante roupies, c'est ce qu'il me faut. De son vivant, le vieux Fung-Tching touchait l'argent pour moi, il m'en donnait la moitié pour vivre (je mange très peu) et gardait le reste pour lui. J'avais toute liberté pour venir à la fumerie à n'importe quelle heure du jour et de la nuit, et je pouvais y fumer et dormir à ma guise ; ça m'était donc égal. Je sais que le vieux en tirait profit, mais peu importe. Rien ne m'importe beaucoup, et d'ailleurs l'argent arrivait toujours régulièrement chaque mois.

Au début, quand la fumerie a ouvert, nous étions dix à nous y retrouver. Moi et deux Babous qui venaient d'un bureau du gouvernement quelque part dans Anarkulli, mais ils se sont fait renvoyer et n'avaient plus de quoi payer (aucun individu contraint de travailler le jour ne peut s'adonner longtemps à la Fumée noire) ; un Chinois, le neveu de Fung-Tching, une femme du bazar qui, je ne sais comment, possédait beaucoup d'argent, un vagabond anglais désœuvré — Mac quelque chose je crois, mais j'ai oublié — qui fumait à profusion sans jamais payer quoi que ce soit apparemment (on disait qu'il avait sauvé la vie de Fung-Tching lors d'un procès à Calcutta quand il était avocat),

---

8. **Babus** : les Babous étaient des scribes.

9. **Anarkulli** : quartier de Lahore, au sud de la ville.

10. **no man...** : reprise de l'idée que l'opium empêche de travailler.

11. **loafer** : cf. note 9, p. 31.

12. **MacSomebody** : littéralement *MacQuelqu'un*.

13. **they said** : nouvelle rumeur colportée sur le passé du vieux Chinois.

another Eurasian, like myself, from Madras[1]; a half-caste woman, and a couple of men who said they had come from the North. I think they must have been Persians or Afghans or something. There are not more than five of us living[2] now, but we come regular. I don't know what happened to the Babus; but the bazar-woman, she died after six months of the Gate, and I think[3] Fung-Tching took her bangles and nose-ring for himself. But I'm not certain. The Englishman, he drank as well as smoked, and he dropped off. One of the Persians got killed in a row at night by the big well near the mosque a long time ago, and the Police shut up the well, because they said[4] it was full of foul air. They found him dead at the bottom of it. So, you see, there is only me, the Chinaman, the half-caste woman that we call the Memsahib (she used to live with Fung-Tching), the other Eurasian, and one of the Persians. The Memsahib looks very old now. I think she was a young woman when the Gate was opened; but we are all old for the matter of that. Hundreds and hundreds of years old[5]. It's very hard to keep count of time in the Gate, and, besides, time doesn't matter[6] to me. I draw my sixty rupees fresh and fresh every month. A very, very long while ago[7], when I used to be getting three hundred and fifty rupees a month, and pickings, on a big timber-contract at Calcutta, I had a wife of sorts. But she's dead now. People said that I killed her by taking to the Black Smoke.

---

1. **Madras** : ville au sud de l'Inde.

2. **not more than five... living** : nouvelle allusion à la mort, à laquelle l'opium est associé tout au long de la nouvelle.

3. **I think** : Misquitta n'ose pas affirmer clairement que Fung-Tching n'était pas d'une honnêteté scrupuleuse.

4. **they said** : le pronom pluriel **they** est employé ici pour désigner la police, nom collectif.

5. **hundreds and hundreds of years old** : reprise de l'expression, déjà utilisée précédemment, cf. note 13, p. 181.

6. **time doesn't matter** : on trouve réunis dans cette expression d'une

184

un autre Eurasien comme moi, originaire de Madras, une métisse et deux hommes qui disaient venir du Nord. Je pense qu'ils devaient être Persans ou Afghans ou quelque chose comme ça. Nous ne sommes guère plus de cinq encore en vie aujourd'hui, mais nous venons régulièrement. Je ne sais pas ce qui est arrivé aux Babous ; mais la femme du bazar, elle, est morte après avoir fréquenté la Porte six mois et je crois que Fung-Tching a gardé pour lui ses bracelets d'argent et l'anneau qu'elle portait au nez. Mais je n'en suis pas certain. L'Anglais, lui, ne se contentait pas de fumer, il buvait aussi, et il a cessé de venir. L'un des Persans a été tué il y a longtemps, dans une rixe nocturne près du grand puits à côté de la mosquée, et la police a fermé le puits parce que, selon elle, il était rempli d'air vicié. Ils l'ont trouvé mort au fond. Et donc, vous voyez, il ne reste que moi, le Chinois, la métisse que nous appelons la Memsahib (elle vivait jadis avec Fung-Tching), l'autre Eurasien et l'un des deux Persans. La Memsahib a l'air très vieille à présent. Je crois qu'elle était jeune quand la fumerie a ouvert ; mais nous sommes tous vieux, d'ailleurs. Nous avons des centaines et des centaines d'années. Il est très difficile de calculer le temps à la Porte et, de toute façon, le temps ne me préoccupe pas. Je touche régulièrement mes soixante roupies chaque mois. Il y a très, très longtemps, quand je gagnais trois cent cinquante roupies par mois, plus de petits à-côtés, dans cette affaire de bois à Calcutta, j'avais une vague épouse. Mais elle est morte à présent. On a dit que je l'avais tuée en me mettant à la Fumée noire.

part l'idée que le temps n'existe plus pour l'opiomane, d'autre part le sentiment d'indifférence totale au monde extérieur.

7. **a very, very long while ago :** le narrateur évoque à nouveau son passé. On notera un effet de répétition qui n'est pas rare dans le récit, Misquitta ayant du mal à raconter les choses de manière logique et chronologique.

Perhaps I did, but it's so long since that it doesn't matter. Sometimes, when I first came to the Gate, I used to feel sorry for it; but that's all over and done with[1] long ago, and I draw my sixty rupees fresh and fresh every month, and am quite happy. Not *drunk*[2] happy, you know, but always quiet and soothed and contented.

How did I take to it[3]? It began at Calcutta. I used to try it in my own house, just to see what it was like. I never went very far, but I think my wife must have died then[4]. Anyhow, I found myself here, and got to know Fung-Tching. I don't remember rightly how that came about; but he told me of the Gate and I used to go there, and, somehow, I have never[5] got away from it since. Mind you, though, the Gate was a respectable place in Fung-Tching's time[6], where you could be comfortable, and not at all like the *chandoo-khanas*[7] where the niggers[8] go. No; it was clean, and quiet, and not crowded. Of course, there were others besides us ten and the man; but we always had a mat apiece, with a wadded woollen headpiece, all covered with black and red dragons and things, just like the coffin in the corner.

At the end of one's third pipe the dragons used to move about and fight[9]. I've watched 'em many and many a night through. I used to regulate my Smoke that way, and now it takes a dozen[10] pipes to make 'em stir.

---

1. **all over and done with**: expression redondante, littéralement *terminé et fini*.

2. **drunk**: *ivre*, cf. **to drink, drank, drunk**: *boire*.

3. **How did I take to it?** probable reprise d'une des questions posées par le narrateur au début de la nouvelle.

4. **must have died**: la modalité **must** exprime l'incertitude de Misquitta dont la mémoire n'est plus sûre.

5. **never**: on mesure par ce *jamais* à quel point Gabral Misquitta est prisonnier de la Fumerie.

6. **in Fung-Tching's time**: toute la nouvelle est empreinte d'une certaine nostalgie à l'égard du passé.

7. **chandoo-khanas**: reprise d'une autre idée déjà exprimée précédem-

C'est peut-être vrai, mais cela fait si longtemps que cela n'a plus d'importance. Parfois, les premiers temps où je me rendais à la Porte, j'en éprouvais des regrets ; mais c'est complètement terminé depuis longtemps, et je touche régulièrement mes soixante roupies chaque mois et je suis parfaitement heureux. Pas ivre de bonheur, vous savez, mais toujours calme, serein et satisfait.

Comment m'y suis-je mis ? Tout a commencé à Calcutta. J'essayais de fumer dans ma propre maison, juste pour voir à quoi ça ressemblait. Je n'allais jamais très loin, mais je pense que c'est alors que ma femme a dû mourir. En tout cas, je me suis retrouvé ici et j'ai fait la connaissance de Fung-Tching. Je ne me souviens pas exactement dans quelles circonstances, mais il m'a parlé de la Porte et j'ai pris l'habitude de m'y rendre et, pour une raison ou pour une autre, je ne m'en suis plus jamais passé depuis. Pourtant, croyez-moi, du temps de Fung-Tching, la Porte était un endroit respectable où l'on pouvait se sentir à l'aise et qui n'avait rien à voir avec les *chandookhanas* où vont les nègres. Non, c'était un endroit propre et tranquille, sans trop de monde. Bien entendu, d'autres personnes y venaient à part nous dix et l'homme, mais nous avions toujours chacun une natte avec un repose-tête en laine rembourré, tout recouvert de dragons et de choses rouge et noir exactement comme le cercueil dans le coin.

Au bout de la troisième pipe, les dragons se mettaient à bouger et à se battre. Je les ai observés pendant de nombreuses nuits. Je dosais la Fumée que je fumais en fonction d'eux et aujourd'hui il me faut une douzaine de pipes pour les faire s'agiter.

---

ment ; la nouvelle est délibérément construite sur un mode répétitif qui montre à quel point le monde de Misquitta est limité et clos. Cf. note 3, p. 178.

8. **niggers** : terme péjoratif pour **negroes**.

9. **move about and fight** : manière indirecte d'indiquer les effets ou les méfaits de l'opium.

10. **a dozen** : montre les effets de l'accoutumance.

Besides, they are all torn and dirty[1], like the mats, and old Fung-Tching is dead. He died[2] a couple of years ago, and gave me the pipe I always use now —a silver one, with queer beasts crawling up[3] and down the receiver-bottle below the cup. Before that, I think, I used a big bamboo stem with a copper cup, a very small one, and a green jade mouthpiece. It was a little thicker than a walking-stick stem[4], and smoked sweet[5], very sweet. The bamboo seemed to suck up the smoke. Silver doesn't, and I've got to clean it out now and then; that's a great deal of trouble, but I smoke it for the old man's sake[6]. He must have made a good thing[7] out of me, but he always gave me clean mats and pillows, and the best stuff you could get anywhere.

When he died, his nephew Tsin-ling took up the Gate, and he called it the 'Temple of the Three Possessions[8]', but we old ones speak of it as the 'Hundred Sorrows', all the same. The nephew does things very shabbily[9], and I think the Memsahib must help him. She lives with him; same as she used to do with the old man. The two let in all sorts of low people, niggers and all, and the Black Smoke isn't as good as it used to be. I've found burnt bran in my pipe over and over again. The old man would have died if that had happened in his time. Besides, the room is never cleaned, and all the mats are torn and cut at the edges.

---

1. **torn and dirty** : tout le mépris de Misquitta pour la dégradation de la fumerie est exprimé dans ces deux qualificatifs.

2. **is dead/died** : dans le premier cas, c'est l'état qui est exprimé : *il est mort* (il n'est plus vivant) ; dans l'autre, c'est l'action de mourir qui est rendue par le verbe **to die** : *il a trépassé*.

3. **queer... crawling up** : n'est pas sans rapport avec les dragons qui ornent le cercueil de Fung-Tching et les oreillers de la fumerie.

4. **a walking-stick stem** : littéralement : *une tige de canne de marche*.

5. **sweet, very sweet** : la répétition de **sweet**, dont la sonorité même est douce, exprime la jouissance procurée par l'opium. C'est la seule fois où elle sera évoquée.

6. **for the old man's sake** : fidélité pleine d'affection de Misquitta au souvenir du vieux Chinois.

Qui plus est, ils sont tout sales et déchirés, comme les nattes, et le vieux Fung-Tching n'est plus. Il est mort il y a deux ans et il m'a donné la pipe que j'utilise toujours aujourd'hui, une pipe en argent, avec des bêtes étranges qui grimpent et descendent le long du récipient placé sous le fourneau. Avant, je crois que j'utilisais une grosse tige de bambou avec un tout petit fourneau en cuivre et un bec en jade vert. Elle était un peu plus épaisse qu'une canne et douce, très douce, à fumer. Le bambou semblait aspirer la fumée. L'argent non, et je suis obligé de la nettoyer de temps en temps, ce qui me donne beaucoup de mal, mais je la fume en souvenir du vieux. Il a dû tirer de moi un bon profit, mais il m'a toujours donné des oreillers et des nattes propres, et la meilleure marchandise qu'on ait jamais pu trouver nulle part ailleurs.

Quand il est mort, son neveu Tsin-Ling a repris la Porte et l'a appelée "le Temple des Trois Possessions", mais nous, les vieux, continuons tout de même à dire "les Cent Douleurs". Ce neveu fait les choses avec mesquinerie et je pense que la Memsahib doit l'aider. Elle vit avec lui comme elle faisait jadis avec le vieux. Eux deux, ils laissent entrer toute sorte de gens vulgaires, des nègres et tout, et la Fumée noire n'est plus aussi bonne qu'autrefois. À maintes reprises, j'ai trouvé du son brûlé dans ma pipe. Si ça s'était produit de son vivant, le vieux en serait mort. De plus, la pièce n'est jamais nettoyée et toutes les nattes sont déchirées et coupées sur les bords.

---

7. **he must have made a good thing** : le narrateur fait preuve ici d'une grande lucidité !

8. **Temple of the Three Possessions** : le nouveau nom, à l'opposé du précédent, montre à quel point les choses ont changé après la mort de Fung-Tching.

9. **shabbily** : cf. **shabby** : *pauvre, minable*. Tout ce qui suit sert à illustrer ce qualificatif et à montrer le changement de qualité de l'établissement.

The coffin is gone —gone to China again— with the old man and two ounces[1] of Smoke inside it, in case he should want 'em on the way.

The Joss doesn't get so many sticks burnt under his nose as he used to. That's a sign of ill-luck[2], as sure as death. He's all brown[3], too, and no one ever attends to him. That's the Memsahib's work, I know; because, when Tsin-ling tried to burn gilt paper before him, she said it was waste of money, and, if he kept a stick burning very slowly, the Joss wouldn't know the difference. So now we've got the sticks mixed with[4] a lot of glue, and they take half an hour longer to burn, and smell stinky. Let alone[5] the smell of the room by itself. No business[6] can get on if they try that sort of thing. The Joss doesn't like it. I can see that. Late at night, sometimes, he turns all sorts of queer colours[7] —blue and green and red— just as he used to do when old Fung-Tching was alive; and he rolls his eyes and stamps his feet like a devil[8].

I don't know why I don't leave the place and smoke quietly in a little room of my own in the bazar. Most like, Tsin-ling would kill me if I went away —he draws my sixty rupees now— and besides, it's too much trouble[9], and I've grown to be very fond of the Gate. It's not much to look at[10]. Not what it was in the old man's time, but I couldn't leave it. I've seen so many come in and out. And I've seen so many die here on the mats that I should be afraid of dying in the open now.

---

1. **ounce** : une once équivaut à 28,35 grammes.

2. **ill-luck** : que Gabral Misquitta soit superstitieux ne saurait surprendre.

3. **brown** : le changement de couleur de la statue est un signe supplémentaire de la dégradation de la fumerie.

4. **mixed with** : littéralement *mélangé avec*.

5. **let alone** : *sans parler de, sans compter*. Cf. **There were fifty women in the room, let alone the men** : *il y avait cinquante femmes dans la pièce, sans compter les hommes*.

6. **no business** : la tournure exprime la conviction absolue du narrateur.

Le cercueil est parti, parti en Chine, avec le vieux et quelques grammes de Fumée dedans, au cas où il en aurait envie pendant le trajet.

On ne brûle plus autant de bâtonnets d'encens qu'autrefois sous le nez du dieu. C'est signe de malheur, aussi certain que la mort. Il est tout brun en plus, et personne ne s'occupe de lui. C'est la faute de la Memsahib, je le sais, parce que quand Tsin-Ling essayait de brûler devant lui du papier doré, elle déclarait que c'était gaspiller de l'argent et que s'il faisait brûler très lentement un bâtonnet, le dieu ne ferait pas la différence. Alors, maintenant, les bâtonnets sont enduits d'une quantité de colle et mettent une demi-heure de plus à se consumer, et ils sentent horriblement mauvais. Sans parler de l'odeur qui règne dans la pièce elle-même. Les affaires ne peuvent pas marcher s'ils s'y prennent comme ça. Le dieu n'aime pas cela, je le vois bien. Tard la nuit, quelquefois, il prend toute sorte de couleurs bizarres, bleu, vert, rouge, exactement comme du vivant du vieux Fung-Tching, et il roule les yeux et tape du pied comme un démon.

Je ne sais pas pourquoi je ne quitte pas cet endroit pour aller fumer tranquillement dans une petite pièce à moi au bazar. Très vraisemblablement, Tsin-Ling me tuerait si je m'en allais — il touche mes soixante roupies à présent — et puis, c'est trop de tracas et j'ai appris à aimer la Porte. Elle n'est pas très belle à regarder. Ce n'est plus ce que c'était du temps du vieux, mais je ne pourrais pas l'abandonner. J'ai vu entrer et sortir tant de monde. Et j'en ai vu tellement mourir sur les nattes ici que j'aurais peur de mourir en plein air maintenant.

---

7. **queer colours** : les couleurs de la statue sont à nouveau mentionnées comme des signes inquiétants.

8. **like a devil** : on appréciera le fait que Misquitta compare le dieu à un diable !

9. **too much trouble** : l'opiomane a perdu toute force de réaction et toute capacité de décision.

10. **not much to look at** : m. à m. *pas grand-chose à regarder*.

I've seen some things that people would call strange enough; but nothing is strange when you're on the Black Smoke, except the Black Smoke[1]. And if it was, it wouldn't matter[2].

Fung-Tching used to be very particular about his people, and never got in any one who'd give trouble by dying messy[3] and such. But[4] the nephew isn't half so careful. He tells everywhere that he keeps a 'first-chop' house. Never[5] tries to get men in quietly, and make them comfortable like Fung-Tching did. That's why the Gate is getting a little bit more known than it used to be. Among the niggers of course. The nephew daren't get a white, or, for matter of that, a mixed skin into the place. He has to keep us three, of course —me and the Memsahib and the other Eurasian. We're fixtures[6]. But he wouldn't give us credit for a pipeful[7] —not for anything.

One of these days, I hope, I shall die[8] in the Gate. The Persian and the Madras man are terribly shaky[9] now. They've got a boy to light their pipes for them. I always do that myself. Most like, I shall see them carried out before me. I don't think I shall ever outlive the Memsahib or Tsin-ling. Women last longer than men at the Black Smoke, and Tsin-ling has a deal of the old man's blood in him, though he does smoke cheap stuff. The bazar-woman knew when she was going two days before her time; and she died on a clean mat with a nicely-wadded pillow,

---

1. **nothing is strange... the Black Smoke** : tout l'effet de l'opium est exprimé dans cette phrase.

2. **it wouldn't matter** : à nouveau, cette tournure exprimant l'indifférence totale.

3. **messy** : cf. **mess** : *désordre, fouillis, saleté*.

4. **But** : l'opposition avec le vieux Chinois est soulignée par cette conjonction.

5. **Never** : en début de phrase, prend encore plus de force et fait écho au **isn't** de la ligne précédente.

6. **fixtures** : suggère la fixité, bien plus que l'équivalent français.

7. **a pipeful** : formé sur **pipe** ; cf. **spoon** : *cuillère*, **spoonful** : *cuillerée*.

J'ai vu certaines choses qu'on pourrait qualifier d'assez étranges ; mais rien n'est étrange quand on s'adonne à la Fumée noire, sauf la Fumée noire. Et si ce l'était, cela n'aurait pas d'importance.

Fung-Tching était très difficile sur sa clientèle et il n'a jamais laissé entrer quiconque causerait des problèmes en mourant vilainement ou autre chose du même genre. Mais le neveu ne prend pas la moitié de ses précautions. Il clame partout qu'il tient une maison "de première qualité". Il n'essaie jamais de faire venir les gens discrètement et de leur procurer du confort comme le faisait Fung-Tching. Voilà pourquoi la Porte commence à être un peu plus connue qu'autrefois. Parmi les nègres, bien sûr. Le neveu n'ose pas y faire entrer un Blanc, ni même d'ailleurs un sang-mêlé. Il est obligé de nous garder tous les trois naturellement, moi, la Memsahib et l'autre Eurasien. Nous faisons partie des meubles. Mais il ne vous ferait pas crédit d'une pipée, pour rien au monde.

Un de ces jours, je l'espère, je mourrai dans la fumerie. Le Persan et l'homme de Madras tremblent terriblement à présent. Un jeune garçon doit leur allumer leurs pipes. Je fais toujours cela moi-même. Très vraisemblablement, je les verrai emporter avant moi. Je ne pense pas que je survivrai à la Memsahib ni à Tsin-Ling. Les femmes supportent la Fumée noire plus longtemps que les hommes, et une grande partie du sang du vieux coule dans les veines de Tsin-Ling, même s'il fume de la marchandise bon marché. La femme du bazar a su quand elle partirait deux jours avant, et elle est morte sur une natte propre avec un oreiller bien rembourré,

---

8. **I shall die** : dans ce paragraphe, le narrateur exprime sa sérénité et sa lucidité face à une mort qu'il sait proche et inéluctable.

9. **shaky** : adjectif formé à partir de **to shake, shook, shaken** : *trembler*. Les tremblements sont causés par l'opium.

and the old man hung up her pipe just above the Joss. He was always fond of her, I fancy. But he took her bangles just the same[1].

I should like[2] to die like the bazar-woman —on a clean, cool mat with a pipe of good stuff between my lips. When I feel I'm going[3], I shall ask Tsin-ling for them, and he can draw my sixty rupees a month, fresh and fresh, as long as he pleases. Then I shall lie back, quiet and comfortable, and watch the black and red dragons have their last big fight[4] together; and then...

Well, it doesn't matter[5]. Nothing matters much to me — only I wish[6] Tsin-ling wouldn't put bran into the Black Smoke.

---

1. **just the same**: Misquitta ne nourrit aucune illusion sur le vieux Fung-Tching.
2. **I should like**: le narrateur exprime ses derniers désirs et décrit ici ce que serait pour lui la mort idéale.
3. **I'm going**: euphémisme courant pour parler de la mort.
4. **their last big fight**: ce dernier combat des dragons est symbolique de la vaine lutte de Misquitta contre la mort, une mort qu'il accepte parfaitement de toute façon.

et le vieux a accroché la pipe qu'elle fumait juste au-dessus du dieu. Il a toujours ressenti de l'affection pour elle, je crois. Mais il lui a tout de même pris ses bracelets.

J'aimerais mourir comme la femme du bazar, sur une natte fraîche et propre, avec entre les lèvres une pipée de bonne qualité. Quand je sentirai que je m'en vais, je demanderai cela à Tsin-Ling et il peut toucher mes soixante roupies régulièrement aussi longtemps qu'il veut. Alors, je m'allongerai calmement et confortablement et je regarderai les dragons rouge et noir livrer ensemble leur dernier grand combat, et puis...

Enfin, cela n'a pas d'importance. Rien n'a beaucoup d'importance pour moi. Seulement, je voudrais bien que Tsin-Ling ne mette pas de son dans la Fumée noire.

---

5. **it doesn't matter**: Misquitta exprime encore une dernière fois et à deux reprises son indifférence.

6. **I wish**: la toute dernière phrase de la nouvelle est délibérément dérisoire. Elle montre que les seules préoccupations de Gabral Misquitta concernent l'opium dont il est devenu l'esclave.

A Germ-Destroyer

Le Germicide

Pleasant it is for the Little Tin Gods
When great Jove nods;
But Little Tin Gods make their little mistakes
In missing the hour when great Jove wakes.

As a general rule[1], it is inexpedient to meddle with questions of State in a land where men are highly paid to work them out for you. This tale is a justifiable exception.

Once in every five years[2], as you know, we indent for[3] a new Viceroy; and each Viceroy imports, with the rest of his baggage, a Private Secretary, who may or may not be the real[4] Viceroy, just as Fate ordains. Fate looks after the Indian Empire because it is so big and so helpless.

There was a Viceroy once who brought out with him a turbulent Private Secretary —a hard man with a soft manner and a morbid passion for work. This Secretary was called Wonder[5] —John Fennil Wonder. The Viceroy possessed no name —nothing but a string of counties[6] and two-thirds of the alphabet[7] after them. He said, in confidence, that he was the electro-plated figure-head of a golden administration, and he watched in a dreamy, amused way Wonder's attempts to draw matters which were entirely outside his province into his own hands. 'When we are all cherubim together,' said His Excellency once, 'my dear, good friend Wonder will head the conspiracy for plucking out Gabriel's tail-feathers or stealing Peter's keys. *Then* I shall report him.'

---

1. **as a general rule :** le début de cette nouvelle est construit sur un mode habituel chez Kipling : une phrase sentencieuse d'ordre général, puis l'annonce d'une histoire en rapport avec cette remarque.

2. **every five years :** on notera l'utilisation de **every**, habituellement suivi d'un singulier, devant un chiffre suivi d'un nom pluriel.

3. **to indent for :** le verbe est généralement utilisé pour des marchandises (comme **imports** un peu plus loin) et son emploi ici est donc ironique.

4. **real :** l'adjectif est plein de sous-entendus concernant le conflit de pouvoir entre le vice-roi et son secrétaire.

Les petits dieux d'étain sont bien contents
Quand le Grand Jupiter sommeille.
Mais les petits dieux d'étain commettent une légère erreur
Quand ils ratent le moment où le Grand Jupiter s'éveille.

En règle générale, il vaut mieux ne pas se mêler d'affaires d'État dans un pays où l'on paie grassement des hommes pour les régler à votre place. Le récit qui suit constitue une exception justifiable à cette règle.

Comme vous le savez, une fois tous les cinq ans, nous passons commande pour un nouveau vice-roi, et chaque vice-roi apporte dans ses bagages un secrétaire particulier qui peut être ou non le véritable vice-roi, selon ce que prescrit le Destin. L'Empire des Indes est si grand et si impuissant que le Destin veille sur lui.

Il y eut une fois un vice-roi qui amena avec lui un secrétaire particulier turbulent, homme dur aux manières suaves et doté d'une passion morbide pour le travail. Ce secrétaire s'appelait Wonder — John Fennil Wonder. Le vice-roi possédait pour tout nom une série de comtés, suivie des deux tiers des lettres de l'alphabet. Il disait en confidence qu'il était la figure de proue en métal plaqué d'une administration en or et il observait d'un air amusé et rêveur les efforts faits par Wonder pour prendre en main des affaires qui sortaient complètement de son domaine. ''Quand nous serons tous devenus des chérubins'', dit un jour Son Excellence, ''mon cher ami, mon bon ami Wonder prendra la tête d'une conspiration pour arracher ses plumes à l'archange Gabriel ou pour voler les clés de saint Pierre. Alors je ferai un rapport sur lui.''

---

5. **Wonder** : le nom du personnage est chargé de sous-entendus, lui aussi, **wonder** pouvant se traduire par *prodige, miracle.*

6. **a string of counties** : il s'agit de titres de noblesse, liés à la possession de terres en province.

7. **alphabet** : allusion aux décorations et médailles qui, en anglais, sont souvent indiquées par des initiales, par exemple **O.B.E. : Order of the British Empire.**

But, though the Viceroy did nothing to check Wonder's officiousness, other people said unpleasant things. Maybe the Members of Council began it; but, finally, all Simla[1] agreed that there was 'too much Wonder and too little Viceroy' in that rule. Wonder was always quoting 'His Excellency'. It was 'His Excellency this', 'His Excellency that', 'In the opinion of His Excellency', and so on. The Viceroy smiled[2]; but he did not heed. He said that, so long as his old men squabbled with his 'dear, good Wonder', they might be induced to leave the Immemorial East in peace.

'No wise man has a Policy[3],' said the Viceroy. 'A Policy is blackmail levied on the Fool by the Unforeseen. I am not the former, and I do not believe in the latter[4].'

I do not quite see[5] what this means, unless it refers to an Insurance Policy. Perhaps it was the Viceroy's way of saying, 'Lie[6] low.'

That season came up to Simla one of those crazy people with only a single idea[7]. These are the men who make things move; but they are not nice to talk to[8]. This man's name was Mellish, and he had lived for fifteen years on land of his own[9], in Lower Bengal, studying cholera. He held that cholera was a germ that propagated itself as it flew through[10] a muggy atmosphere, and stuck in the branches of trees like a wool-flake.

---

1. **all Simla :** comme toujours, la colonie britannique, évoquée de la sorte, observe et commente.

2. **smiled :** l'attitude passive mais amusée du vice-roi est indiquée par ce verbe.

3. **Policy :** littéralement : *politique*, mais Kipling joue sur le mot qu'il emploie ensuite dans le sens de *police d'assurance* : **insurance policy**.

4. **the former... the latter :** *le premier... le dernier* (quand on oppose deux termes). La traduction française oblige à intervertir l'ordre des termes par rapport à l'anglais.

5. **I do not quite see :** ironique, bien évidemment.

6. **to lie, lay, lain :** *être couché, étendu*. **Low :** *bas*.

7. **only a single idea :** m. à m. : *seulement une seule idée*.

Mais bien que le vice-roi ne fît rien pour empêcher les excès de zèle de Wonder, d'autres personnes racontaient des choses désagréables. À l'origine de ces propos, se trouvaient peut-être des membres du conseil; mais finalement tout Simla reconnut d'un commun accord qu'il y avait "trop de Wonder et pas assez de vice-roi" dans ce gouvernement. Wonder citait toujours "Son Excellence". C'était "Son Excellence ceci", "Son Excellence cela", "d'après Son Excellence", etc. Le vice-roi souriait mais n'y prêtait pas attention. Il disait que tant que ses vieux collègues se chamaillaient avec "son cher Wonder, son bon Wonder", on pouvait les persuader de laisser en paix l'Orient immémorial.

"Aucun homme avisé n'a de ligne politique assurée", disait le vice-roi. "Une ligne politique assurée est un chantage imposé par l'Imprévu aux imbéciles. Je ne fais pas partie de ces derniers et je ne crois pas au premier."

Je ne vois pas très bien ce que ces mots signifient sauf s'il s'agit de police d'assurance. Peut-être était-ce pour le vice-roi une façon de dire : "Tenez-vous tranquilles."

Au cours de cette saison-là arriva à Simla une de ces personnes bizarres avec une idée fixe. Ces individus font bouger les choses, mais on ne prend pas plaisir à converser avec eux. L'homme s'appelait Mellish et durant quinze ans il avait vécu sur une terre qui lui appartenait dans le bas Bengale, à étudier le choléra. Selon lui, cette maladie provenait d'un microbe dont la propagation était favorisée par une atmosphère humide et qui collait aux branches d'arbres comme un flocon de laine.

---

8. **they are not nice to talk to** : on notera la place de la préposition **to** en fin de phrase. Cette tournure équivaut à : **it is not nice to talk to them.**

9. **of his own** : littéralement : *à lui.* On dira de la même manière **of her own** : *à elle.*

10. **flew through** : cf. **to fly, flew, flown.** Ce verbe indique que le microbe se propage dans l'air, en volant.

The germ could be rendered sterile, he said, by 'Mellish's Own Invincible Fumigatory' —a heavy violet-black powder— 'the result of fifteen years' scientific investigation, sir[1]!'

Inventors[2] seem very much alike as a caste. They talk loudly, especially about 'conspiracies of monopolists;' they beat upon the table with their fists; and they secrete fragments of their inventions about their persons.

Mellish said that there was a Medical 'Ring' at Simla, headed by the Surgeon-General, who was in league, apparently, with all the Hospital Assistants in the Empire. I forget exactly how he proved it, but it had something to do with 'skulking[3] up to the Hills'; and what Mellish wanted was the independent evidence of the Viceroy — 'Steward of our Most Gracious Majesty the Queen[4], sir.' So Mellish went up to Simla, with eighty-four pounds[5] of Fumigatory in his trunk, to speak to the Viceroy and to show him the merits of the invention.

But it is easier to see a Viceroy than to talk to him, unless you chance to be as important as Mellishe of Madras[6]. He was a six-thousand-rupee man[7], so great that his daughters never 'married'. They 'contracted alliances'. He himself was not paid[8]. He 'received emoluments', and his journeys about the country were 'tours of observation'. His business was to stir up the people in Madras with a long pole

---

1. **sir!** : l'interjection exprime toute la fierté de Mellish pour son fameux produit.

2. **inventors** : en quelques lignes, Kipling donne sa définition des inventeurs : leur façon de parler, leur comportement, leur allure.

3. **to skulk** : *se cacher, rôder*. La préposition **to** exprime l'idée d'aller dans un endroit, ici les collines.

4. **the Queen** : il s'agit de la reine Victoria qui régna sur la Grande-Bretagne et l'Irlande de 1837 à 1901.

5. **eighty-four pounds** : la quantité n'est pas négligeable, plus de quarante kilos !

À l'en croire, on pouvait rendre stérile le microbe grâce au "produit fumigatoire invincible de Mellish" — une poudre épaisse d'un noir violacé — résultat d'une recherche scientifique de quinze ans, Monsieur !

Les inventeurs, en tant que caste, se ressemblent tous. Ils parlent fort, surtout à propos des "conspirations des monopoleurs"; ils tapent du poing sur la table et ils cachent sur leur personne des parcelles de leurs inventions.

Mellish déclarait qu'il existait à Simla une "coterie" médicale à la tête de laquelle on trouvait le chirurgien en chef, apparemment ligué avec tous les assistants des hôpitaux de l'Empire. Je ne me souviens pas exactement des preuves qu'il en donnait, mais elles avaient quelque chose à voir avec "leur arrivée en cachette dans les Collines" et ce que voulait Mellish, c'était le témoignage indépendant du vice-roi, "intendant de notre Très Gracieuse Majesté la Reine, Monsieur". Mellish était donc venu à Simla avec dans sa malle quatre-vingt-quatre livres du produit fumigatoire afin d'en parler au vice-roi et de lui montrer les mérites de son invention.

Mais on peut plus facilement voir un vice-roi que lui parler, à moins d'être quelqu'un d'aussi important que Mellishe de Madras. Cet homme possédait 6 000 roupies et était si important que ses filles ne "se mariaient" jamais : elles "contractaient une alliance". Lui-même n'était jamais payé : il "recevait des émoluments" et présentait comme des "tournées d'observation" ses voyages à travers le pays. Son travail consistait à remuer les gens de Madras avec une longue perche,

---

6. **Mellishe of Madras :** l'appellation donne l'impression qu'il s'agit d'un titre. **Madras :** ville du Sud de l'Inde .

7. **a six-thousand rupee man :** par cette expression, Kipling indique que l'homme était très riche.

8. **was not paid :** il est implicite dans cette remarque qu'être payé serait infamant pour un homme de cette importance.

—as you stir up tench in a pond[1]— and the people had to come up out of their comfortable old ways and gasp[2]: 'This is Enlightenment[3] and Progress. Isn't it fine!' Then they gave Mellishe statues[4] and jasmine garlands, in the hope of getting rid of him.

Mellishe came up to Simla 'to confer[5] with the Viceroy'. That was one of his perquisites. The Viceroy knew nothing of Mellishe except that he was 'one of those middle-class[6] deities who seem necessary to the spiritual comfort of this Paradise of the Middle-classes[7]', and that, in all probability, he had 'suggested, designed, founded, and endowed all the public institutions in Madras'. Which proves that His Excellency, though dreamy[8], had experience of the ways of six-thousand-rupee men.

Mellishe's name was E. Mellishe, and Mellish's[9] was E. S. Mellish, and they were both staying at the same hotel, and the Fate that looks after the Indian Empire ordained that Wonder should blunder[10] and drop the final 'e'; that the orderly should help him, and that the note which ran:

Dear Mr. Mellish,

Can you set aside your other engagements, and lunch with us at two to-morrow? His Excellency has an hour at your disposal then,
should be given to Mellish with the Fumigatory[11].

---

1. **tench in a pond** : image surprenante, qui n'est pas vraiment valorisante pour les gens de Madras !

2. **to gasp** : *haleter*.

3. **Enlightenment** : cf. **to enlighten** : *éclairer*. On utilise l'expression **The Age of Enlightenment** pour parler du *siècle des Lumières*.

4. **gave Mellishe statues** : on notera l'ordre des mots : le complément d'attribution se situe sans préposition immédiatement après le verbe et avant le c. o. d.

5. **to confer** : comme Mellish, Mellishe veut parler au vice-roi, mais préfère le terme plus noble de **confer** à celui de **talk**.

6. **middle-class** : littéralement : *classe moyenne*.

7. **this Paradise of the Middle-classes** : le vice-roi donne ici sa vision de l'Inde.

comme des tanches dans un étang, pour les amener à sortir de leurs vieilles habitudes confortables et déclarer dans un souffle : "Voici le Savoir et le Progrès. N'est-ce pas magnifique ?" Ils offraient ensuite à Mellishe des statues et des guirlandes de fleurs de jasmin dans l'espoir de se débarrasser de lui.

Mellishe arriva à Simla "pour s'entretenir avec le vice-roi". Cette entrevue faisait partie de ses gratifications. Le vice-roi ignorait qu'il était "l'une de ces divinités bourgeoises apparemment nécessaires au confort spirituel de ce Paradis de la bourgeoisie", et que, selon toute probabilité, il avait "suggéré, conçu, fondé et doté toutes les institutions publiques de Madras". Ce qui prouve que Son Excellence, bien que dans les nuages, avait l'expérience du comportement des détenteurs de 6 000 roupies.

Il s'appelait E. Mellishe tandis que l'autre se nommait E.S. Mellish, et ils séjournaient tous deux dans le même hôtel. Or le Destin qui veille sur l'Empire des Indes décréta que Wonder ferait une erreur et oublierait le "e" final, que l'ordonnance lui viendrait en aide et que serait remise au Mellish du produit fumigatoire la note suivante :

Cher Monsieur Mellish,

Pouvez-vous déplacer vos autres engagements et déjeuner avec nous demain à deux heures ? Son Excellence a une heure de libre à vous consacrer à ce moment-là.

---

8. **though dreamy** : l'expression renvoie à une remarque antérieure concernant la manière dont le vice-roi observait les agissements de son secrétaire particulier (pp. 198-199).

9. **Mellish** : la similarité des deux noms soulignée par le narrateur laisse présager le quiproquo.

10. **Wonder/blunder** : les deux mots ont des sonorités identiques et Kipling les associe pour produire un effet comique.

11. **Mellish with the Fumigatory** : la tournure est amusante.

He nearly wept[1] with pride and delight, and at the appointed hour cantered to Peterhof, a big paperbag full of the Fumigatory in his coat-tail pockets. He had his chance, and he meant to make the most of it. Mellishe of Madras had been so portentously solemn about his 'conference' that Wonder had arranged for a private tiffin[2], —no A.D.C.s[3], no Wonder, no one but[4] the Viceroy, who said plaintively that he feared being left alone with unmuzzled[5] autocrats like the great Mellishe of Madras.

But his guest did not bore the Viceroy. On the contrary, he amused him. Mellish was nervously anxious to go straight to his Fumigatory, and talked at random until tiffin was over and His Excellency asked him to smoke[6]. The Viceroy was pleased with Mellish because he did not talk 'shop'.

As soon as the cheroots[7] were lit, Mellish spoke like a man[8]; beginning with his cholera-theory, reviewing[9] his fifteen years' 'scientific labours', the machinations of the 'Simla Ring', and the excellence of his Fumigatory, while the Viceroy watched him between half-shut eyes and thought, 'Evidently this is the wrong[10] tiger; but it is an original animal[11].' Mellish's hair[12] was standing on end with excitement, and he stammered. He began groping in his coats-tails and, before the Viceroy knew what was about to happen, he had tipped a bagful of his powder into the big silver ash-tray.

---

1. **wept**: cf. **to weep, wept, wept**: *pleurer*.
2. **tiffin**: terme anglo-indien pour désigner le déjeuner.
3. **A.D.C.**: abréviation fréquente en anglais pour aide de camp, terme emprunté au français.
4. **but**: après une négation, le mot signifie *excepté, sauf*.
5. **unmuzzled**: littéralement *demuselé*, cf. **muzzle**: *museau, muse-lière*.
6. **asked him to smoke**: la permission de fumer marque la fin du repas.
7. **cheroots**: cigare à bouts coupés.
8. **like a man**: m. à m. *comme un homme*.

Il faillit pleurer de fierté et de joie et, à l'heure dite, se rendit au petit trot à Peterhof, avec dans les poches de ses basques un grand sac de papier rempli du produit fumigatoire. Il tenait sa chance et comptait en tirer le meilleur parti. Mellishe de Madras s'était montré si pompeux et solennel à propos de son "entretien" que Wonder avait organisé un déjeuner privé, sans aide de camp, ni Wonder, ni personne d'autre que le vice-roi qui avait déclaré d'un ton plaintif redouter les tête-à-tête avec des autocrates déchaînés comme le grand Mellishe de Madras.

Mais son invité n'ennuya pas le vice-roi. Bien au contraire, il l'amusa. Mellish attendait avec une grande nervosité d'en venir à son produit fumigatoire et parla à tort et à travers jusqu'à ce que le repas soit terminé et que Son Excellence lui ait demandé de fumer. Le vice-roi trouvait Mellish agréable parce qu'il ne parlait pas "boutique".

Dès que les petits cigares furent allumés, Mellish aborda vaillamment son sujet : il commença par sa théorie du choléra, puis passa en revue ses quinze années de travaux scientifiques, les machinations de la "clique de Simla" et les qualités de son produit fumigatoire tandis que le vice-roi l'observait, les yeux mi-clos en pensant : "Évidemment, ce n'est pas le bon tigre, mais c'est un animal original." Mellish était si excité qu'il avait les cheveux dressés sur la tête et qu'il bégayait. Il commença à fouiller dans ses basques et avant que le vice-roi se soit rendu compte de ce qui se passait, il avait déversé tout un sac de sa poudre dans le grand cendrier d'argent.

---

9. **reviewing** : on imagine le comportement de Mellish, décrivant longuement et non sans vanité ses travaux sur le choléra...

10. **wrong** : cf. note 3, p. 162.

11. **animal** : reprend l'idée suggérée par **tiger**.

12. **Mellish's hair** : par quelques brèves notations sur le comportement et l'allure de Mellish, Kipling permet au lecteur de visualiser très bien cette scène de comédie.

'J-j-judge for yourself, sir,' said Mellish. 'Y' Excellency[1] shall judge for yourself! Absolutely infallible, on my honour.'

He plunged the lighted end of his cigar into the powder, which began to smoke like a volcano[2], and send up fat, greasy wreaths of copper-coloured smoke. In five seconds the room was filled with a most pungent and sickening stench —a reek[3] that took fierce hold of the trap of your windpipe and shut it. The powder hissed and fizzed[4], and sent out blue and green sparks, and the smoke rose till you could neither see, nor breathe, nor[5] gasp. Mellish, however, was used to it.

'Nitrate of strontia,' he shouted; 'baryta[6], bone-meal, etcetera! Thousand cubic feet[7] smoke per cubic inch. Not a germ could live —not a germ, Y' Excellency!'

But His Excellency had fled, and was coughing at the foot of the stairs, while all Peterhof hummed like a hive. Red Lancers came in, and the Head *Chaprassi*[8] who speaks English came in, and mace-bearers[9] came in[10], and ladies ran downstairs screaming, 'Fire'; for the smoke was drifting through the house and oozing out of the windows, and bellying along[11] the verandas, and wreathing and writhing[12] across the gardens. No one could enter the room where Mellish was lecturing on his Fumigatory till that unspeakable powder had burned itself out.

---

1. **Y' Excellency**: abrégé pour **Your Excellency** et révélateur d'un certain manque d'éducation.
2. **like a volcano**: l'image est un peu excessive, mais de ce fait humoristique.
3. **reek**: comme **stench**, qui le précède, ce mot décrit une odeur particulièrement nauséabonde.
4. **hissed and fizzed**: ces verbes sont quasiment des onomatopées.
5. **neither... nor... nor**: la présence d'un second **nor** après **neither** est à souligner.
6. **strontia, baryta**: Mellish cite les divers éléments de son produit afin d'en montrer la valeur scientifique.
7. **feet**: un pied mesure 30,48 centimètres.
8. **Chaprassi**: il s'agit d'un messager de l'Administration.

— Ju-jugez par vous-même, Monsieur, dit Mellish. Vot'Excellence jugera par elle-même. Absolument infaillible, parole d'honneur !

Il plongea l'extrémité allumée de son cigare dans la poudre qui se mit à fumer comme un volcan et à émettre de grosses et grasses volutes de couleur cuivrée. En cinq secondes, la pièce fut remplie d'une odeur extrêmement âcre et nauséabonde, d'une puanteur qui s'emparait violemment de la trappe de votre trachée et la fermait. La poudre sifflait et crépitait en projetant des étincelles bleues et vertes et la fumée s'éleva jusqu'à ce que l'on ne puisse ni voir, ni respirer, ni haleter. Mellish, lui, y était habitué.

— Nitrate de strontium, s'écria-t-il, baryte, engrais, et cætera ! Des milliers de mètres cubes de fumée par centimètre cube. Pas un microbe ne pourrait survivre, pas un microbe, Vot'Excellence !

Mais Son Excellence s'était enfuie et toussait au pied de l'escalier tandis que tout Peterhof bourdonnait comme une ruche. Les Lanciers rouges arrivèrent, ainsi que le chef chaprassi qui parle anglais, et les huissiers, et les dames qui descendirent l'escalier en criant ''Au feu !'', car la fumée envahissait toute la maison et s'échappait des fenêtres, puis progressait en gros nuages le long des vérandas et traversait les jardins en se tordant en volutes et panaches. Personne ne parvint à pénétrer dans la pièce où Mellish était en train de discourir sur son produit fumigatoire, avant que cette poudre innommable n'ait été totalement consumée.

---

9. **mace-bearers** : m. à m. *porteurs de masses*.

10. **came in** : la répétition de cette expression sert à montrer l'agitation créée par le produit de Mellish.

11. **drifting through... oozing out... bellying along** : cette série de verbes décrit l'envahissement par la fumée de tout le palais du vice-roi et des jardins.

12. **wreathing and writhing** : on notera l'effet produit par ces deux verbes très similaires.

Then an Aide-de-Camp, who desired the V.C.[1], rushed through the rolling clouds and hauled Mellish into the hall. The Viceroy was prostrate[2] with laughter, and could only waggle his hands feebly at Mellish, who was shaking a fresh bagful of powder at him.

'Glorious! Glorious!' sobbed[3] His Excellency. 'Not a germ, as you justly observe, could exist! I can swear it[4]. A magnificent success!'

Then he laughed till the tears came[5], and Wonder, who had caught the real Mellishe snorting on the Mall, entered and was deeply shocked[6] at the scene. But the Viceroy was delighted[7], because he saw that Wonder would presently[8] depart. Mellish with the Fumigatory was also pleased, for he felt that he had smashed the Simla Medical 'Ring'.

Few men could tell a story like His Excellency when he took the trouble, and his account of 'my dear, good Wonder's friend[9] with the powder' went the round of Simla, and flippant folk made Wonder unhappy by their remarks.

But His Excellency told the tale once too often[10] —for Wonder. As he meant to do[11]. It was at a Seepee[12] Picnic. Wonder was sitting just behind the Viceroy.

---

1. **V.C.** : il s'agit d'une décoration, la **Victoria Cross**, c'est-à-dire littéralement *croix* ou *médaille de Victoria*.

2. **prostate** : on admirera ici encore comment Kipling réussit en quelques mots à nous faire visualiser la scène.

3. **to sob** : *sangloter*.

4. **I can swear it** : toutes les remarques du vice-roi sont ironiques bien entendu.

5. **till the tears came** : m. à m. *jusqu'à ce que les larmes viennent*.

6. **shocked** : on peut imaginer que Mellishe est choqué à double titre : que le vice-roi ait pris pour lui l'inventeur et que celui-ci ait déclenché cette invasion de fumée.

7. **delighted** : l'amusement du vice-roi est souligné une fois encore, mais il n'est pas seulement dû à l'expérience (probante !) de Mellish.

8. **presently** : faux ami ici : *bientôt, tout à l'heure*.

Alors un aide de camp, ambitionnant une décoration, se précipita à travers les nuages tourbillonnants et entraîna Mellish dans le hall. Le vice-roi était plié en deux de rire et ne put qu'agiter faiblement les mains en direction de Mellish qui secouait un nouveau sac de poudre dans sa direction.

— Magnifique! Magnifique! dit Son Excellence dans un hoquet. Pas un microbe ne pourrait survivre, comme vous le remarquez judicieusement. Je peux en jurer. Voilà une réussite éclatante!

Puis il se mit à rire aux larmes et Wonder, qui avait trouvé le véritable Mellishe ronchonnant sur le Mall, fut profondément choqué par cette scène quand il arriva. Mais le vice-roi était enchanté parce qu'il se rendait compte que Wonder s'en irait bientôt. Mellish avec son produit fumigatoire était, lui aussi, satisfait car il avait l'impression d'avoir écrasé la "clique" médicale de Simla.

Rares étaient ceux qui savaient raconter une histoire comme Son Excellence quand il s'en donnait la peine et sa description de "l'ami à la poudre de mon bon, de mon cher Wonder" circula dans Simla, et les remarques que firent certaines personnes irrévérencieuses causèrent beaucoup de peine à Wonder.

Mais Son Excellence raconta l'histoire une fois de trop pour Wonder. Et tout à fait délibérément. C'était lors d'un pique-nique à Seepee. Wonder était assis juste derrière le vice-roi.

---

9. **Wonder's friend :** présenter Mellish comme l'ami de Wonder est tout à fait perfide.

10. **once too often :** le pauvre Wonder est l'objet répété des sarcasmes non seulement du vice-roi, mais de tout Simla.

11. **he meant to do :** confirme les intentions malveillantes du vice-roi qui se venge de Wonder.

12. **Seepee :** endroit situé à quelques kilomètres de Simla.

'And I really thought for a moment,' wound up His Excellency, 'that my dear, good Wonder had hired an assassin[1] to clear his way to the throne!'

Everyone laughed; but there was a delicate sub-tinkle[2] in the Viceroy's tone which Wonder understood. He found that his health was giving way[3]; and the Viceroy allowed him to go, and presented him with a flaming 'character[4]' for use at Home among big people.

'My fault entirely,' said His Excellency, in after seasons, with a twinkle[5] in his eye. 'My inconsistency must always have been distasteful to such a masterly[6] man.'

---

1. **hired an assassin :** cette remarque renvoie au début de la nouvelle et aux allusions aux conspirations que Wonder pourrait fomenter.

2. **tinkle :** *tintement.*

3. **giving way :** on aura compris qu'il ne s'agit que d'un prétexte.

4. **character :** ici *certificat de moralité.*

5. **twinkle :** *scintillement, pétillement.*

6. **masterly :** formé sur **master :** *maître.* L'allusion aux ambitions de Wonder est implicite dans ce qualificatif. La nouvelle se termine sur cette dernière pointe à l'encontre du pauvre secrétaire particulier.

— Et j'ai réellement pensé un instant, conclut Son Excellence, que mon cher, que mon bon Wonder avait engagé un assassin pour se frayer un chemin jusqu'au trône.

Tout le monde rit; mais dans le ton du vice-roi était perceptible une petite note subtile que comprit Wonder. Il découvrit que sa santé s'altérait. Le vice-roi l'autorisa à partir et lui offrit une "lettre de recommandation" aux termes enflammés, à utiliser en métropole auprès de gens importants.

— Tout cela est entièrement de ma faute, déclara Son Excellence, l'œil pétillant, au cours de saisons ultérieures. Ma légèreté a dû toujours paraître odieuse à quelqu'un doté de tant d'autorité.

The Phantom 'Rickshaw

Le Pousse-pousse fantôme

May no ill dreams disturb my rest,
Nor Powers of Darkness me molest
Evening Hymn[1]

One of the few advantages that India has over England is a great Knowability[2]. After five years' service a man is directly or indirectly acquainted with the two or three hundred Civilians[3] in his Province, all the Messes of ten or twelve Regiments and Batteries, and some fifteen hundred[4] other people of the non-official caste. In ten years his knowledge should be doubled, and at the end of twenty he knows, or knows something about[5], every Englishman in the Empire, and may travel anywhere and everywhere without paying hotel-bills[6].

Globe-trotters who expect entertainment as a right[7], have, even within my memory, blunted this open-heartedness[8], but none the less to-day, if you belong to the Inner[9] Circle and are neither a Bear nor a Black Sheep[10], all houses are open to you, and our small world is very, very kind and helpful.

Rickett of Kamartha stayed with Polder of Kumaon[11] some fifteen years ago. He meant to stay two nights, but was knocked down by rheumatic fever, and for six weeks disorganized Polder's establishment, stopped Polder's work, and nearly died in Polder's[12] bedroom.

---

1. **Evening Hymn**: dans cette nouvelle, c'est un cantique, dont l'auteur est l'évêque Thomas Ken (1637-1711), qui fournit la citation introductive.

2. **Knowability**: littéralement *connaissabilité*. Mot forgé par Kipling, à partir du verbe **to know**: *connaître*.

3. **Civilians**: membres de la fonction publique (**Civil Service**) en Inde.

4. **fifteen hundred**: Kipling aime donner des chiffres parfois un peu excessifs...

5. **knows something about**: m. à m. *connaît quelque chose au sujet de*.

6. **without paying hotel bills**: sous-entend qu'on peut se faire héberger chez les uns ou les autres.

Qu'aucun mauvais rêve ne trouble mon repos,
Que les Puissances des Ténèbres ne me tourmentent pas !
Cantique vespéral

L'un des rares avantages que possède l'Inde sur l'Angleterre, c'est la facilité d'y lier connaissance. Un homme qui a servi cinq ans là-bas connaît directement ou indirectement les 200 ou 300 fonctionnaires de sa province, tous les mess de 10 ou 12 régiments et batteries, et quelque 1 500 autres personnes n'appartenant pas à la classe des officiels. En dix ans, le nombre de ses relations devrait avoir doublé et au bout de vingt ans, il connaît tous les Anglais de l'Empire ou il a entendu parler d'eux, et peut voyager partout et n'importe où sans frais d'hôtel.

Les globe-trotters qui considèrent qu'on se doit de les distraire ont, même dans ma mémoire, émoussé cette générosité ; néanmoins, aujourd'hui, si vous appartenez au cercle des initiés et si vous n'êtes ni un ours ni une brebis galeuse, toutes les maisons vous sont ouvertes et notre petit monde est très très gentil et obligeant.

Rickett, de Kamartha, séjourna chez Polder, de Kumaon, il y a une quinzaine d'années. Il avait prévu d'y rester deux nuits, mais il fut anéanti par une crise de rhumatisme articulaire aigu et pendant six semaines désorganisa la maison de Polder, interrompit le travail de Polder et faillit mourir dans la chambre de Polder.

---

7. **expect entertainment as a right :** m. à m. *s'attendent à des distractions comme un droit.*

8. **open-heartedness :** littéralement *le fait d'avoir le cœur ouvert.*

9. **Inner :** comparatif de **in**, littéralement *intérieur.*

10. **Black Sheep :** littéralement *mouton noir.*

11. **Kumaon :** autre nom d'Almora, localité située au nord-est de Delhi.

12. **Polder's :** on notera la répétition délibérée de cette tournure dans une intention comique.

Polder behaves as though he had been placed under eternal obligation[1] by Rickett, and yearly sends the little Ricketts a box of presents and toys. It is the same everywhere. The men who do not take the trouble to conceal from you their opinion that you are an incompetent ass, and the women who blacken your character and misunderstand your wife's amusements[2], will work themselves to the bone[3] in your behalf if you fall sick or into serious trouble.

Heatherlegh, the Doctor, kept, in addition to his regular practice, a hospital on his private account —an arrangement of loose-boxes[4] for Incurables, his friends called it— but it was really a sort of fitting-up shed for craft that had been damaged by stress of weather. The weather in India is often sultry, and since the tale of bricks[5] is always a fixed quantity, and the only liberty allowed is permission to work overtime and get no thanks, men occasionally break down and become as mixed[6] as the metaphors in this sentence.

Heatherlegh is the dearest doctor that ever was, and his invariable prescription to all his patients is, 'Lie low, go slow, and keep cool.' He says that more men are killed by overwork than the importance of this world justifies. He maintains that overwork slew[7] Pansay[8], who died under his hands about three years ago. He has, of course, the right to speak authoritatively, and he laughs at my theory that there was a crack in Pansay's head and a little bit of the Dark World[9] came through and pressed him to death.

---

1. **eternal obligation** : l'humour provient ici de ce que les rôles sont inversés puisque c'est celui qui a rendu service qui se comporte comme un obligé.

2. **your wife's amusements** : on voit là une allusion de plus aux ragots de la petite société de Simla et plus particulièrement des femmes.

3. **to the bone** : littéralement *jusqu'à l'os*.

4. **loose boxes** : ces stalles, compartiments cloisonnés faits pour les chevaux, sont assez grandes et permettent une certaine liberté de mouvement.

5. **tale of bricks** : allusion à la quantité de briques exigée chaque jour des Hébreux par le pharaon, cf. *Exode*, 5 : 7-9.

218

Polder se comporte comme s'il devait à Rickett une reconnaissance éternelle et il envoie chaque année aux petits Rickett une caisse de cadeaux et de jouets. Il en va de même partout. Les hommes qui ne se donnent pas la peine de vous cacher qu'ils vous prennent pour un âne incompétent et les femmes qui noircissent votre réputation et ne comprennent pas les distractions de votre épouse se dépenseront sans compter pour vous si vous tombez malade ou si de graves ennuis vous arrivent.

Le docteur Heatherlegh, outre sa clientèle régulière, avait un hôpital privé, un ensemble de grandes stalles pour incurables, aux dires de ses amis ; mais en réalité, il s'agissait d'une sorte de hangar de chantier naval qui avait été endommagé par les intempéries. Le temps en Inde est souvent étouffant et puisque la quantité de briques exigée reste identique et que la seule liberté autorisée est de faire des heures supplémentaires sans en obtenir de remerciements, les hommes s'effondrent parfois et deviennent aussi incohérents que les métaphores de cette phrase.

Heatherlegh est le docteur le plus estimable qui ait jamais existé et il prescrit invariablement à tous ses patients "de s'allonger, de ralentir leur rythme et de rester calme". Il affirme que le surmenage tue davantage d'individus que ne le justifie l'importance de ce monde. Il prétend que le surmenage a tué Pansay, mort entre ses mains il y a environ trois ans. Il a bien entendu le droit de parler avec autorité et il se moque de ma théorie, selon laquelle Pansay avait à la tête une fêlure par laquelle s'est infiltré un peu du Monde des Ténèbres qui, en produisant une pression, a provoqué sa mort.

---

6. **mixed** : l'ironie du narrateur s'exerce contre lui-même, mais le paragraphe est en effet un peu confus.

7. **slew** : cf. **to slay, slew, slain** : *tuer*.

8. **Pansay** : le personnage est introduit de manière très directe et sans aucune indication que ce soit sur lui.

9. **Dark World** : le narrateur, on le voit déjà ici, est prêt à admettre l'irrationnel.

'Pansay went off the handle[1],' says Heatherlegh, 'after the stimulus of long leave at Home. He may or he may not have behaved like a blackguard to Mrs. Keith-Wessington[2]. My notion is that the work of the Katabundi Settlement ran him off his legs, and that he took to brooding and making much of an ordinary P. & O[3]. flirtation. He certainly was engaged to Miss Mannering, and she certainly broke off the engagement. Then he took a feverish chill and all that nonsense about ghosts developed. Overwork started his illness, kept it alight[4], and killed him, poor devil. Write him off to the System[5] that uses one man to do the work of two and a half men.'

I do not believe this. I used to sit up with Pansay sometimes when Heatherlegh was called out to patients and I happened to be within claim[6]. The man would make me most unhappy by describing, in a low, even voice, the procession that was always passing at the bottom of his bed. He had a sick man's command of language. When he recovered I suggested that he should write out the whole affair from beginning to end, knowing that ink might assist him to ease his mind.

He was in a high fever while he was writing, and the blood-and-thunder[7] magazine diction he adopted did not calm him. Two months afterwards he was reported fit for duty, but, in spite of the fact that he was urgently needed to help an undermanned[8] Commission stagger[9] through a deficit, he preferred[10] to die;

---

1. **handle** : *poignée.*
2. **Mrs. Keith-Wessington** : nous ignorons qui est cette femme car comme à propos de Pansay, Kipling procède par allusions de manière à susciter la curiosité du lecteur.
3. **P. & O.** : initiales désignant la **Peninsular and Oriental Steamship Company**, compagnie de navigation, fondée en 1837, dont les bateaux effectuaient la traversée entre l'Inde et l'Europe.
4. **alight** : *allumé, en feu.*
5. **the System** : Kipling, à travers son narrateur, semble critiquer ici l'organisation du travail en Inde.

"Pansay a perdu les pédales", déclare Heatherlegh, "après l'agitation d'une longue permission en métropole. Il s'est peut-être conduit comme un goujat avec Mrs. Keith-Wessington. Je crois que le travail à la colonie de Katabundi l'a exténué et qu'il s'est mis à broyer du noir et à s'exagérer l'importance d'une banale aventure de traversée. Il est certain qu'il était fiancé à Miss Mannering et qu'elle a rompu les fiançailles. Puis il a eu de la fièvre à la suite d'un refroidissement et toutes ces histoires de fantômes se sont amplifiées. Le surmenage a déclenché sa maladie, a entretenu celle-ci et l'a tué, le pauvre diable. Inscrivez-le au compte des victimes du système qui utilise un seul homme pour faire la tâche de deux et demi."

Ce n'est pas ma conviction. Je veillais quelquefois avec Pansay, quand Heatherlegh était appelé à l'extérieur auprès d'autres malades et que je me trouvais dans les parages. L'homme me faisait beaucoup de peine en décrivant d'une voix basse et monotone le cortège qui défilait toujours au pied de son lit. Sa manière de parler était celle d'un malade. Quand il a guéri, je lui ai suggéré d'écrire toute l'affaire du début à la fin, en sachant que l'encre pourrait l'aider à soulager son esprit.

Une forte fièvre persista tandis qu'il écrivait et le style magazine à sensation qu'il adopta ne le calma pas. Deux mois plus tard, on le déclara bon pour le service, mais bien qu'on eût un besoin urgent de lui pour aider une Commission à court de personnel à éponger tant bien que mal un déficit, il préféra mourir,

---

6. **claim** : *demande, réclamation.*

7. **blood-and-thunder** : m. à m. *sang et tonnerre.*

8. **undermanned** : formé sur **man** : *homme, main-d'œuvre,* et **under** : *sous,* d'où littéralement *sous-équipé en main-d'œuvre.*

9. **to stagger** : *chanceler, tituber.*

10. **preferred** : ce verbe souligne l'idée d'un choix délibéré et rend encore plus dramatique la mort de Pansay.

vowing at the last that he was hag[1]-ridden. I got his manuscript before he died[2], and this is his version[3] of the affair, dated 1885, exactly as he wrote it:—

My doctor tells me that I need rest and change of air. It is not improbable that I shall get both ere[4] long —rest that neither the red-coated messenger nor the mid-day gun can break, and change of air far beyond that which any homeward-bound[5] steamer can give me. In the meantime I am resolved to stay where I am; and, in flat defiance of my doctor's orders, to take all the world into my confidence. You shall[6] learn for yourselves the precise nature of my malady, and shall, too, judge for yourselves whether any man born of woman on this weary earth was ever so tormented as I.

Speaking now as a condemned criminal might speak ere the drop-bolts[7] are drawn, my story, wild and hideously improbable as it may appear, demands at least attention. That it will ever receive credence I utterly disbelieve. Two months ago I should have scouted as mad or drunk the man who had dared tell[8] me the like. Two months ago I was the happiest man in India. To-day, from Peshawur to the sea, there is no one more wretched. My doctor and I are the only two who know this. His explanation is that my brain, digestion, and eyesight are all slightly affected; giving rise to my frequent and persistent 'delusions'.

---

1. **hag**: *vieille sorcière*.
2. **before he died**: le narrateur donne d'emblée à son histoire un caractère dramatique en précisant qu'elle lui a été transmise par un homme sur le point de mourir.
3. **version**: bien qu'il nous ait donné son point de vue dans sa longue introduction, le narrateur à présent se retire pour laisser la parole à Pansay, invitant implicitement le lecteur à juger par lui-même.
4. **ere**: littéraire pour **before**: *avant que*.
5. **homeward-bound**: le suffixe **-bound** signifie *à destination de* et est ici redondant puisque le suffixe **-ward** a le sens de *en direction de*.
6. **shall**: cet auxiliaire de modalité a ici une valeur très forte d'obligation morale.

jurant jusqu'au dernier moment qu'il était possédé. J'ai reçu son manuscrit avant sa mort et voici sa version de l'affaire, datée de 1885, exactement comme il l'a rédigée :

Mon docteur me dit que j'ai besoin de repos et de changement d'air. Il n'est pas improbable que je trouve les deux avant longtemps, un repos que ni le messager en livrée rouge ni le canon de midi ne peuvent interrompre, et un changement d'air bien au-delà de celui que peut m'apporter n'importe quel navire se rendant en métropole. Dans l'intervalle, je suis résolu à rester où je suis et, au mépris complet des ordres de mon docteur, à mettre le monde entier dans ma confidence. Vous apprendrez par vous-même la nature exacte de ma maladie et vous jugerez également par vous-même si aucun homme né d'une femme sur cette triste terre a jamais été aussi tourmenté que moi.

Je parle maintenant comme un condamné à mort pourrait le faire avant que ne soient tirés les verrous de la trappe, et mon histoire, aussi insensée et atrocement improbable qu'elle puisse paraître, exige du moins l'attention. Mais je suis totalement convaincu qu'on ne lui ajoutera jamais foi. Il y a deux mois, j'aurais traité de fou ou d'ivrogne l'homme qui aurait osé me raconter une histoire pareille. Il y a deux mois, j'étais l'homme le plus heureux de l'Inde. Aujourd'hui, de Peshawar jusqu'à la mer, personne n'est plus malheureux. Mon docteur et moi-même sommes les deux seules personnes à le savoir. Son explication est que mon cerveau, ma digestion et ma vue sont tous légèrement affectés, ce qui produit chez moi des hallucinations fréquentes et persistantes.

---

7. **drop-bolts :** allusion à la peine capitale qui était en Grande-Bretagne la pendaison.

8. **dared tell :** le verbe est suivi de l'infinitif avec ou sans **to**. On pourrait avoir **had dared to tell**.

Delusions, indeed! I call him a fool[1]; but he attends me still with the same unwearied smile, the same bland professional manner, the same[2] neatly-trimmed red whiskers, till I begin to suspect that I am an ungrateful, evil-tempered invalid. But you shall judge[3] for yourselves.

Three years ago it was my fortune —my great misfortune— to sail from Gravesend[4] to Bombay, on return from long leave, with one Agnes Keith-Wessington[5], wife of an officer on the Bombay side[6]. It does not in the least concern[7] you to know what manner of woman she was. Be content with the knowledge that, ere the voyage had ended, both she and I were desperately and unreasoningly in love with one another. Heaven knows[8] that I can make the admission now without one particle of vanity! In matters of this sort there is always one who gives and another who accepts. From the first day of our ill-omened[9] attachment, I was conscious that Agnes's passion was a stronger, a more dominant, and —if I may use the expression— a purer sentiment than mine. Whether she recognized the fact then, I do not know. Afterwards it was bitterly plain to both of us.

Arrived at Bombay in the spring of the year, we went our respective ways, to meet no more for the next three or four months, when my leave and her love took us both to Simla. There we spent the season together; and there my fire of straw burnt itself out to a pitiful end[10] with the closing year.

---

1. **a fool :** Pansay ne peut admettre l'idée que le médecin donne une cause physique à ses hallucinations.

2. **the same :** l'expression est répétée trois fois et exprime une certaine lassitude chez Pansay vis-à-vis de son médecin.

3. **judge :** pour la deuxième fois, Pansay demande au lecteur de son manuscrit de juger les événements.

4. **Gravesend :** port anglais, au bord de la Tamise, dans le Kent.

5. **one Agnes Keith-Wessington :** ce personnage nous est enfin présenté. On notera le sens de **one** dans ce contexte.

Des hallucinations, vraiment ! Je le traite d'imbécile, mais il continue à me soigner avec le même sourire infatigable, le même comportement professionnel affable, les mêmes favoris roux soigneusement taillés, si bien que je commence à avoir le sentiment que je suis un malade ingrat et acariâtre. Mais vous jugerez par vous-même.

Il y a trois ans, j'eus la chance — la grande malchance — de me rendre en bateau de Gravesend à Bombay, au retour d'une longue permission, avec une certaine Agnes Keith-Wessington, épouse d'un officier du côté Bombay. Cela ne vous concerne absolument pas d'apprendre quel genre de femme c'était. Contentez-vous de savoir qu'avant la fin de la traversée, elle et moi étions tous deux désespérément et éperdument amoureux l'un de l'autre. Dieu sait que je peux l'admettre aujourd'hui sans la moindre once de vanité ! Dans des situations de ce type, il en est toujours un qui donne et l'autre qui accepte. Dès le premier jour de notre funeste attachement, je fus conscient que la passion d'Agnes relevait d'un sentiment plus fort, plus prépondérant et, si je peux utiliser cette expression, plus pur que le mien. Je ne sais si elle reconnut alors le fait. Par la suite, il nous apparut à tous deux d'une évidence amère.

Arrivés à Bombay au printemps, nous allâmes chacun notre chemin pour ne plus nous rencontrer pendant les trois ou quatre mois suivants, lorsque mon congé et son amour nous conduisirent tous deux à Simla. Nous y passâmes ensemble la saison ; et là, mon feu de paille se consuma et s'éteignit pitoyablement avec la fin de l'année.

---

6. **Bombay side** : on entend par là l'ouest de l'Inde.

7. **concern** : il est regrettable, quoi qu'en pense Pansay, qu'il ne nous en dise pas davantage sur cette femme.

8. **Heaven knows** : Pansay a souvent recours à ces exclamations.

9. **ill-omened** : forme sur **omen** : *présage, augure* et **ill** : *mauvais*.

10. **burnt... end** : littéralement *se consuma jusqu'à une fin pitoyable*.

I attempt no excuse. I make no apology. Mrs. Wessington[1] had given up much for my sake, and was prepared to give up all. From my own lips, in August 1882, she learnt that I was sick of her presence, tired of her company, and weary[2] of the sound of her voice. Ninety-nine women out of a hundred would have wearied of me as I wearied of them; seventy-five of that number would have promptly avenged themselves by active and obtrusive flirtation with other men. Mrs. Wessington was the hundredth[3]. On her neither my openly-expressed aversion nor the brutalities with which I garnished our interviews had the least effect.

'Jack, darling!' was her one eternal cuckoo-cry[4]: 'I'm sure it's all a mistake —a hideous mistake[5]; and we'll be good friends again some day. *Please* forgive me, Jack, dear.'

I was the offender, and I knew it. That knowledge transformed my pity into passive endurance, and, eventually, into blind hate —the same instinct, I suppose, which prompts a man to stamp savagely on the spider[6] he has but half killed. And with this hate in my bosom[7] the season of 1882 came to an end.

Next year[8] we met again at Simla —she with her monotonous face and timid attempts at reconciliation, and I with loathing[9] of her in every fibre of my frame. Several times I could not avoid meeting her alone; and on each occasion her words were identically the same.

---

1. **Mrs. Wessington** : c'est ainsi que Pansay appelle sa maîtresse le plus souvent, et non par son prénom.

2. **sick... tired... weary** : la succession de ces trois adjectifs marque la force avec laquelle Pansay rejette à présent Mrs. Wessington.

3. **hundredth** : démonstration par la statistique de l'attachement obstiné de Mrs. Wessington ! On retrouve ici le ton de certaines remarques peu flatteuses de Kipling à l'égard des femmes...

4. **cuckoo-cry** : m. à m. *cri de coucou*. Aujourd'hui, **cuckoo** peut aussi signifier *piqué, toqué*.

5. **a hideous mistake** : l'expression va devenir un leitmotiv des relations entre Pansay et cette femme qui ne peut admettre que tout est fini entre eux.

Je n'essaie pas de m'excuser. Je n'avance pas de justification. Mrs. Wessington avait renoncé pour moi à beaucoup de choses et était prête à renoncer à tout. De ma propre bouche, en août 1882, elle apprit que je ne souffrais plus sa présence, que j'étais fatigué de sa compagnie et lassé du son de sa voix. 99 % des femmes se seraient lassées de moi comme moi d'elles ; 75 % se seraient rapidement vengées de moi en flirtant de manière entreprenante et importune avec d'autres hommes. Mrs. Wessington était l'exception. Sur elle, ni mon aversion exprimée ouvertement, ni les brutalités dont j'agrémentais mes entretiens n'avaient le moindre effet.

"Jack chéri !" était son éternel et unique piaillement. "Je suis certaine que tout cela est une erreur, une épouvantable erreur ; et nous serons bons amis de nouveau un jour. Je vous en prie, pardonnez-moi, Jack, mon chéri."

J'étais l'offenseur et je le savais. De le savoir transforma ma pitié en résistance passive et finalement en haine aveugle, à cause, je suppose, de cet instinct qui conduit un homme à écraser sauvagement du pied l'araignée qu'il n'a qu'à moitié tuée. Et avec cette haine au cœur, je vécus la fin de la saison 1882.

L'année suivante, nous nous retrouvâmes de nouveau à Simla, elle avec son visage inchangé et tentant timidement une réconciliation, et moi la détestant de toutes les fibres de mon corps. Plusieurs fois, je ne pus éviter de la rencontrer seule ; et à chaque occasion ses mots restaient les mêmes.

---

6. **spider** : cette métaphore n'est guère flatteuse pour Mrs. Wessington qui est ainsi assimilée à une araignée...

7. **bosom** : *poitrine, seins*, et métaphoriquement *cœur, fond*.

8. **next year** : on remarquera que l'histoire est racontée avec des repères chronologiques précis.

9. **loathing** : le mot est très fort et comporte l'idée de répugnance.

Still the unreasoning wail that it was all a 'mistake;' and still the hope of eventually 'making friends'. I might have seen, had I cared[1] to look, that that hope only was keeping her alive. She grew more wan[2] and thin month by month. You will agree[3] with me, at least, that such conduct would have driven any one to despair. It was uncalled-for; childish; unwomanly[4]. I maintain that she was much to blame[5]. And again, sometimes, in the black, fever-stricken[6], night-watches, I have begun to think that I might have been a little kinder[7] to her. But that really *is* a 'delusion[8]'. I could not have continued pretending to love her when I didn't; could I[9]? It would have been unfair to us both.

Last year we met again —on the same terms as before. The same weary appeals, and the same[10] curt answers from my lips. At least I would make her see how wholly wrong and hopeless were her attempts at resuming the old relationship. As the season wore on, we fell apart —that is to say, she found it difficult to meet me, for I had other and more absorbing interests to attend to. When I think it over quietly in my sick-room, the season of 1884 seems a confused nightmare wherein light and shade were fantastically[11] intermingled: my courtship of little Kitty Mannering; my hopes, doubts, and fears; our long rides together; my trembling avowal of attachment; her reply;

---

1. **had I cared** : l'inversion équivaut à une conditionnelle : **if I had cared**.

2. **wan** : *pâle et maladif*.

3. **you will agree** : ici le narrateur cherche à se concilier son lecteur.

4. **uncalled-for... unwomanly** : le préfixe négatif **-un**, présent dans ces deux qualificatifs, exprime la critique sévère de Pansay à l'égard de Mrs. Wessington.

5. **to blame** : tout au long de la nouvelle, Pansay cherchera à accabler Mrs. Wessington et à lui faire porter toute la responsabilité des événements.

6. **fever-stricken** : allusion à la maladie de Pansay dont le narrateur nous a parlé au début de la nouvelle.

7. **kinder** : Pansay à présent examine sa propre attitude dans cette histoire et se met un peu en question.

Toujours le gémissement irraisonné qu'il s'agissait d'une "erreur" ; toujours l'espoir que nous finirions par "devenir amis". Si j'avais pris la peine d'y faire attention, j'aurais pu voir que seul cet espoir la maintenait en vie. Elle devenait plus blême et plus maigre de mois en mois. Vous admettrez au moins avec moi qu'un comportement aussi déplacé, aussi puéril, aussi peu féminin, aurait poussé n'importe qui au désespoir. Je maintiens qu'elle avait de grands torts. Et à nouveau, durant les noires et fiévreuses nuits d'insomnie, j'ai parfois commencé à penser que j'aurais pu être un peu plus gentil avec elle. Mais voilà qui est véritablement une "illusion". Je n'aurais pas pu continuer à faire semblant de l'aimer alors que je ne l'aimais pas. Aurait-ce été possible ? C'eût été malhonnête vis-à-vis de l'un comme de l'autre.

Nous nous sommes rencontrés à nouveau l'an dernier, dans les mêmes conditions qu'auparavant. Les mêmes appels lassants, et les mêmes réponses sèches de ma part. Du moins lui laissais-je voir à quel point ses tentatives pour renouer l'ancienne relation étaient vaines et erronées. Au fur et à mesure que la saison avança, nous prîmes nos distances, c'est-à-dire qu'elle trouva des difficultés à me rencontrer, car je devais m'occuper d'autres affaires plus absorbantes. Quand j'y repense tranquillement dans ma chambre de malade, la saison 1884 me semble un cauchemar confus où ombre et lumière se mêlaient de manière fantastique : ma cour à la petite Kitty Mannering ; mes espoirs, mes doutes et mes craintes ; nos longues promenades à cheval ensemble ; l'aveu tremblant de mon attachement ; sa réponse ;

---

8. **delusion** : Pansay joue sur le mot qui veut dire *illusion*, mais aussi *hallucination*.

9. **could I ?** : reprise par l'auxiliaire de la phrase qui précède.

10. **the same** : nouvel effet de répétition.

11. **fantastically** : l'adverbe est particulièrement bien choisi par qui est victime d'hallucinations...

and now and again a vision[1] of a white face flitting[2] by in the 'rickshaw with the black-and-white liveries[3] I once watched for so earnestly; the wave[4] of Mrs. Wessington's gloved hand; and, when she met me alone, which was but seldom, the irksome monotony of her appeal. I loved Kitty Mannering; honestly[5], heartily loved her, and with my love for her grew my hatred for Agnes. In August Kitty and I were engaged. The next day I met those accursed 'magpie' *jhampanis*[6] at the back of Jakko[7], and, moved by some passing sentiment of pity, stopped to tell Mrs. Wessington everything. She knew it already!

'So I hear[8] you're engaged, Jack, dear.' Then, without a moment's pause: 'I'm sure it's all a mistake — a hideous mistake. We shall be as good friends some day, Jack, as we ever were.'

My answer might have made even a man wince[9]. It cut the dying[10] woman before me like the blow of a whip. 'Please forgive me[11], Jack. I didn't mean to make you angry; but it's true, it's true!'

And Mrs. Wessington broke down completely. I turned away and left her to finish her journey in peace, feeling, but only for a moment or two, that I had been an unutterably mean hound.

---

1. **vision** : ce mot-ci est également bien choisi.

2. **to flit** : *voler, voltiger.*

3. **liveries** : le pousse-pousse et les hommes qui le tirent, vêtus de livrées noir et blanc, sont mentionnés ici pour la première fois.

4. **the wave** : mouvement ample du bras, comme lorsqu'on fait signe à quelqu'un.

5. **honestly** : ['ɔnestli] l'un des rares mots anglais dans lequel le **h** initial n'est pas aspiré.

6. **magpie jhampanis** : les jhampanis sont les porteurs de pousse-pousse que le narrateur compare à des pies en raison de la couleur de leurs livrées.

7. **Jakko** : cf. note 3, p. 20. La route qui en faisait le tour était un lieu de promenade très fréquenté.

8. **to hear** : ici *entendre dire.*

et de temps à autre la vision fugitive d'un visage blanc dans le pousse-pousse aux livrées noir et blanc que je guettais jadis avec tant de ferveur ; le signe fait par la main gantée de Mrs. Wessington ; et quand elle me rencontrait seul, ce qui n'arrivait que rarement, la monotonie fastidieuse de ses appels. J'aimais Kitty Mannering ; je l'aimais honnêtement, ardemment, et parallèlement à mon amour grandissait ma haine d'Agnes. En août, Kitty et moi nous nous fiançâmes. Le lendemain, je rencontrai derrière le mont Jakko ces maudits "jhampanis" aux livrées de la couleur des pies et, poussé par quelque sentiment de pitié éphémère, je m'arrêtai pour tout raconter à Mrs. Wessington. Elle était déjà au courant !

— Ainsi j'apprends que vous êtes fiancé, mon cher Jack.

Puis enchaînant sans attendre :

— Je suis sûre que tout cela est une erreur, une épouvantable erreur. Nous serons un jour bons amis comme nous l'avons toujours été, Jack.

En entendant ma réponse, même un homme aurait sourcillé. Mes paroles frappèrent comme d'un coup de fouet la femme agonisante qui se trouvait devant moi.

— Pardonnez-moi, Jack, je vous en prie. Je n'avais pas l'intention de vous mettre en colère, mais c'est vrai, c'est vrai !

Et Mrs. Wessington s'effondra complètement. Je m'éloignai pour la laisser finir en paix sa promenade avec, un court instant, le sentiment que je m'étais conduit comme une crapule d'une mesquinerie innommable.

---

9. **my answer... wince** : littéralement *ma réponse aurait pu faire sourciller même un homme.*

10. **dying** : information non négligeable, bien que donnée négligemment.

11. **forgive me** : renversement des rôles puisque c'est Mrs. Wessington qui demande à être pardonnée, alors que les torts sont du côté de Pansay qui s'est lassé d'elle.

I looked back[1], and saw that she had turned her 'rickshaw with the idea, I suppose, of overtaking me.

The scene and its surroundings were photographed[2] on my memory. The rain-swept sky (we were at the end of the wet weather), the sodden, dingy pines, the muddy road, and the black powder-riven cliffs formed a gloomy background against which the black-and-white liveries of the *jhampanis*, the yellow-panelled 'rickshaw, and Mrs. Wessington's down-bowed golden head[3] stood out clearly. She was holding her handkerchief in her left hand and was leaning back exhausted against the 'rickshaw cushions. I turned my horse up a bypath near the Sanjaolie Reservoir[4] and literally ran away. Once I fancied[5] I heard a faint call of 'Jack!' This may have been imagination. I never stopped to verify it. Ten minutes later I came across Kitty on horseback; and, in the delight[6] of a long ride with her, forgot all about the interview.

A week later Mrs. Wessington died, and the inexpressible burden[7] of her existence was removed from my life. I went Plainsward[8] perfectly happy. Before three months were over I had forgotten all about her, except that at times the discovery of some of her old letters reminded me unpleasantly of our bygone relationship. By January I had disinterred[9] what was left of our correspondence from among my scattered belongings and had burnt it. At the beginning of April of this year, 1885, I was at Simla

---

1. **to look back** : *regarder derrière*.

2. **photographed** : la description qui suit possède effectivement la netteté d'une photographie.

3. **the black... head** : dorénavant, les éléments de cette description seront donnés chaque fois que Pansay rencontrera Mrs. Wessington et deviendront de ce fait une sorte de motif dans son récit.

4. **Sanjaolie Reservoir** : situé à quelques kilomètres de Simla.

5. **fancied** : on notera que Pansay entend souvent ainsi des sons de voix imaginaires.

6. **delight** : le plaisir que trouve Pansay en compagnie de Kitty s'oppose à la pitié et surtout à l'agacement qu'il ressent à l'égard de son ancienne maîtresse.

En me retournant, je vis qu'elle avait fait faire demi-tour à son pousse-pousse dans l'idée, je suppose, de me rattraper.

La scène et son décor ont été photographiés dans ma mémoire. Le ciel balayé par la pluie (nous étions à la fin de la saison des pluies), les pins misérables et détrempés, la route boueuse et les escarpements noirs fendus par les explosifs formaient un arrière-plan sinistre sur lequel se détachaient clairement les livrées noir et blanc des jhampanis, les panneaux jaunes du pousse-pousse et la tête dorée, inclinée vers le bas, de Mrs. Wessington. Elle tenait son mouchoir de la main gauche et, épuisée, s'appuyait contre les coussins de la voiture. Je fis prendre à mon cheval un chemin de traverse près du Réservoir de Sanjowlie et je m'enfuis littéralement. J'eus à un moment l'impression d'entendre appeler à voix basse ''Jack!'' C'était peut-être mon imagination. Je ne me suis jamais arrêté pour vérifier. Dix minutes plus tard, je rencontrai Kitty à cheval et, tout au plaisir d'une longue promenade avec elle, j'oubliai complètement cette entrevue.

Une semaine plus tard, Mrs. Wessington mourut et ma vie fut délivrée du fardeau indicible de son existence. Je retournai dans les plaines, parfaitement heureux. Au bout de trois mois à peine, j'avais déjà tout oublié d'elle, sauf que de temps en temps la découverte de certaines de ses anciennes lettres me rappelait désagréablement nos relations passées. En janvier, j'avais exhumé de mes affaires éparpillées tout ce qui restait de notre correspondance et l'avait brûlé. Au début du mois d'avril de cette année 1885, je me retrouvai à Simla une fois de plus

7. **burden** : Pansay ne cherche nullement à cacher le soulagement que lui procure la mort de Mrs. Wessington, mais il ne faut pas perdre de vue le fait que son récit est en fait la confession d'un mourant.

8. **Plainsward** : cf. note 5, p. 222.

9. **disinterred** : le mot convient parfaitement !

—semi-deserted[1] Simla— once more, and was deep in lovers' talks and walks[2] with Kitty. It was decided that we should be married at the end of June. You will understand, therefore, that, loving Kitty as I did, I am not saying too much when I pronounce myself to have been, at that time, the happiest man in India.

Fourteen delightful days passed almost before I noticed their flight[3]. Then, aroused to the sense of what was proper[4] among mortals circumstanced as we were, I pointed out to Kitty that an engagement ring was the outward and visible sign of her dignity as an engaged girl; and that she must forthwith come to Hamilton's[5] to be measured for one[6]. Up to that moment, I give you my word, we had completely forgotten so trivial a matter. To Hamilton's we accordingly went on the 15th of April, 1885. Remember that —whatever my doctor may say to the contrary— I was then in perfect health, enjoying a well-balanced mind and an *absolutely* tranquil[7] spirit. Kitty and I entered Hamilton's shop together, and there, regardless of the order of affairs, I measured Kitty for the ring in the presence of the amused[8] assistant. The ring was a sapphire with two diamonds. We then rode out down the slope that leads to the Combermere Bridge and Peliti's[9] shop.

While my Waler[10] was cautiously feeling his way over the loose shale, and Kitty was laughing and chattering at my side, —while all Simla, that is to say, as much of it as had then come from the Plains, was grouped round the Reading-room and Peliti's veranda,—

1. **semi-deserted** : indique qu'on n'est pas encore en pleine saison chaude.

2. **talks and walks** : on remarquera l'effet de sonorités.

3. **before I noticed their flight** : littéralement *avant que je ne remarque leur envol.*

4. **proper** : ce souci d'observer les convenances montre à quel point Pansay se sent à présent délivré de la présence de Mrs. Wessington.

5. **Hamilton** : célèbre joaillier de l'époque, dont une boutique se trouvait à Simla.

— un Simla à moitié déserté —, absorbé par mes conversations et mes promenades d'amoureux avec Kitty. Il fut décidé que nous nous marierions à la fin juin. Vous comprendrez donc qu'aimant Kitty comme je l'aimais, je n'exagère pas en affirmant que j'étais à cette époque-là l'homme le plus heureux de l'Inde.

Quatorze jours enchanteurs s'envolèrent presque sans que je m'en aperçoive. Puis poussé par le sentiment de ce qu'il convenait à des mortels de faire dans les circonstances où nous nous trouvions, je fis remarquer à Kitty qu'une bague de fiançailles était le signe visible et extérieur de sa dignité de jeune fiancée et qu'elle devait venir aussitôt chez Hamilton afin d'y faire mesurer la taille de son doigt. Jusqu'à ce moment-là, je vous en donne ma parole, nous avions complètement oublié une question aussi triviale. Nous nous rendîmes donc chez Hamilton le 15 avril 1885. Souvenez-vous qu'alors, bien que mon médecin puisse dire le contraire, j'étais en parfaite santé, jouissant de toute ma raison et d'une complète tranquillité d'esprit. Kitty et moi entrâmes ensemble dans la boutique de Hamilton et là, indifférent à l'ordre des choses, je mesurai le doigt de Kitty sous le regard amusé du vendeur. La bague consistait en un saphir et deux diamants. Nous descendîmes ensuite à cheval la route qui conduit au pont de Combermere et à la fontaine de Peliti.

Tandis que mon cheval se frayait avec précaution un chemin sur le schiste argileux instable et que Kitty riait et bavardait à mes côtés, tandis que tout Simla, c'est-à-dire tout ce qui en était venu des plaines, était regroupé autour de la salle de lecture et de la véranda de Peliti,

---

6. **to be measured for one** : littéralement *prendre les mesures pour une (bague de fiançailles)*.

7. **absolutely tranquil** : Pansay juge nécessaire d'insister sur ce point...

8. **amused** : amusement causé par le comportement de Pansay.

9. **Peliti's** : confiseur et café célèbre de Simla.

10. **Waler** : cheval d'origine australienne, de la région de New South Wales, d'où le nom.

I was aware[1] that some one, apparently at a vast distance, was calling me by my Christian name. It struck me that I had heard the voice before, but when and where I could not at once determine. In the short space it took to cover the road between the path from Hamilton's shop and the first plank of the Combermere Bridge I had thought over half-a-dozen[2] people who might have committed such a solecism, and had eventually decided that it must have been some singing in my ears[3]. Immediately opposite Peliti's shop my eye was arrested by the sight of four *jhampanis* in 'magpie' livery, pulling a yellow-panelled, cheap, bazar 'rickshaw. In a moment my mind flew back[4] to the previous season and Mrs. Wessington with a sense of irritation and disgust. Was it not enough that the woman was dead and done with[5], without her black-and-white servitors reappearing to spoil the day's happiness? Whoever[6] employed them now I thought I would call upon[7], and ask as a personal favour to change her *jhampanis'* livery. I would hire the men myself, and, if necessary, buy their coats from off their backs[8]. It is impossible to say here what a flood of undesirable memories their presence evoked.

'Kitty,' I cried, 'there are poor Mrs. Wessington's *jhampanis* turned up again! I wonder who has them now?'

Kitty had known Mrs. Wessington slightly last season, and had always been interested in the sickly woman.

---

1. **to be aware** : *être conscient, avoir conscience de.*

2. **half-a-dozen** : on notera la construction de **half**, suivi de l'article indéfini puis du nom, cf. **half-an-hour** : *une demi-heure* (par contre **an hour and a half** : *une heure et demie*).

3. **singing in my ears** : l'explication se veut rationnelle et donc rassurante.

4. **to fly back** : littéralement : *retourner en volant.*

5. **dead and done with** : l'expression, avec son allitération, est très violente et manifeste le rejet total de Mrs. Wessington par Pansay.

6. **whoever** : *quiconque.* Le suffixe **-ever** exprime cette idée de *qui que ce soit*, cf. **whatever** : *quoi que ce soit*, **wherever** : *où que ce soit*, etc.

je me rendis compte que quelqu'un, apparemment de très loin, m'appelait par mon prénom. J'eus l'impression d'avoir déjà entendu cette voix auparavant, mais je fus incapable sur le moment de déterminer ni où ni quand. Durant le court laps de temps nécessaire pour accomplir le trajet entre la boutique de Hamilton et la première planche du pont de Combermere, j'avais pensé à une demi-douzaine de personnes qui auraient pu commettre une telle incorrection et j'avais finalement décidé qu'il devait s'agir d'un sifflement dans mes oreilles. Juste en face de la boutique de Peliti, mon regard fut arrêté par le spectacle de quatre jhampanis en livrées de la couleur des pies, tirant un pousse-pousse de bazar bon marché à panneaux jaunes. En un instant, je revis en esprit la saison précédente et Mrs. Wessington avec un sentiment d'irritation et de dégoût. Ne suffisait-il pas que cette femme fût morte et que j'en eusse fini avec elle sans que ses domestiques en noir et blanc réapparaissent pour gâcher le bonheur de cette journée ? Je me dis que j'irais voir celui qui les employait et lui demanderais de me faire le plaisir de changer leurs livrées. J'embaucherais moi-même les hommes et si nécessaire, je leur rachèterais leurs manteaux. Il est impossible de raconter ici quel flot de souvenirs indésirables évoqua leur présence.

— Kitty, m'écriai-je, voilà les jhampanis de la pauvre Mrs. Wessington de retour ! Je me demande qui les emploie aujourd'hui ?

Kitty avait un peu connu Mrs. Wessington la saison précédente et s'était toujours intéressée à cette femme maladive.

---

7. **I would call upon** : à ce stade, Pansay reste dans le domaine du réel.

8. **buy their coats from off their backs** : littéralement *ôter les manteaux de leur dos en les achetant*.

'What? Where?' she asked. 'I can't see[1] them any-where.'

Even as she spoke, her horse, swerving from a laden[2] mule, threw himself directly in front of the advancing 'rickshaw. I had scarcely time to utter a word of warning when, to my unutterable horror[3], horse and rider[4] passed *through* men and carriage as if they had been thin air!

'What's the matter?' cried Kitty. 'What made you call out so foolishly[5], Jack? If I *am* engaged I don't want all creation to know about it. There was lots of space between the mule and the veranda; and, if you think I can't ride — There[6]!'

Whereupon wilful Kitty[7] set off, her dainty little head in the air, at a hand-gallop in the direction of the Bandstand; fully expecting, as she herself afterwards told me, that I should follow her. What was the matter? Nothing indeed[8]. Either that I was mad or drunk, or that Simla was haunted with devils[9]. I reined in my impatient cob[10], and turned round. The 'rickshaw had turned too, and now stood immediately facing me, near the left[11] railing of the Combermere Bridge.

'Jack! Jack, darling!' (There was no mistake about the words this time. They rang through my brain[12] as if they had been shouted in my ear.) 'It's some hideous mistake[13], I'm sure. *Please* forgive me, Jack, and let's be friends again.'

---

1. **I can't see**: cette remarque signale la première "vision" de Pansay, par rapport à Kitty qui, elle, ne voit rien.

2. **laden**: *chargé*, cf. **to lade, laded, laden**.

3. **horror**: première réaction d'horreur de Pansay.

4. **horse and rider**: l'absence d'article contribue à rendre le côté irréel de l'incident.

5. **so foolishly**: ce qualificatif est dû à l'impossibilité pour Kitty de comprendre ce qui se passe.

6. **There!**: la remarque de Kitty et son comportement révèlent son caractère capricieux.

7. **wilful Kitty**: l'adjectif qui accompagne un nom propre comme ici n'est pas précédé de l'article.

8. **nothing indeed**: ironique, bien entendu.

— Quoi? Où? demanda-t-elle. Je ne les vois nulle part.

Alors même qu'elle parlait, son cheval fit un écart pour éviter une mule avec son chargement et se jeta directement devant le pousse-pousse qui avançait. J'eus à peine le temps d'émettre un mot d'avertissement qu'à mon indicible horreur, le cheval et sa cavalière passèrent *à travers* les hommes et la voiture comme à travers une mince couche d'air.

— Qu'est-ce qui se passe? s'écria Kitty. Qu'est-ce qui vous a fait crier aussi stupidement, Jack? Si je suis fiancée, je ne tiens pas à en informer toute la création. Il y avait toute la place nécessaire entre la mule et la véranda; et si vous croyez que je ne sais pas monter à cheval, voyez donc!

Sur ce, redressant sa petite tête délicate, la capricieuse Kitty s'élança délibérément au galop dans la direction du kiosque à musique, persuadée, comme elle me le dit plus tard, que je la suivrais. Qu'est-ce qui se passait? Rien, à vrai dire. Soit j'étais ivre ou fou, soit Simla était hanté par les démons. Je retins mon cheval impatient et fis demi-tour. Le pousse-pousse avait fait de même et se tenait à présent immédiatement face à moi, près de la rambarde gauche du pont de Combermere.

— Jack! Jack chéri! (Aucune erreur possible sur les mots cette fois-ci. Ils résonnaient dans mon cerveau comme s'ils avaient été hurlés dans mon oreille.) Il s'agit d'une épouvantable erreur, j'en suis sûre. Je vous en prie, pardonnez-moi, Jack, et redevenons amis.

---

9. **haunted with devils** : que Pansay puisse envisager cette hypothèse s'explique par le fait qu'il raconte ces événements *a posteriori*.

10. **cob** : *cheval à pattes courtes*.

11. **left** : cette précision indique à quel point l'incident a frappé Pansay qui se souvient de tous les détails.

12. **brain** : il est à noter que c'est au cerveau que les paroles de Mrs. Wessington atteignent Pansay.

13. **mistake** : mêmes paroles exactement qu'auparavant.

The 'rickshaw-hood had fallen back, and inside, as I hope and pray daily for the death[1] I dread by night, sat Mrs. Keith-Wessington, handkerchief in hand, and golden head bowed on her breast[2].

How long[3] I stared motionless I do not know. Finally, I was aroused by my *sais*[4] taking the Waler's bridle and asking whether I was ill. From the horrible to the commonplace is but a step. I tumbled off my horse and dashed, half fainting[5], into Peliti's for a glass of cherry-brandy. There two or three couples were gathered round the coffee-tables discussing the gossip of the day. Their trivialities were more comforting to me just then than the consolations of religion[6] could have been. I plunged into the midst of the conversation at once; chatted, laughed, and jested with a face (when I caught a glimpse of it in a mirror) as white and drawn as that of a corpse[7]. Three or four men noticed my condition; and, evidently setting it down to the results of over-many pegs, charitably endeavoured to draw me apart from the rest of the loungers[8]. But I refused to be led away. I wanted the company of my kind —as a child rushes into the midst of the dinner-party after a fright in the dark[9]. I must have talked for about ten minutes or so, though it seemed an eternity to me, when I heard Kitty's clear voice outside inquiring for me. In another minute she had entered the shop, prepared to upbraid me for failing so signally in my duties. Something in my face stopped her.

---

1. **death** : l'ambiguïté de l'attitude de Pansay par rapport à la mort est exprimée dans cette brève remarque.

2. **breast** : la posture de Mrs. Wessington est toujours décrite de la même manière.

3. **how long** : cette tournure, placée en début de phrase, prend davantage de relief et de force.

4. **sais** : *palefrenier, valet d'écurie.*

5. **half fainting** : le trouble psychologique produit des effets physiques.

6. **religion** : le côté surnaturel de ce qui vient de se passer amène Pansay à évoquer la religion.

La capote du pousse-pousse s'était repliée et à l'intérieur, aussi vrai que j'espère et je prie chaque jour pour que vienne la mort que je redoute la nuit, était assise Mrs. Wessington, un mouchoir à la main, sa tête dorée inclinée sur sa poitrine.

Combien de temps suis-je resté immobile à la fixer, je ne sais. Finalement, je fus réveillé par mon *sais* qui prenait la bride du cheval et me demandait si j'étais souffrant. De l'horrible au banal, il n'y a qu'un pas. Je dégringolai de ma monture et, à demi évanoui, me précipitai chez Peliti demander un verre de cherry-brandy. À l'intérieur, deux ou trois couples, rassemblés autour des tables, discutaient des potins de la journée. Leurs propos dérisoires furent plus réconfortants pour moi à ce moment-là que n'aurait pu l'être le secours de la religion. Je m'immisçai sur-le-champ dans leur conversation, bavardai, ris et plaisantai, le visage aussi livide et tiré que celui d'un cadavre, à ce que je vis dans le miroir. Trois ou quatre hommes remarquèrent mon état et, l'attribuant évidemment aux conséquences de trop nombreux verres d'alcool, entreprirent charitablement de m'éloigner du reste des attardés. Mais je refusai de partir. Je voulais rester en compagnie de mes semblables, comme l'enfant qui se précipite au milieu d'une réception parce qu'il a peur du noir. J'aurais dû parler environ dix minutes, bien que j'eusse l'impression d'une éternité, quand j'entendis la voix claire de Kitty qui s'enquérait de moi. La minute d'après, elle était dans la boutique, prête à me réprimander d'avoir manqué si ostensiblement à mes devoirs. Quelque chose sur mon visage l'arrêta.

---

7. **corpse** : l'idée de mort est à nouveau suggérée ici, même si la comparaison est un cliché.

8. **loungers** : cf. **to lounge** : *flâner, traîner.*

9. **dark** : l'évocation de l'enfant qui a peur de l'obscurité prend une valeur particulière ici en raison du mot **dark** qui renvoie à l'expression **Dark World** du début.

'Why[1], Jack,' she cried, 'what *have* you been doing[2]? What *has* happened? Are you ill?' Thus driven into a direct lie[3], I said that the sun had been a little too much for me. It was close upon five o'clock of a cloudy April afternoon, and the sun had been hidden all day. I saw my mistake as soon as the words were out of my mouth; attempted to recover it; blundered[4] hopelessly, and followed Kitty in a regal[5] rage out of doors, amid the smiles[6] of my acquaintances. I made some excuse (I have forgotten what) on the score of[7] my feeling faint; and cantered away to my hotel, leaving Kitty to finish the ride by herself.

In my room I sat down and tried calmly to reason out the matter. Here was I, Theobald Jack Pansay[8], a well-educated[9] Bengal Civilian in the year of grace 1885, presumably sane[10], certainly healthy, driven in terror from my sweet-heart's side by the apparition of a woman who had been dead and buried eight months ago. These were facts that I could not blink[11]. Nothing was farther[12] from my thought than any memory of Mrs. Wessington when Kitty and I left Hamilton's shop. Nothing was more utterly commonplace than the stretch of wall opposite Peliti's. It was broad daylight. The road was full of people; and yet here, look you, in defiance of every law of probability, in direct outrage of Nature's ordinance, there had appeared to me a face from the grave[13].

---

1. **why** : employé ici de manière exclamative.

2. **what have you been doing** : Kitty se demande ce qu'a fait Pansay depuis qu'elle l'a quitté, d'où l'emploi du **present perfect** progressif.

3. **lie** : c'est le début des mensonges pour Pansay.

4. **to blunder** : *commettre une bévue, une gaffe*. Ne pouvant expliquer ce qu'il vient de dire, Pansay s'empêtre dans des explications aussi peu valables les unes que les autres.

5. **regal** : *royal*.

6. **smiles** : le comportement de Kitty explique les sourires des témoins de cette scène.

7. **on the score of** : *sur le compte de*.

— Eh bien, Jack, s'écria-t-elle, qu'est-ce que vous faites ? Qu'est-ce qui est arrivé ? Êtes-vous souffrant ?

Amené de ce fait à mentir carrément, je lui dis que le soleil avait été un peu trop fort pour moi. Il était près de cinq heures, cet après-midi nuageux d'avril, et le soleil était resté caché toute la journée. Ces mots à peine prononcés, je reconnus mon erreur ; j'essayai de me rattraper, m'empêtrai désespérément et suivis dehors Kitty en proie à une souveraine fureur, au milieu des sourires de mes connaissances. Je proférai une vague excuse (j'ai oublié laquelle), comme quoi je me sentais défaillir et regagnai au petit galop mon hôtel, laissant Kitty achever seule sa promenade.

Une fois dans ma chambre, je m'assis pour tenter d'examiner posément le problème. Moi, Theobald Jack Pansay, fonctionnaire du Bengale, instruit, vraisemblablement sain d'esprit, certainement sain de corps, l'an de grâce 1885, j'étais là, terrorisé et séparé de ma bien-aimée par l'apparition d'une femme morte et enterrée depuis huit mois. Tels étaient les faits que je ne pouvais dissimuler. Rien n'était plus éloigné de mes pensées que le souvenir de Mrs. Wessington lorsque Kitty et moi avions quitté la boutique de Hamilton. Rien ne présentait un aspect plus ordinaire que la partie de mur en face de chez Peliti. On était en plein jour. La route était couverte de monde ; et cependant, voyez-vous, au défi de toutes les lois de la probabilité, en violation directe des décrets de la nature, m'était apparu un visage venu d'outre-tombe.

---

8. **Theobald Jack Pansay** : le nom du héros de cette nouvelle nous est enfin donné dans sa totalité.

9. **well-educated** : *ayant reçu une bonne instruction*.

10. **sane** : s'utilise surtout pour la santé mentale, cf. **insane** : *fou*.

11. **to blink** : *cligner des yeux* ; **to blink the fact that** : *refuser, ignorer le fait que*.

12. **farther** : comparatif irrégulier de **far**.

13. **a face from the grave** : Pansay ne semble plus douter dorénavant qu'il s'agit d'une revenante.

Kitty's Arab had gone *through* the 'rickshaw: so that my first hope that some woman marvellously like Mrs. Wessington had hired the carriage and the coolies with their old livery was lost. Again and again I went round this treadmill[1] of thought; and again and again[2] gave up baffled and in despair. The voice was as inexplicable as the apparition. I had originally some wild[3] notion of confiding it all to Kitty; of begging her to marry me at once, and in her arms defying the ghostly occupant of the 'rickshaw. 'After all,' I argued[4], 'the presence of the 'rickshaw is in itself enough to prove the existence of a spectral illusion. One may see ghosts of men and women, but surely never coolies and carriages. The whole thing is absurd. Fancy the ghost of a hillman[5]!'

Next morning I sent a penitent note to Kitty, imploring her to overlook my strange conduct of the previous afternoon. My Divinity[6] was still very wroth[7], and a personal apology was necessary. I explained, with a fluency born of night-long pondering over a falsehood[8], that I had been attacked with a sudden palpitation of the heart —the result of indigestion. This eminently practical solution had its effect; and Kitty and I rode out that afternoon with the shadow of my first lie dividing us[9].

Nothing would please her save a canter round Jakko. With my nerves still unstrung from the previous night I feebly protested against the notion, suggesting Observatory Hill,

---

1. **treadmill**: 1) *manège de discipline*; 2) *routine*.

2. **again and again**: la répétition de cette expression, déjà répétitive en elle-même, montre à quel point Pansay tourne et retourne le problème dans sa tête.

3. **wild**: le mot prend toute sa force dans le contexte, et la frontière avec la folie s'amenuise.

4. **argued**: ce terme souligne également les efforts de Pansay pour garder la tête claire.

5. **a hillman**: un certain mépris pour les coolies et les indigènes en général se révèle dans les propos de Pansay.

Le cheval arabe de Kitty avait véritablement *traversé* le pousse-pousse, si bien que s'effondrait mon premier espoir qu'une femme merveilleusement semblable à Mrs. Wessington ait loué la voiture et les coolies avec leurs anciennes livrées. Je retournais sans cesse ces pensées dans ma tête ; et sans cesse, déconcentré et désespéré, je renonçais à comprendre. La voix était aussi inexplicable que l'apparition. J'eus d'abord l'idée folle de tout confier à Kitty, de la supplier de m'épouser sur-le-champ et dans ses bras de défier le fantôme qui occupait le pousse-pousse. ''Après tout'', raisonnai-je, ''la présence du pousse-pousse est en soi suffisante pour prouver qu'il s'agit d'une illusion spectrale. On peut voir des fantômes d'hommes et de femmes, mais sûrement jamais de coolies ni de voitures. Toute l'histoire est absurde. Imaginez le fantôme d'un indigène des collines !''

Le lendemain matin, j'envoyai à Kitty une courte lettre de repentir, l'implorant d'oublier mon étrange conduite de l'après-midi précédent. Ma déesse était encore très courroucée et il fut nécessaire de lui faire des excuses de vive voix. Je lui expliquai, avec une aisance née d'une nuit passée à me demander quelle histoire inventer, que j'avais été pris de palpitations subites, conséquences d'une indigestion. Cette solution éminemment pratique produisit son effet ; et Kitty et moi partîmes à cheval cet après-midi-là avec entre nous l'ombre de mon premier mensonge.

Rien ne lui ferait davantage plaisir que d'aller galoper autour du Jakko. Les nerfs encore à vif après la nuit précédente, j'émis quelques vagues protestations contre cette idée en suggérant la colline de l'Observatoire,

---

6. **My Divinity** : compte tenu de ce qu'on a vu de Kitty, l'expression ne peut être qu'ironique.

7. **wroth** : terme littéraire.

8. **night-long... falsehood** : l'expression anglaise est extrêmement concise. **To ponder** : *réfléchir longuement*.

9. **the shadow... dividing us** : ce qui les divise, c'est autant l'ombre de Mrs. Wessington que celle du mensonge de Pansay.

Jutogh[1], the Boileaugunge[2] road —anything rather than the Jakko round. Kitty was angry and a little hurt; so I yielded from fear of provoking further[3] misunderstanding, and we set out together towards Chota Simla[4]. We walked[5] a greater part of the way, and, according to our custom, cantered from a mile or so below the Convent to the stretch of level road by the Sanjaolie Reservoir. The wretched[6] horses appeared to fly, and my heart beat quicker and quicker as we neared the crest of the ascent. My mind had been full of Mrs. Wessington all the afternoon; and every inch of the Jakko road bore witness to our old-time walks and talks[7]. The boulders were full of it; the pines sang it aloud overhead; the rain-fed torrents giggled and chuckled[8] unseen over the shameful story; and the wind in my ears chanted the iniquity aloud.

As a fitting climax[9], in the middle of the level men call the Ladies' Mile the Horror[10] was awaiting me. No other 'rickshaw was in sight —only the four black-and-white *jhampanis*, the yellow-panelled carriage, and the golden head of the woman within— all apparently just as I had left them eight months and one fortnight ago! For an instant I fancied that Kitty *must* see what I saw —we were so marvellously sympathetic[11] in all things. Her next words undeceived me: 'Not a soul in sight! Come along, Jack, and I'll race you to the Reservoir buildings!'

---

1. **Jutogh :** montagne des environs de Simla.

2. **Boileaugunge :** nom d'un faubourg de Simla.

3. **further :** autre comparatif irrégulier de **far**, signifiant *nouveau, supplémentaire* ; cf. note 2, p. 242.

4. **Chota Simla :** littéralement *petit Simla*, autre faubourg situé au sud de la ville.

5. **walked :** employé ici dans le sens de *marcher au pas*, puisqu'ils sont à cheval.

6. **wretched :** ce qualificatif s'explique par l'inquiétude de Pansay pour qui les chevaux vont beaucoup trop vite, comme l'indique ensuite le verbe **to fly**.

7. **walks and talks :** ici l'expression ne concerne plus Pansay et Kitty,

Jutogh, la route de Boileaugunge, tout plutôt que le tour du Jakko. Kitty s'en montra fâchée et un peu blessée ; aussi lui cédai-je de peur de provoquer d'autres malentendus et nous nous mîmes en route vers Chota Simla. Nous parcourûmes au pas la majeure partie du chemin puis, suivant notre habitude, allâmes au petit galop à partir d'environ 1 500 mètres en bas du couvent jusqu'à la partie plate de la route, près du réservoir de Sanjowlie. Nos malheureux chevaux semblaient voler et mon cœur battait de plus en plus fort en approchant du haut de la montée. Tout l'après-midi, j'avais eu l'esprit absorbé par Mrs. Wessington ; et chaque centimètre de la route du Jakko portait témoignage de nos promenades et conversations d'antan. Les rochers en abondaient ; les pins les clamaient au-dessus de nos têtes ; les torrents grossis par les pluies gloussaient et riaient en cachette de cette histoire honteuse et le vent psalmodiait tout fort dans mes oreilles cette iniquité.

Comble approprié de mes malheurs, au milieu de la zone plate qu'on appelle le Kilomètre des Dames, l'Horreur m'attendait. Aucun autre pousse-pousse n'était en vue, seulement les quatre jhampanis noir et blanc, la voiture aux panneaux jaunes et la tête dorée de la femme à l'intérieur, tous apparemment tels que je les avais laissés huit mois et demi auparavant ! Un instant, je m'imaginai que Kitty devait nécessairement voir ce que je voyais — nous sympathisions en tout de manière si merveilleuse. Ce qu'elle dit alors me détrompa : ''Pas une âme en vue ! Venez, Jack, nous allons faire la course jusqu'aux bâti-ments du Réservoir.''

---

comme p. 234 (voir note 2), mais rappelle que Pansay a connu avec Mrs. Wessington le même genre de distractions.

8. **giggled and chuckled** : ces deux verbes personnifient les torrents.

9. **climax** : *sommet, apogée, comble.*

10. **the Horror** : la majuscule est parlante et ne laisse aucun doute possible sur ce dont il s'agit.

11. **sympathetic** : *en sympathie,* au sens étymologique du terme.

Her wiry[1] little Arab was off like a bird, my Waler following close behind, and in this order we dashed under the cliffs. Half a minute[2] brought us within fifty yards of the 'rickshaw. I pulled my Waler and fell back a little. The 'rickshaw was directly in the middle of the road; and once more the Arab passed through it, my horse following. 'Jack! Jack, dear! *Please* forgive me,' rang with a wail in my ears, and, after an interval: 'It's all a mistake, a hideous mistake[3]!'

I spurred my horse like a man possessed[4]. When I turned my head at the Reservoir works the black-and-white liveries were still waiting —patiently waiting[5]— under the grey hillside, and the wind brought me a mocking echo[6] of the words I had just heard. Kitty bantered me a good deal on my silence throughout the remainder of the ride. I had been talking up till then wildly[7] and at random. To save my life I could not speak afterwards naturally, and from Sanjaolie to the Church wisely held my tongue.

I was to dine with the Mannerings that night, and had barely time to canter home to dress. On the road to Elysium Hill I overheard[8] two men talking together in the dusk. —'It's a curious thing,' said one, 'how completely all trace of it disappeared. You know, my wife was insanely[9] fond of the woman (never could see anything in her myself),

---

1. **wiry** : cf. **wire** : *fil de fer*.

2. **half a minute** : encore une expression qui montre que le temps passe trop vite pour Pansay.

3. **a hideous mistake** : le fantôme interpelle toujours Pansay comme du vivant de Mrs. Wessington, et ces mots constituent un leitmotiv obsédant.

4. **like a man possessed** : la comparaison va de soi, compte tenu des événements.

5. **waiting** : la répétition de ce mot et les deux adverbes **still** et **patiently** révèlent l'angoisse grandissante du narrateur qui sait qu'à présent Mrs. Wessington sera toujours quelque part à l'attendre.

6. **a mocking echo** : non seulement la vision du pousse-pousse mais

248

Son petit cheval arabe nerveux s'envola comme un oiseau, mon cheval australien le suivit de près et dans cet ordre nous nous élançâmes en contrebas des falaises. En une demi-minute, nous fûmes à moins de cinquante mètres du pousse-pousse. Je retins mon cheval et reculai un peu. Le pousse-pousse se trouvait exactement au milieu de la route et, une fois encore, le cheval arabe passa au travers, suivi de mon cheval. ''Jack ! Jack ! mon chéri, je vous en prie, pardonnez-moi'' retentit dans mes oreilles avec un gémissement et, après une pause : ''Tout cela est une erreur, une épouvantable erreur !''

Tel un homme possédé, j'éperonnai mon cheval. Quand je tournai la tête vers les bâtiments du Réservoir, les livrées noir et blanc attendaient toujours, attendaient patiemment, sous le versant gris de la colline, et le vent m'apporta l'écho moqueur des mots que je venais d'entendre. Kitty plaisanta abondamment sur mon silence pendant le reste de la promenade. Jusque-là, j'avais parlé à tort et à travers. Pour rien au monde après cela je ne pouvais m'exprimer naturellement, et de Sanjowlie jusqu'à l'église, je tins prudemment ma langue.

Ce soir-là, je devais dîner chez les Mannering et j'avais à peine le temps de rentrer chez moi au petit galop pour m'habiller. Sur la route du Mont Elysium, j'entendis à leur insu la conversation de deux hommes dans l'obscurité :

— C'est une chose curieuse, disait l'un, que toute trace en ait complètement disparu. Vous savez, mon épouse portait à cette femme une affection déraisonnable (je n'ai personnellement jamais rien trouvé d'extraordinaire chez elle)

---

aussi les paroles prononcées par Mrs. Wessington hantent Pansay.

7. **wildly** : l'excitation de Pansay dans la première partie de la promenade avait quelque chose d'inquiétant, comme l'indique cet adverbe. Cf. note 3, p. 244.

8. **to overhear** : *entendre par hasard* ou *par indiscrétion*.

9. **insanely** : la folie est à nouveau évoquée ici.

and wanted me to pick up her old 'rickshaw and coolies if they were to be got for love or money[1]. Morbid sort of fancy[2] I call it; but I've got to do what the Memsahib[3] tells me. Would you believe[4] that the man she hired it from tells me that all four of the men —they were brothers— died of cholera on the way to Hardwar[5], poor devils; and the 'rickshaw has been broken up by the man himself! Told me he never used a dead Memsahib's 'rickshaw. Spoilt his luck[6]. Queer notion, wasn't it? Fancy poor little Mrs. Wessington spoiling any one's luck except her own[7]!' I laughed aloud at this point; and my laugh jarred on me as I uttered it[8]. So there *were* ghosts of 'rickshaws after all, and ghostly employments in the other world! How much did Mrs. Wessington give her men? What were their hours? Where did they go?

And for visible answer to my last question I saw the infernal Thing[9] blocking my path in the twilight. The dead[10] travel fast, and by short cuts unknown to ordinary coolies. I laughed aloud a second time and checked my laughter suddenly, for I was afraid I was going mad[11]. Mad to a certain extent I must have been, for I recollect that I reined in my horse at the head of the 'rickshaw, and politely wished Mrs. Wessington 'Good evening.' Her answer was one I knew only too well. I listened to the end; and replied that I had heard it all before,

1. **for love or money** : littéralement *par affection ou pour de l'argent*.
2. **morbid sort of fancy** : Pansay n'est donc pas le seul sur qui Mrs. Wessington aura eu un effet malsain.
3. **the Memsahib** : encore une phrase pleine de sous-entendus misogynes...
4. **would you believe** : exprime toute la surprise de cet homme face aux événements qu'il relate.
5. **Hardwar** : petite ville au sud-est de Simla.
6. **spoilt his luck** : m. à m. *gâchait sa chance*, **to spoil, spoilt, spoilt** : *gâcher, gâter*.
7. **Fancy... her own** : l'homme qui parle continue à s'étonner car il ne peut envisager que Mrs. Wessington puisse porter malheur à qui que ce soit.

et elle voulait que je reprenne son vieux pousse-pousse et ses coolies, quel qu'en soit le prix à payer. J'appelle ça une sorte de caprice morbide, mais je suis obligé de faire ce que me dit la Memsahib. Croyez-moi ou non, l'homme à qui elle les avait loués me raconte que les quatre domestiques — des frères — sont tous morts du choléra sur la route de Hardwar, les pauvres diables, et que le pousse-pousse a été mis en pièces par cet homme lui-même ! Il m'a dit qu'il n'utilisait jamais le pousse-pousse d'une Memsahib morte. Ça lui portait malheur. Idée bizarre, non ? Imaginez la pauvre petite Mrs. Wessington portant malheur à qui que ce soit d'autre qu'elle !

À ce point, je me mis à rire bruyamment et d'entendre mon rire m'agaça. Il existait donc bien après tout des pousse-pousse fantômes et des emplois fantômes dans l'autre monde ! Combien Mrs. Wessington donnait-elle à ses hommes ? Quel était leur horaire de travail ? Où allaient-ils ?

Et en réponse visible à ma dernière question, je distinguai la Chose infernale qui me bloquait la route dans le crépuscule. Les morts voyagent vite et prennent des raccourcis inconnus des coolies ordinaires. Je ris bruyamment une seconde fois et interrompis brusquement mon rire car je craignais d'être en train de devenir fou. Fou jusqu'à un certain point je devais l'être, car je me souviens d'avoir retenu mon cheval devant le pousse-pousse et d'avoir poliment souhaité ''Bonsoir'' à Mrs. Wessington. Elle me fit une réponse que je connaissais trop bien. J'écoutai jusqu'au bout et répondis que j'avais entendu tout cela auparavant,

---

8. **as I uttered it :** littéralement : *quand je l'émis.*

9. **the infernal Thing :** que le fantôme de Mrs. Wessington vienne de l'enfer lui semble à présent certain.

10. **the dead :** on remarquera que Pansay s'exprime ici comme s'il parlait de choses tout à fait naturelles.

11. **mad :** le spectre de la folie hante à nouveau Pansay.

but should be delighted if she had anything further to say. Some malignant devil[1] stronger than I must have entered[2] into me that evening, for I have a dim recollection of talking the commonplaces of the day for five minutes to the Thing[3] in front of me.

'Mad as a hatter[4], poor devil —or drunk. Max, try and get him to come home.'

Surely *that* was not Mrs. Wessington's voice! The two men had overheard me speaking to the empty air[5], and had returned to look after me. They were very kind and considerate, and from their words evidently gathered that I was extremely drunk. I thanked them confusedly and cantered away to my hotel, there changed, and arrived at the Mannerings'[6] ten minutes late. I pleaded the darkness of the night as an excuse; was rebuked by Kitty for my un-loverlike[7] tardiness; and sat down.

The conversation had already become general; and, under cover[8] of it, I was addressing some tender small talk to my sweetheart when I was aware that at the farther end[9] of the table a short, red-whiskered man was descri-bing, with much broidery, his encounter with a mad unknown that evening.

A few sentences convinced me that he wad repeating the incident of half an hour ago. In the middle of the story he looked round for applause, as professional story-tellers do, caught[10] my eye, and straightway collapsed.

---

1. **devil** : ce mot est à rapprocher de tous ceux qui émaillent le récit de Pansay et qui ont trait à l'enfer et au diable.

2. **must have entered** : même tournure que **must have been** un peu plus haut : on est entré dans le champ des hypothèses.

3. **the Thing** : plus besoin d'aucun qualificatif, ce mot suffit à désigner le fantôme de Mrs. Wessington.

4. **mad as a hatter** : littéralement *fou comme un chapelier* ; on dit également **mad as a March hare** : *fou comme un lièvre de mars*.

5. **to the empty air** : littéralement *à l'air vide*.

6. **at the Mannerings'** : en anglais, les noms propres peuvent prendre

mais que je serais enchanté si elle avait quelque chose à ajouter. Un démon malin plus fort que moi devait m'habiter ce soir-là, car j'ai un vague souvenir d'avoir raconté pendant cinq minutes à la Chose en face de moi les banalités de la journée.

— Fou à lier, le pauvre diable, ou saoul! Max, essayez de le faire rentrer chez lui.

Cette voix-là n'était assurément pas celle de Mrs. Wessington! Les deux hommes m'avaient entendu parler tout seul et étaient revenus s'occuper de moi. Ils furent très gentils et pleins d'attention et, à les entendre, il s'avérait évident que j'étais complètement ivre. Je les remerciai confusément, regagnai au petit galop mon hôtel où je me changeai et arrivai chez les Mannering avec dix minutes de retard. J'invoquai comme excuse l'obscurité de la nuit, fut réprimandé par Kitty pour ce retard peu digne d'un amoureux et m'assis.

La conversation était déjà devenue générale et à sa faveur, j'adressais quelques petits propos tendres à ma bien-aimée quand je me rendis compte qu'à l'autre bout de la table, un petit homme à favoris roux était en train de décrire, avec beaucoup de fioritures, sa rencontre ce soir-là avec un fou.

Quelques phrases me convainquirent qu'il relatait l'incident survenu une demi-heure auparavant. Au milieu de l'histoire, il regarda autour de lui en quête d'applaudissements, à la manière des conteurs professionnels, croisa mon regard et resta subitement court.

---

un s au pluriel. Par ailleurs, après l'apostrophe est sous-entendu le mot **house**, d'où la traduction : *chez les Mannering*.

7. **unloverlike** : mot forgé par Kipling à l'aide du préfixe négatif **un-** et du suffixe **-like** *(comme)* accolés au mot **lover**.

8. **under cover** : littéralement *à l'abri*.

9. **at the farther end** : littéralement *à l'extrémité la plus éloignée*, cf. note 12, p. 243.

10. **caught : to catch, caught, caught** : *attraper*.

There was a moment's awkward silence, and the red-whiskered man muttered something to the effect that he had 'forgotten the rest', thereby sacrificing a reputation as a good story-teller which he had built up for six seasons past[1]. I blessed[2] him from the bottom of my heart, and — went on with my fish.

In the fullness of time that dinner came to an end; and with genuine regret I tore[3] myself away from Kitty —as certain as I was of my own existence that It[4] would be waiting for me outside the door. The red-whiskered man, who had been introduced to me as Dr Heatherlegh[5] of Simla, volunteered to bear me company as far as our roads lay together. I accepted his offer with gratitude.

My instinct had not deceived me. It lay in readiness[6] in the Mall, and, in what seemed devilish[7] mockery[8] of our ways, with a lighted head-lamp. The red-whiskered man went to the point at once, in a manner that showed he had been thinking over it all dinner-time.

'I say, Pansay, what the deuce was the matter with you this evening on the Elysium Road?' The suddenness of the question wrenched an answer from me before I was aware.

'That!' said I, pointing to It.

'*That*[9] may be either D.T. or Eyes for aught I know. Now, you don't liquor. I saw as much at dinner, so it can't be D.T.

---

1. **six seasons past**: une certaine ironie transparaît dans cette remarque. Il est probable que Kipling évoque un genre de personnes qu'il a dû rencontrer en plusieurs endroits.

2. **to bless**: faux ami : *bénir* (*blesser* : **to wound, to hurt**).

3. **tore**: cf. **to tear, tore, torn**: *déchirer*.

4. **It**: on remarquera la majuscule qui permet d'identifier à quoi ce pronom renvoie.

5. **Dr. Heatherlegh**: de même que Pansay n'a été décrit qu'assez tard, le personnage du Dr. Heatherlegh ne nous est véritablement présenté que maintenant.

6. **readiness**: substantif formé sur **ready**: *prêt*.

Il y eut un moment de silence embarrassé, puis l'homme aux favoris roux marmonna quelques mots comme quoi "il avait oublié le reste", sacrifiant de la sorte une réputation d'excellent conteur élaborée au cours des six dernières saisons. Je le bénis du fond du cœur et continuai à manger mon poisson.

En temps et lieu, ce dîner se termina et, avec un regret sincère, je m'arrachai à Kitty, convaincu comme de ma propre existence que la Chose serait à m'attendre de l'autre côté de la porte. L'homme aux favoris roux qui m'avait été présenté comme étant le docteur Heatherlegh, de Simla, se porta volontaire pour me tenir compagnie aussi longtemps que nous suivrions le même itinéraire. J'acceptai son offre avec gratitude.

Mon instinct ne m'avait pas trompé. Elle se trouvait là sur le Mall et, façon diabolique de se moquer de nos habitudes, me sembla-t-il, avec une lampe allumée. L'homme aux favoris roux en vint au fait immédiatement, d'une manière qui révélait qu'il y avait réfléchi durant tout le dîner.

— Dites donc, Pansay, que diable vous est-il arrivé ce soir sur la route de l'Elysium ?

La brutalité de la question m'arracha une réponse avant que je m'en rendisse compte.

— Ça ! dis-je, en montrant du doigt la Chose.

— *Ça* peut aussi bien provenir du delirium tremens que de vos yeux, pour ce que j'en sais. Or vous ne buvez pas d'alcool. Je l'ai bien remarqué au dîner, il ne peut donc s'agir de D.T.

---

7. **devilish** : ce qualificatif est à souligner car il entre dans le réseau des termes évoqués ci-dessus, cf. note 1, p. 252.

8. **mockery** : la frontière entre le monde réel et le monde surnaturel s'estompe puisque le pousse-pousse, comme tout pousse-pousse véritable, est éclairé par une lampe en raison de la nuit.

9. ***That*** : la présence des italiques ajoute à l'effet provenant de la reprise par Heatherlegh du mot utilisé par Pansay.

There's nothing whatever[1] where you're pointing, though you're sweating and trembling with fright like a scared pony. Therefore, I conclude that it's Eyes. And I ought to understand all about them. Come along home with me. I'm on the Blessington lower road.'

To my intense[2] delight the 'rickshaw, instead of waiting for us, kept about twenty yards ahead —and this, too, whether we walked, trotted, or cantered. In the course of that long night ride I had told my companion almost as much as I have told you here.

'Well, you've spoilt[3] one of the best tales I've ever laid tongue to,' said he, 'but I'll forgive you for the sake of what you've gone through. Now come home and do what I tell you; and when I've cured you[4], young man, let this be a lesson to you to steer[5] clear of women and indigestible food till the day of your death.'

The 'rickshaw kept steadily[6] in front; and my red-whiskered friend[7] seemed to derive great pleasure from my account of its exact whereabouts.

'Eyes, Pansay —all Eyes, Brain, and Stomach. And the greatest of these three is Stomach. You've too much conceited Brain, too little[8] Stomach, and thoroughly unhealthy Eyes. Get your Stomach straight[9] and the rest follows. And all that's French for a liver pill. I'll take sole medical charge of you from this hour, for you're too interesting a phenomenon to be passed over[10].'

---

1. **whatever** : cf. note 6, p. 236.

2. **intense** : les réactions de Pansay semblent toujours excessives...

3. **spoilt** : allusion au fait que Heatherlegh a interrompu le récit de son aventure quand il a reconnu parmi les convives l'homme dont il était en train de parler.

4. **when I've cured you** : le ton autoritaire et la certitude de guérison exprimée par le docteur contrastent avec l'état d'inquiétude et d'angoisse de Pansay.

5. **to steer** : *gouverner (un bateau).*

6. **steadily** : l'adverbe est bien choisi qui révèle le côté inamovible, persistant, de l'hallucination.

Il n'y a rien à l'endroit que vous m'indiquez, bien que vous trembliez et transpiriez de frayeur comme un poney terrorisé. J'en conclus donc qu'il s'agit des yeux. Et je devrais comprendre tout le problème. Venez chez moi, j'habite sur la route de Blessington.

À ma grande satisfaction, le pousse-pousse au lieu de nous attendre restait à environ vingt mètres en avant, et ce, que nous allions au pas, au trot ou au galop. À la fin de cette longue chevauchée nocturne, j'avais raconté à mon compagnon presque tout ce que je vous ai raconté ici.

— Eh bien ! vous avez gâché l'une des meilleures histoires que j'aie jamais relatées, dit-il, mais je vous pardonne à cause de ce que vous avez vécu. À présent, rentrez chez vous et faites ce que je vous dis ; et quand je vous aurai guéri, jeune homme, que cela vous serve de leçon et vous apprenne à éviter les femmes et la nourriture indigeste jusqu'au jour de votre mort.

Le pousse-pousse restait obstinément devant et mon ami aux favoris roux semblait tirer grand plaisir du récit que je lui faisais de ses déplacements précis.

— Les yeux, Pansay, tout cela vient des yeux, du cerveau, de l'estomac. Et le plus important de ces trois-là, c'est l'estomac. Vous avez le cerveau trop avantageux, l'estomac trop petit et les yeux en très mauvais état. Soignez votre estomac et le reste suivra. Et prenez tout ce qui existe de français comme pilule pour le foie. Dorénavant, je vous prendrai totalement en charge médicalement, car vous êtes un phénomène trop intéressant pour qu'on ne s'en occupe pas.

----

7. **friend** : allusion à l'affection que porte Pansay à Heatherlegh et dont il a parlé au début de son récit.

8. **too much... too little...** : *trop de... trop peu de...*

9. **to get straight** : littéralement *mettre de l'ordre*, cf. **straight** : *droit*.

10. **to pass over** : *ignorer, négliger.*

By this time we were deep in the shadow[1] of the Blessington lower road, and the 'rickshaw came to a dead stop[2] under a pine-clad[3], overhanging shale cliff. Instinctively I halted too, giving my reason. Heatherlegh rapped out an oath.

'Now, if you think I'm going to spend a cold night on the hillside for the sake of a Stomach-*cum*-Brain-*cum*-Eye illusion —Lord, ha' mercy[4]! What's that?'

There was a muffled report, a blinding smother of dust just in front of us, a crack, the noise of rent boughs, and about ten yards of the cliff-side —pines, undergrowth, and all— slid[5] down into the road below, completely blocking it up. The uprooted trees swayed and tottered[6] for a moment like drunken giants[7] in the gloom, and then fell prone among their fellows[8] with a thunderous crash. Our two horses stood motionless and sweating with fear. As soon as the rattle[9] of falling earth and stone had subsided, my companion muttered: 'Man, if we'd gone forward we should have been ten feet deep in our graves[10] by now. "There are more things in heaven and earth..."[11] Come home, Pansay, and thank God. I want a peg badly.'

We retraced our way over the Church Ridge, and I arrived at Dr Heatherlegh's house shortly after midnight.

---

1. **deep in the shadow**: l'ombre est traditionnellement un lieu maléfique...

2. **a dead stop**: littéralement *arrêt complet*. L'expression est un cliché, mais la présence du mot **dead** ne peut être passée sous silence.

3. **pine-clad**: littéralement *habillé de pins* (**clad** ne s'emploie qu'après un adverbe ou en composition).

4. **Lord, ha' mercy!**: m. à m. *Seigneur, ayez pitié* (**have mercy**).

5. **slid**: cf. to slide, slid, slid: *glisser*.

6. **swayed and tottered**: Kipling a souvent recours à deux verbes très proches de sens pour mieux décrire les choses.

7. **like drunken giants**: la comparaison n'est pas très originale, mais dans le contexte elle reste impressionnante.

8. **fellows**: deuxième personnification des pins.

À présent, nous avions pénétré profondément dans l'ombre de la route de Blessington et le pousse-pousse s'arrêta en contrebas d'une falaise de schiste argileux en saillie, couverte de pins. Instinctivement, je fis halte également, en expliquant pourquoi. Heatherlegh proféra un juron.

— Allons bon, si vous pensez que je vais passer une nuit glaciale sur la colline à cause d'une illusion due et à l'estomac et au cerveau et aux yeux !... Bon sang ! qu'est-ce qui se passe ?

Il y eut une détonation étouffée, un nuage de poussière aveuglant juste devant nous, un craquement, le bruit de branches arrachées, et une dizaine de mètres du flanc de la falaise — pins, sous-bois et tout — glissèrent sur la route en contrebas et l'obstruèrent complètement. Les arbres déracinés oscillèrent et vacillèrent un moment comme des géants ivres dans les ténèbres, puis ils s'affaissèrent au milieu des autres arbres dans un bruit de tonnerre. Nos deux chevaux restèrent immobiles, transpirant de frayeur. Dès que le fracas dû à la chute de la terre et des pierres se calma, mon compagnon murmura :

— Mon vieux, si nous avions avancé, nous serions à présent à trente mètres sous terre, au fond de nos tombes. "Il y a plus de choses au ciel et sur la terre..." Rentrez chez vous, Pansay, et remerciez Dieu. J'ai terriblement besoin de boire un verre.

Nous rebroussâmes chemin par la Crête de l'Église et j'arrivai à la maison du docteur Heatherlegh après minuit.

9. **rattle** : le mot fait écho à **crash** un peu plus haut.
10. **graves** : la mort est ici évoquée très concrètement.
11. **there are... in earth** : citation tirée de la pièce de Shakespeare : *Hamlet*, acte I, scène 5.

His attempts[1] towards my cure commenced almost immediately, and for a week I never left his sight. Many a time[2] in the course of that week did I bless[3] the good-fortune which had thrown me in contact with Simla's best and kindest doctor. Day by day my spirits grew lighter and more equable. Day by day[4], too, I became more and more inclined to fall in with Heatherlegh's 'spectral illusion' theory, implicating eyes, brain, and stomach. I wrote to Kitty, telling her that a slight sprain caused by a fall from my horse[5] kept me indoors[6] for a few days; and that I should be recovered before she had time to regret my absence.

Heatherlegh's treatment was simple to a degree. It consisted of liver pills, cold-water baths, and strong exercise, taken in the dusk or at early dawn[7] —for, as he sagely observed: 'A man with a sprained ankle doesn't walk a dozen miles a day[8], and your young woman might be wondering, if she saw you.'

At the end of the week, after much examination of pupil[9] and pulse, and strict injunctions as to diet and pedestrianism, Heatherlegh dismissed me as brusquely as he had taken charge of me. Here is his parting benediction: 'Man, I certify[10] to your mental cure, and that's as much as to say I've cured most of your bodily ailments[11]. Now, get your traps out of this as soon as you can; and be off to make love to Miss Kitty.'

---

1. **attempts :** ce terme laisse présager que la guérison était incertaine.

2. **many a time :** **many a** ou **an** suivi d'un nom singulier équivaut au français *maint, mainte*.

3. **did I bless :** l'inversion est due à la présence en début de phrase de l'expression adverbiale **many a time**.

4. **day by day :** nouvel effet de répétition, servant à marquer ici le lent écoulement du temps et la lente progression vers la guérison.

5. **a fall from my horse :** on remarquera l'utilisation de la préposition **from** qui indique l'origine, le point de départ.

6. **indoors :** *à l'intérieur*.

7. **early dawn :** littéralement *tôt à l'aube*.

Ses tentatives pour me guérir commencèrent presque immédiatement et pendant une semaine, il ne me perdit pas de vue. Maintes fois au cours de cette semaine-là, j'ai béni la bonne fortune qui m'avait fait rencontrer le meilleur docteur de Simla et le plus gentil. Jour après jour, je me sentais d'humeur plus légère et plus égale. Jour après jour aussi, je semblais de plus en plus enclin à accepter la théorie de Heatherlegh sur "les apparitions de spectres" dues aux yeux, au cerveau et à l'estomac. J'écrivis à Kitty en lui disant qu'une légère entorse causée par une chute de cheval m'obligeait à garder la chambre pendant quelques jours et que je devrais être guéri avant qu'elle n'ait eu le temps de regretter mon absence.

Le traitement de Heatherlegh était simple à l'extrême. Il consistait en pilules pour le foie, en bains froids et en exercices physiques énergiques accomplis au crépuscule ou aux premières heures du jour car, remarquait-il judicieusement "un homme avec une cheville foulée ne parcourt pas dix-huit kilomètres à pied par jour, et votre jeune amie pourrait se poser des questions si elle vous voyait".

À la fin de la semaine, après avoir examiné longuement mes pupilles, pris mon pouls et prescrit régime alimentaire strict et marche à pied, Heatherlegh me renvoya aussi brusquement qu'il m'avait pris en charge. Voici la bénédiction qu'il proféra pour mon départ : "Mon vieux, je certifie que vous êtes mentalement guéri, ce qui revient à dire que je vous ai guéri de vos souffrances physiques. À présent, partez d'ici dès que possible avec vos affaires et allez faire la cour à Miss Kitty."

_____

8. **a dozen miles a day** : le traitement du Dr Heatherlegh est effectivement énergique, comme le laissait entendre l'expression **strong exercise** un peu plus haut.

9. **pupil** : ici *pupille* ; autre sens : *élève*.

10. **I certify** : le docteur se montre bien sûr de lui...

11. **mental cure... bodily ailments** : les mots du Dr Heatherlegh montrent qu'il persiste à voir dans les hallucinations de Pansay une cause physique.

I was endeavouring to express my thanks for his kindness. He cut me short.

'Don't think[1] I did this because I like you. I gather that you've behaved like a blackguard all through. But, all the same, you're a phenomenon, and as queer a phenomenon as you are a blackguard[2]. No!' —checking me a second time— 'not a rupee[3], please. Go out and see if you can find the eyes-brain-and-stomach business[4] again. I'll give you a lakh[5] for each time you see it.'

Half an hour later I was in the Mannerings' drawing-room with Kitty —drunk with the intoxication of present happiness and the foreknowledge[6] that I should never more be troubled with Its[7] hideous presence. Strong in the sense of my new-found security, I proposed a ride at once; and, by preference, a canter round Jakko[8].

Never had I felt so well, so overladen with vitality[9] and mere animal spirits, as I did on the afternoon of the 30th of April. Kitty was delighted at the change in my appearance, and complimented me on it in her delightfully frank and outspoken manner. We left the Mannerings' house together, laughing and talking, and cantered along the Chota Simla road as of old.

I was in haste to reach the Sanjaolie Reservoir and there make my assurance doubly sure. The horses did their best, but seemed all too slow to my impatient mind. Kitty was astonished at my boisterousness.

---

1. **don't think :** Heatherlegh semble manifester une certaine pudeur dans cette remarque et adopte un ton moralisateur.

2. **as queer a phenomenon as you are a blackguard :** m. à m. *un phénomène aussi étrange que vous êtes une canaille.*

3. **not a rupee :** le fait qu'il refuse d'être payé tend à prouver que Heatherlegh a agi par sympathie.

4. **the eyes-brain-and-stomach business :** cette expression, par laquelle Heatherlegh décrit les visions de Pansay, montre qu'il s'en tient toujours à la même explication.

5. **lakh :** 100 000 roupies. Il s'agit donc d'une somme importante.

6. **foreknowledge :** exactement *connaissance anticipée.*

J'essayai de lui exprimer mes remerciements pour sa gentillesse. Il me coupa la parole.

— Ne pensez pas que j'ai fait cela parce que je vous trouve sympathique. À ce que je comprends, vous vous êtes conduit comme une crapule d'un bout à l'autre. Mais, tout de même, vous êtes un phénomène et un phénomène dont la bizarrerie n'a d'égale que la canaillerie. Non — m'arrêtant une seconde fois —, pas une roupie, je vous en prie. Allez voir si cette histoire due aux yeux, au cerveau et à l'estomac se reproduit. Je vous donnerai un *lakh* chaque fois qu'elle surviendra.

Une demi-heure plus tard, je me retrouvais dans le salon des Mannering avec Kitty, ivre du bonheur présent et de savoir que je ne serais plus ennuyé par la présence effroyable de la Chose. Fort du sentiment de ma sécurité nouvelle, je proposai immédiatement une promenade à cheval et, de préférence, un galop autour du Jakko.

Jamais je ne m'étais senti aussi bien, si débordant de vitalité et tout simplement d'entrain que cet après-midi du 30 avril. Kitty était ravie de mon changement d'apparence et m'en fit compliment à sa façon merveilleusement franche et ouverte. Riant et bavardant, nous quittâmes ensemble la maison des Mannering, et comme auparavant suivîmes au petit galop la route de Chota Simla.

J'avais hâte d'atteindre le Réservoir de Sanjowlie et d'y trouver confirmation de ma sécurité. Les chevaux faisaient de leur mieux mais semblaient aller trop lentement pour mon esprit impatient. Kitty était étonnée de mon exubérance.

---

7. **Its** : référence discrète à l'hallucination par l'utilisation de l'adjectif possessif.

8. **Jakko** : on est loin de l'appréhension qui marquait chaque promenade dans cet endroit et la certitude qu'a Pansay d'être guéri l'amène à se comporter de manière audacieuse.

9. **vitality** : de nombreux termes dans les lignes qui vont suivre tendent à exprimer le sentiment de joie et de liberté éprouvé par Pansay.

'Why, Jack!' she cried at last, 'you are behaving like a child. What are you doing?'

We were just below the Convent, and from sheer wantonness I was making my Waler plunge and curvet across the road as I tickled it with the loop of my riding-whip.

'Doing?' I answered; 'nothing, dear. That's just it. If you'd been doing nothing[1] for a week except lie up, you'd be as riotous as I.

> '*Singing and murmuring*[2] *in your feastful mirth,*
> > *Joying to feel yourself alive;*
> *Lord over Nature, Lord of the visible Earth,*
> > *Lord of the senses five.*'

My quotation was hardly out of my lips before we had rounded the corner above the Convent, and a few yards farther one could see across to Sanjaolie. In the centre[3] of the level road stood the black-and-white liveries, the yellow-panelled 'rickshaw, and Mrs. Keith-Wessington. I pulled up, looked, rubbed my eyes[4], and, I believe, must have said something. The next thing I knew was that I was lying face downward on the road, with Kitty kneeling above me in tears.

'Has it gone, child?' I gasped. Kitty only wept more bitterly.

'Has *what*[5] gone, Jack, dear? What does it all mean? There must be a mistake somewhere, Jack. A hideous mistake[6].' Her last words brought me to my feet —mad— raving for the time being.

---

1. **doing nothing**: Pansay est pris dans l'engrenage des mensonges, cf. note 3, p. 242.

2. **singing and murmuring**: ces quelques vers sont tirés (à deux variantes près : **your** à la place de **her** et **yourself** à la place de **herself**) du poème **Place of Art** d'Alfred Tennyson (1803-1892), grand poète victorien anglais.

3. **in the centre**: l'apparition de la vision survient de façon plus inattendue puisque Pansay se croyait guéri.

4. **rubbed my eyes**: ce geste s'explique par l'insistance du docteur à persuader Pansay que ses yeux étaient à l'origine de ses hallucinations.

"Eh bien, Jack! s'écria-t-elle enfin, vous vous conduisez comme un enfant. Que faites-vous?"

Nous étions juste en contrebas du couvent et par divertissement, je faisais cabrer mon cheval et l'obligeais à faire des courbettes sur la route en le chatouillant de la boucle de ma cravache.

— Ce que je fais? répondis-je, rien, ma chérie. C'est tout. Si vous n'aviez rien fait pendant une semaine que rester allongée, vous seriez aussi turbulente que moi :

> *Chantant et murmurant dans votre festive allégresse,*
> *Jouissant de vous sentir en vie,*
> *Maître de la Nature, Maître du monde visible,*
> *Maître de vos cinq sens.*

La citation avait à peine franchi mes lèvres que nous avions pris le tournant au-dessus du couvent et, quelques mètres plus loin, on pouvait voir jusqu'à Sanjowlie. Au milieu de la partie de route plate se tenaient les livrées noir et blanc, le pousse-pousse à panneaux jaunes et Mrs. Keith-Wessington. Je m'arrêtai, regardai, me frottai les yeux et j'ai dû, je crois, dire quelque chose. Tout ce dont je me souviens ensuite, c'est que je me suis retrouvé allongé face contre terre sur la route, Kitty agenouillée en larmes au-dessus de moi.

— Est-elle partie, mon enfant? dis-je d'une voix entrecoupée.

Kitty n'en pleura que plus amèrement.

— Qu'est-ce qui est parti, Jack, mon chéri? Qu'est-ce que tout cela veut dire? Il doit y avoir une erreur quelque part, Jack, une épouvantable erreur.

Ses derniers mots me firent bondir sur mes pieds, fou, délirant sur le moment.

---

5. ***what :*** les italiques, comme la question qui suit, sont là pour bien montrer à quel point Kitty ne comprend rien à ce qui se passe.

6. **a hideous mistake :** on appréciera l'art de Kipling qui met dans la bouche de Kitty les mots mêmes que Mrs. Wessington prononce chaque fois que Pansay la rencontre.

'Yes[1], there *is* a mistake somewhere,' I repeated, 'a hideous mistake. Come and look at It.'

I have an indistinct[2] idea that I dragged Kitty by the wrist along the road up to where It stood, and implored her for pity's sake[3] to speak to It; to tell It what we were betrothed; that neither Death nor Hell[4] could break the tie between us; and Kitty only knows how much more to the same effect. Now and again I appealed passionately to the Terror[5] in the 'rickshaw to bear witness to all I had said, and to release me from a torture that was killing me. As I talked I suppose I must have told Kitty of my old relations with Mrs. Wessington, for I saw her listen intently with white face and blazing[6] eyes.

'Thank you, Mr. Pansay,' she said, 'that's *quite* enough. *Sais, ghora lao* [bring my horse].'

The *saises*, impassive as Orientals always are, had come up with the recaptured horses; and as Kitty sprang into her saddle I caught hold of her bridle, entreating her to hear me out and forgive. My answer was the cut of her riding-whip across my face from mouth to eye, and a word or two of farewell that even now I cannot write down[7]. So I judged, and judged rightly, that Kitty knew all[8]; and I staggered back to the side of the 'rickshaw. My face was cut and bleeding, and the blow of the riding-whip had raised a livid blue weal on it. I had no self-respect.

---

1. **yes** : par cette affirmation et par la reprise de la même expression prononcée par Kitty et par Mrs. Wessington, Pansay semble s'enfermer dans une situation qu'il a jusque-là toujours rejetée.

2. **indistinct** : la mémoire de Pansay défaille, d'autant plus que cet épisode montre qu'il a admis comme une réalité ce qui relève du surnaturel.

3. **for pity's sake** : sake s'emploie souvent dans un cas possessif de ce type, cf. **art for art's sake** : *l'art pour l'art*. On trouve aussi ce mot dans un schéma du type **for the sake of peace** : *par amour de la paix*.

4. **neither Death nor Hell** : les deux substantifs qualifient implicitement Mrs. Wessington, morte et "infernale".

— Oui, il y a une erreur quelque part, répétai-je, une épouvantable erreur. Venez regarder la Chose.

Je me souviens vaguement d'avoir entraîné Kitty par le poignet jusqu'à l'endroit de la route où Elle se trouvait et de l'avoir implorée par pitié de Lui parler, de Lui dire que nous étions fiancés, que ni la mort ni l'enfer ne pourraient briser le lien qui nous unissait ; et seule Kitty sait ce que j'ai dit d'autre du même ordre. Par moments, je suppliais passionnément la Terreur dans le pousse-pousse de témoigner de l'authenticité de mes paroles et de me délivrer d'une torture qui me tuait. Ce disant, je suppose que j'ai dû parler à Kitty de mes relations passées avec Mrs. Wessington car je la vis écouter attentivement, le visage blême et ses yeux jetant des éclairs.

— Merci, monsieur Pansay, dit-elle, cela suffit *tout à fait. Sais, ghora lao* (amenez mon cheval).

Les *sais*, aussi impassibles que le sont toujours les Orientaux, s'étaient approchés avec les chevaux qu'ils avaient rattrapés ; et quand Kitty sauta en selle, j'empoignai sa bride en la suppliant de m'écouter jusqu'au bout et de me pardonner. Pour toute réponse, je reçus un coup de cravache cinglant sur le visage, de la bouche jusqu'aux yeux, et un mot ou deux d'adieu que même aujourd'hui je ne peux écrire. J'en conclus donc, et j'en conclus à juste titre, que Kitty savait tout et je m'approchai en chancelant du pousse-pousse. Mon visage, blessé, saignait et le coup de cravache y avait fait apparaître une zébrure bleue et livide. Il ne me restait plus aucun amour-propre.

---

5. **the Terror :** nouvelle appellation du fantôme qui indique que Pansay n'est plus seulement horrifié mais sous l'emprise de la terreur.

6. **blazing :** la personnalité passionnée de Kitty apparaît de nouveau dans ce qualificatif.

7. **I cannot write down :** l'impossibilité est due à la violence des mots que Kitty lui a adressés en guise d'adieu.

8. **all :** c'est-à-dire toute l'histoire de sa liaison avec Mrs. Wessington.

Just then, Heatherlegh, who must have been following Kitty and me at a distance, cantered up.

'Doctor,' I said, pointing to my face, 'here's Miss Mannering's signature to my order of dismissal, and —I'll thank you for that lakh[1] as soon as convenient[2].'

Heatherlegh's face, even in my abject misery, moved me to laughter[3].

'I'll stake[4] my professional reputation—' he began.

'Don't be a fool,' I whispered. 'I've lost my life's happiness and you'd better take me home.'

As I spoke the 'rickshaw was gone. Then I lost all knowledge of what was passing. The crest of Jakko seemed to heave and roll like the crest of a cloud and fall in upon me.

Seven days later[5] (on the 7th of May, that is to say) I was aware that I was lying in Heatherlegh's room as weak as a little child[6]. Heatherlegh was watching me intently from behind the papers on his writing-table. His first words were not encouraging; but I was too far spent[7] to be much moved[8] by them.

'Here's Miss Kitty has sent back your letters. You corresponded a good deal, you young people. Here's a packet that looks like a ring[9], and a cheerful sort of a note from Mannering Papa, which I've taken the liberty of reading and burning. The old gentleman's not pleased[10] with you.'

---

1. **that lakh :** Pansay rappelle au Dr Heatherlegh la promesse qu'il lui a faite après l'avoir soigné définitivement, pensait-il, cf. note 5, p. 262.

2. **convenient :** *pratique, commode.*

3. **laughter :** *rire* (indénombrable).

4. **to stake :** *jouer, miser, risquer.*

5. **seven days later :** Pansay continue à donner des repères chronologiques précis dans son histoire. Ici il nous fait savoir indirectement que sa perte de conscience fut très longue.

6. **a little child :** ce n'est pas la première fois que Pansay est comparé à un jeune enfant, cf. ce que lui a dit Kitty au début des pp. 264-265.

À ce moment-là exactement, Heatherlegh, qui avait dû nous suivre de loin, Kitty et moi, arriva au petit galop.

— Docteur, dis-je en lui montrant mon visage, voici comment Miss Mannering a signé mon ordre de renvoi et je vous remercierai de me donner un *lakh* dès qu'il vous conviendra.

Le visage d'Heatherlegh me fit rire, malgré mon malheur abject.

— J'y risquerai ma réputation professionnelle, commença-t-il.

— Ne faites pas l'imbécile, murmurai-je. J'ai perdu le bonheur de ma vie et vous feriez mieux de me raccompagner chez moi.

Pendant que je parlais, le pousse-pousse était parti. Puis je perdis toute conscience des événements. La crête du Jakko me parut se soulever et rouler comme la crête d'un nuage et tomber sur moi.

Sept jours plus tard, c'est-à-dire le 7 mai, je me rendis compte que j'étais couché dans la chambre de Heatherlegh, aussi faible qu'un petit enfant. Heatherlegh m'observait avec attention, de derrière les papiers de son bureau. Ses premières paroles ne furent pas encourageantes; mais j'étais trop épuisé pour m'en émouvoir beaucoup.

— Voici vos lettres que Miss Kitty a renvoyées. Vous vous écriviez beaucoup, vous deux. Voici un paquet qui ressemble à une bague; et Papa Mannering a envoyé une petite lettre au ton allègre que j'ai pris la liberté de lire et de brûler. Le vieux monsieur n'est pas content de vous.

---

7. **to spend, spent, spent** : *dépenser (de l'argent), passer (son temps)*.

8. **much moved** : cette indifférence caractérise un nouveau stade de l'évolution psychologique de Pansay.

9. **looks like a ring** : moyen détourné d'indiquer à Pansay que Kitty lui a renvoyé sa bague de fiançailles.

10. **not pleased** : bel exemple de litote !

'And Kitty?' I asked dully[1].

'Rather more drawn than her father from what she says. By the same token, you must have been letting out[2] any number of queer reminiscences just before I met you. Says that a man who would have behaved to a woman[3] as you did to Mrs. Wessington ought to kill himself[4] out of sheer pity for his kind. She's a hot-headed little virago[5], your girl. Will have it too that you were suffering from D.T. when that row on the Jakko road turned up. Says she'll die before she ever speaks to you again.'

I groaned and turned over on the other side.

'Now you've got your choice, my friend. This engagement has to be broken off; and the Mannerings don't want to be too hard on you. Was it broken through D.T. or epileptic fits[6]? Sorry I can't offer you a better exchange unless you'd prefer hereditary insanity. Say the word and I'll tell 'em it's fits. All Simla knows about that scene on the Ladies' Mile. Come! I'll give you five minutes to think over it.'

During those five minutes I believe that I explored thoroughly the lowest circles of the Inferno[7] which it is permitted man to tread on earth. And at the same time I myself was watching myself[8] faltering through the dark labyrinths of doubt, misery, and utter despair. I wondered, as Heatherlegh in his chair might have wondered, which dreadful alternative I should adopt. Presently I heard myself answering in a voice that I hardly recognized:—

---

1. **dully** : l'adverbe illustre l'état d'indifférence et la fatigue tant physique que morale ressentie par Pansay. Cf. **dull** : *terne, las, morne*.

2. **letting out** : on comprend à présent que si Kitty est au courant de la liaison de Pansay avec Mrs. Wessington, c'est parce qu'elle l'a apprise de la bouche même de son fiancé.

3. **to a woman** : Kitty prend parti pour Mrs. Wessington, solidarité féminine oblige !

4. **kill himself** : c'est donc à une véritable sentence de mort que Kitty condamne Pansay.

5. **virago** : le commentaire du Dr Heatherlegh sur Kitty confirme l'impression qu'elle avait donnée.

270

— Et Kitty ? demandai-je d'un ton las.

— Plutôt plus abattue que son père, d'après ce qu'elle dit. En outre, vous avez dû laisser échapper un certain nombre de souvenirs bizarres juste avant que je vous aie rejoints. Elle dit qu'un homme qui se serait comporté envers une femme comme vous envers Mrs. Wessington devrait se tuer par pitié pour son espèce. C'est une petite mégère impétueuse, votre amie. Laisse entendre que vous souffriez de D.T. quand est survenue cette querelle sur la route du Jakko. Dit qu'elle mourra plutôt que de jamais vous reparler.

Je gémis et me retournai de l'autre côté.

— Maintenant, vous avez le choix, mon ami. Il faut rompre ces fiançailles et les Mannering ne veulent pas être trop durs avec vous. Seront-elles rompues pour cause de D.T. ou de crises d'épilepsie ? Désolé de ne pouvoir vous offrir de meilleur choix, à moins que vous ne préfériez la folie héréditaire. Parlez et je leur dirai qu'il s'agit de crises. Tout Simla est au courant de cette scène au Kilomètre des Dames. Allons ! Je vous donne cinq minutes pour réfléchir.

Durant ces cinq minutes, je crois avoir soigneusement exploré les cercles les plus bas de l'Enfer qu'il est permis à l'homme de fouler sur la terre. Et en même temps, je m'observais moi-même traversant en chancelant les sombres labyrinthes du doute, du malheur et de l'extrême désespoir. Je me demandai, comme Heatherlegh dans son fauteuil aurait pu se le demander, quelle solution effrayante adopter. Je m'entendis bientôt répondre d'une voix que je reconnus à peine :

----

6. **D.T. or epileptic fits** : pour sauver la face et la réputation de leur fille, les Mannering demandent en fait à Pansay de choisir entre la peste et le choléra...

7. **the Inferno** : allusion à Dante et à la *Divine Comédie*.

8. **myself** : Pansay ressent un dédoublement de sa personnalité, signe manifeste de schizophrénie.

'They're confoundedly particular about morality in these parts. Give 'em fits, Heatherlegh, and my love¹. Now let me sleep a bit longer.'

Then my two selves joined², and it was only I (half-crazed³, devil-driven I) that tossed in my bed tracing step by step the history of the past month.

'But I am in Simla,' I kept repeating to myself⁴. 'I, Jack Pansay, am in Simla, and there are no ghosts here. It's unreasonnable of that woman to pretend there are. Why couldn't Agnes have left me alone? I never did her any harm⁵. It might just as well have been me as Agnes. Only I'd never have come back on purpose⁶ to kill *her*. Why can't I be left alone —left alone and happy?'

It was high noon when I first awoke; and the sun was low in the sky before I slept —slept as the tortured criminal⁷ sleeps on his rack⁸, too worn to feel further pain.

Next day I could not leave my bed. Heatherlegh told me in the morning that he had received an answer from Mr. Mannering, and that, thanks to his (Heatherlegh's) friendly offices, the story of my affliction had travelled through⁹ the length and breadth¹⁰ of Simla, where I was on all sides much pitied.

'And that's rather more than you deserve,' he concluded pleasantly, 'though the Lord knows you've been going through a pretty severe mill. Never mind; we'll cure you yet¹¹, you perverse phenomenon.'

---

1. **my love** : à prendre évidemment de manière ironique.

2. **joined** : est-ce la fin de la crise de schizophrénie ?

3. **half-crazed** : ce terme prend une valeur singulière dans le contexte de dédoublement de personnalité vécu par Pansay.

4. **repeating to myself** : le fait de se parler à lui-même et de répéter toujours les mêmes choses marque chez Pansay une nouvelle phase de sa folie. On remarquera le côté haché de ses paroles.

5. **harm** : à ce stade, Pansay se justifie et persiste à considérer qu'il n'a rien à se reprocher.

6. **on purpose** : manière implicite de critiquer et d'accuser Mrs. Wessington.

— Ils sont diablement chatouilleux sur la moralité dans cette région. Donnez-leur des crises, Heatherlegh, avec mes amitiés. Maintenant, laissez-moi dormir encore un peu.

Alors les deux parties de mon être se rejoignirent et ne resta que moi, à demi fou et possédé du diable, qui m'agitais dans le lit en retraçant pas à pas l'histoire du mois écoulé.

— Mais je suis à Simla, ne cessais-je de me répéter, moi, Jack Pansay, et il n'y a pas de fantômes ici. Ce n'est pas raisonnable de la part de cette femme de faire comme s'il y en avait. Pourquoi Agnes n'aurait-elle pu me laisser tranquille ? Je ne lui ai jamais fait aucun mal. Ç'aurait pu être moi tout aussi bien qu'Agnes. Seulement moi, je ne serais jamais revenu exprès pour la tuer, elle. Pourquoi ne peut-on me laisser tranquille, tranquille et heureux ?

Il était plus de midi lorsque je m'étais réveillé et le soleil était bas dans le ciel quand je me rendormis, comme dort sur le chevalet de torture le criminel soumis au supplice, trop épuisé pour ressentir davantage la douleur.

Le lendemain, je ne pus quitter mon lit. Le matin, Heatherlegh me dit qu'il avait reçu une réponse de Mr. Mannering et que grâce à son intervention amicale (à lui, Heatherlegh), l'histoire de mes malheurs avait fait le tour de Simla où, de tous côtés, on me plaignait beaucoup.

— Et c'est plutôt plus que vous n'en méritez, conclut-il plaisamment, bien que le Seigneur sache que vous avez traversé une assez rude épreuve. Peu importe, nous parviendrons à vous guérir, espèce de phénomène pervers !

---

7. **criminal** : Pansay semble se reconnaître coupable.
8. **rack** : cf. note 1, p. 148.
9. **travelled through** : comme toujours, à Simla, les nouvelles se répandent vite, d'autant que le docteur les colporte.
10. **length and breadth** : m. à m. *longueur et largeur*.
11. **yet** : Heatherlegh croit encore à la guérison de Pansay.

I declined firmly[1] to be cured. 'You've been much too good to me already, old man,' said I; 'but I don't think I need trouble you further.'

In my heart I knew that nothing Heatherlegh could do would lighten the burden[2] that had been laid upon me.

With that knowledge came also a sense of hopeless, impotent rebellion against the unreasonableness[3] of it all. There were scores[4] of men no better than I whose punishments had at least been reserved for another world; and I felt that it was bitterly, cruelly unfair that I alone should have been singled out for so hideous a fate. This mood would in time give place to another when it seemed that the 'rickshaw and I were the only realities in a world of shadows; that Kitty was a ghost; that Mannering, Heatherlegh, and all the other men and women I knew were all ghosts; and the great grey hills themselves but vain shadows[5] devised to torture me. From mood to mood I tossed backwards and forwards[6] for seven weary days; my body growing daily stronger and stronger[7], until the bedroom looking-glass told me that I had returned to everyday life, and was as other men[8] once more. Curiously enough my face showed no signs of the struggle[9] I had gone through. It was pale indeed, but as expressionless and commonplace as ever. I had expected some permanent alteration —visible evidence[10] of the disease that was eating me away. I found nothing.

---

1. **declined firmly** : la réaction de Pansay est surprenante. Sans doute ne croit-il plus en la possibilité qu'il guérisse, mais son refus peut également cacher un désir d'expiation.

2. **burden** : mot à très forte connotation morale.

3. **unreasonableness** : Pansay tout au long de l'histoire oscille entre raison et déraison.

4. **scores** : cf. **a score** : *vingt, une vingtaine.*

5. **shadows** : on notera la répétition de ce mot ainsi que celle de **ghosts** dont l'effet est renforcé par l'opposition avec le mot **realities**.

6. **backwards and forwards** : *en arrière et en avant.*

Je refusai fermement d'être guéri.

— Vous avez déjà été trop bon pour moi, mon vieux, dis-je ; mais je ne crois pas nécessaire de vous déranger davantage.

Au fond du cœur, je savais que Heatherlegh ne pouvait rien faire pour soulager le fardeau dont j'étais accablé.

Cette certitude s'accompagnait d'un sentiment de révolte désespérée et impuissante contre le côté déraisonnable de toute l'affaire. Il y avait quantité d'hommes guère plus valables que moi dont les châtiments avaient au moins été réservés pour un autre monde ; et je trouvais amèrement, cruellement injuste que moi seul ai été choisi pour un destin aussi horrible. Cet état d'esprit cédait parfois la place à un autre où il me semblait que le pousse-pousse et moi étions les seules réalités dans un monde d'ombres, que Kitty était un fantôme, que Mannering, Heatherlegh et les autres hommes et femmes de ma connaissance étaient tous des fantômes, et que les grandes collines grises elles-mêmes n'étaient que des ombres illusoires, conçues pour me torturer. Pendant sept jours épuisants, je passai sans cesse d'une disposition d'esprit à l'autre ; mon corps reprenait quotidiennement des forces jusqu'à ce que le miroir de la chambre me dise que j'étais revenu à la vie ordinaire et redevenu semblable au commun des mortels. Assez curieusement, mon visage ne portait aucun signe de la lutte que j'avais vécue. Il était pâle, certes, mais aussi inexpressif et banal que jamais. Je m'étais attendu à quelque altération permanente, preuve visible de la maladie qui me rongeait. Je ne découvris rien de tel.

7. **stronger and stronger :** la guérison physique progresse en dépit du désordre psychologique décrit.

8. **as other men :** la comparaison ne concerne évidemment que le physique.

9. **struggle :** la lutte évoquée concerne les deux dispositions d'esprit par lesquelles Pansay nous a dit passer alternativement.

10. **evidence :** ici faux ami : *témoignage, preuve*.

On the 15th of May I left Heatherlegh's house at eleven o'clock[1] in the morning; and the instinct of the bachelor[2] drove me to the Club. There I found that every man knew[3] my story as told by Heatherlegh, and was, in clumsy fashion, abnormally kind and attentive. Nevertheless I recognized that for the rest of my natural life I should be among but not of my fellows[4]; and I envied very bitterly indeed the laughing coolies[5] on the Mall below. I lunched at the Club, and at four o'clock wandered aimlessly down the Mall in the vague hope of meeting Kitty. Close to the Bandstand the black-and-white liveries joined me; and I heard Mrs. Wessington's[6] old appeal at my side. I had been expecting this ever since I came out, and was only surprised at her delay. The phantom 'rickshaw and I went side by side[7] along the Chota Simla road in silence. Close to the bazar, Kitty and a man on horseback overtook and passed us. For any sign she gave I might have been a dog in the road. She did not even pay me the compliment of quickening her pace, though the rainy afternoon might have served for excuse.

So Kitty and her companion, and I and my ghostly Light-o'-Love, crept round Jakko in couples[8]. The road was streaming with water; the pines dripped like roof-pipes on the rocks below, and the air was full of fine driving rain. Two or three times I found myself saying to myself almost aloud: 'I'm Jack Pansay on leave at Simla —*at Simla!*

---

1. **eleven o'clock** : Pansay devient de plus en plus précis.

2. **the bachelor** : ce terme est comme la confirmation de la rupture définitive des fiançailles de Pansay et de Kitty et le retour à une vie de célibataire.

3. **every man knew** : nouvelle allusion à la rapidité et à l'efficacité avec laquelle les rumeurs se répandent dans Simla.

4. **among but not of my fellows** : un certain pathétique se dégage de cette remarque dans laquelle perce chez Pansay un sentiment d'isolement.

5. **the laughing coolies** : de manière détournée, Pansay nous fait comprendre qu'il ne peut et que sans doute il ne pourra plus jamais rire.

Le 15 mai, je quittai la maison de Heatherlegh à 11 heures du matin et l'instinct du célibataire me conduisit au Club. Là, je m'aperçus que tout le monde connaissait mon histoire, telle que l'avait racontée Heatherlegh, et se montrait maladroitement et anormalement gentil et attentionné. Néanmoins, je compris que pour le reste de ma vie sur terre, je serais parmi mes semblables mais non des leurs, et j'enviai très amèrement en vérité les coolies qui riaient en bas sur le Mall. Je déjeunai au Club et à 4 heures, j'allai me promener sans but sur le Mall avec le vague espoir de rencontrer Kitty. Près du kiosque à musique, les livrées noir et blanc me rejoignirent et j'entendis la vieille supplique de Mrs. Wessington à mes côtés. Je m'y attendais depuis que j'étais sorti et fus seulement surpris de son retard. Le pousse-pousse fantôme et moi descendîmes en silence côte à côte la route de Chota Simla. Près du bazar, Kitty et un homme à cheval nous rejoignirent et nous dépassèrent. À voir la façon dont elle m'ignora, j'aurais pu être un chien sur la route. Elle ne me fit même pas le compliment d'accélérer l'allure bien que l'après-midi pluvieux eût pu lui servir d'excuse.

Kitty et son compagnon d'un côté, moi et ma bien-aimée fantôme de l'autre, nous fîmes ainsi le tour du Jakko deux par deux. La route ruisselait d'eau ; des gouttes tombaient des pins, comme d'une gouttière, sur les rochers en contrebas et l'air était empli d'une fine pluie battante. Deux ou trois fois, je me surpris à me dire presque à haute voix : "Je suis Jack Pansay en permission à Simla — à *Simla !*

---

6. **Mrs. Wessington** : l'espoir qu'avait Pansay de rencontrer Kitty semble avoir déclenché l'apparition du pousse-pousse et de son occupante.

7. **side by side** : les choses se passent à présent presque naturellement et Pansay ne s'étonne plus de rien.

8. **in couples** : aucune différence entre le couple formé par Mrs. Wessington et Pansay et celui de Kitty et son ami.

Everyday, ordinary Simla. I mustn't forget that[1] —I mustn't forget that.' Then I would try to recollect[2] some of the gossip I had heard at the Club: the prices of So-and-So's horses —anything, in fact, that related to the workaday Anglo-Indian world I knew so well. I even repeated the multiplication-table rapidly to myself, to make quite sure that I was not taking leave[3] of my senses. It gave me much comfort, and must have prevented my hearing[4] Mrs. Wessington for a time.

Once more I wearily[5] climbed the Convent slope and entered the level road. Here Kitty and the man, started off at a canter, and I was left alone with Mrs. Wessington. 'Agnes[6],' said I, 'will you put back your hood and tell me what it all means?' The hood dropped noiselessly, and I was face to face[7] with my dead and buried mistress. She was wearing[8] the dress in which I had last seen her alive; carried the same tiny handkerchief in her right hand, and the same card-case in her left. (A woman nine months dead with a card-case!) I had to pin myself down to the multiplication-table, and to set both hands on the stone parapet of the road, to assure myself that that at least was real[9].

'Agnes,' I repeated, 'for pity's sake tell me what it all means.' Mrs. Wessington leaned forward, with that odd, quick turn of the head I used to know so well, and spoke.

---

1. **I mustn't forget that**: Kipling a de nouveau recours ici à la répétition pour faire sentir l'état de perturbation dans lequel se trouve Pansay.

2. **to recollect**: Pansay essaie par tous les moyens de se raccrocher à une forme de réalité.

3. **to take leave**: *prendre congé*; cf. **leave**: *permission, congé*.

4. **to prevent my hearing**: remarquer la construction. Autre construction possible: **to prevent me from hearing**.

5. **wearily**: l'adverbe exprime la profonde lassitude tant physique que morale de Pansay.

6. **Agnes**: parler avec Mrs. Wessington, l'appeler par son prénom, signe d'intimité certaine, semble tout naturel à Pansay.

La Simla ordinaire, de tous les jours. Il ne faut pas que je l'oublie. Il ne faut pas que je l'oublie." Puis j'essayai de me rappeler quelques-uns des potins entendus au Club : le prix des chevaux d'Untel, tout ce qui, en fait, se rapportait au monde anglo-indien de tous les jours que je connaissais si bien. Je me récitai même rapidement la table de multiplication pour m'assurer que je n'étais pas en train de perdre la tête. Cela me procura un grand réconfort et dut m'empêcher pendant un moment d'entendre Mrs. Wessington.

Une fois de plus, je grimpai péniblement la côte du couvent et m'engageai sur la route plate. Là, Kitty et l'homme qui l'accompagnait partir et au petit galop et je restai seul avec Mrs. Wessington. "Agnes", dis-je, "voulez-vous rabattre la capote et me dire ce que tout cela signifie ?" La capote retomba sans bruit et je me trouvai face à face[7] avec ma maîtresse morte et enterrée. Elle portait la robe dans laquelle je l'avais vue vivante pour la dernière fois ; elle tenait dans la main droite le même petit mouchoir et dans la main gauche le même porte-cartes[8] (une femme morte depuis neuf mois avec un porte-cartes !). Je dus fixer mon attention sur la table de multiplication et poser les deux mains sur le parapet de pierre de la route pour m'assurer que lui au moins était réel[9].

— Agnes, répétai-je, dites-moi par pitié ce que tout cela signifie.

Mrs. Wessington se pencha en avant, avec ce mouvement de tête rapide et étrange que je connaissais jadis si bien, et parla.

---

7. **face to face** : l'expression est forte compte tenu qu'il s'agit d'un fantôme.

8. **she was wearing** : la description de Mrs. Wessington ressemble à celles que Pansay a pu faire auparavant, mais par sa précision, elle renforce l'impression d'étrangeté.

9. **real** : il y a là quelque chose de contradictoire puisque Pansay a parlé à Mrs. Wessington, comme s'il considérait qu'elle était réelle.

If my story had not already so madly over-leaped the bounds of all human belief I should apologize to you now. As I know that no one —no, not even Kitty, for whom it is written as some sort of justification[1] of my conduct— will believe me, I will go on[2]. Mrs. Wessington spoke, and I walked with her from the Sanjaolie road to the turning below the Commander-in-Chief's house as I might walk by the side of any living woman's 'rickshaw, deep in conversation. The second and most tormenting of my moods of sickness had suddenly laid hold upon me, and, like the Prince in Tennyson's poem[3], 'I seemed to move among a world of ghosts.' There had been a garden-party at the Commander-in-Chief's, and we two joined the crowd of homeward-bound folk. As I saw them it seemed that *they* were the shadows —impalpable fantastic shadows[4]— that divided for Mrs. Wessington's 'rickshaw to pass through. What we said during the course of that weird interview I cannot —indeed, I dare not— tell. Heatherlegh's comment would have been a short laugh[5] and a remark that I had been 'mashing a brain-eye-and-stomach chimera'. It was a ghastly and yet in some indefinable way a marvellously dear[6] experience. Could it be possible, I wondered, that I was in this life to woo a second time the woman I had killed by my own neglect and cruelty?

I met Kitty on the homeward road —a shadow among shadows.

---

1. **justification** : la nécessité qu'il ressent de se justifier aux yeux de Kitty apparaît comme illusoire compte tenu du caractère de la jeune fille.

2. **I will go on** : si Pansay continue son récit alors qu'il est persuadé que personne n'en croira rien, c'est sans doute que, comme lui a suggéré le narrateur au début de la nouvelle, il cherche par-là à soulager son esprit (cf. pp. 220-221).

3. **the Prince in Tennyson's poem** : allusion à un autre poème de Tennyson, **The Princess**, dont il cite un vers (avec une petite inexactitude, puisqu'il remplace **among** par **amid**).

Si mon histoire n'avait pas déjà franchi de manière si insensée les bornes de toute croyance humaine, je devrais maintenant vous présenter mes excuses. Comme je sais que personne — non, pas même Kitty pour qui ces lignes sont écrites comme une sorte de justification de ma conduite — ne me croira, je poursuivrai. Mrs. Wessington parla et j'avançai avec elle de la route de Sanjowlie jusqu'au tournant en contrebas de la maison du commandant en chef, comme je pourrais avancer à côté du pousse-pousse de n'importe quelle femme vivante, en pleine conversation. Le second et le plus douloureux de mes états morbides s'était brusquement emparé de moi et comme le Prince du poème de Tennyson, ''il me semblait avancer dans un monde de fantômes''. Une garden-party venait d'avoir lieu chez le commandant en chef et nous nous joignîmes tous les deux à la foule des gens qui rentraient chez eux. À les voir, il me semblait que c'étaient eux les ombres, ombres fantastiques et impalpables, qui s'écartaient pour laisser passer le pousse-pousse de Mrs. Wessington. Ce que nous nous sommes dit au cours de cet étrange entretien, je ne peux pas, à vrai dire je n'ose pas, le répéter. Pour tout commentaire, Heatherlegh aurait eu un rire bref et émis l'idée que j'avais ''fait la cour à une chimère née du cerveau, des yeux et de l'estomac''. Ce fut une expérience effrayante et, d'une certaine manière indéfinissable, merveilleusement précieuse. Était-il possible, me demandai-je, que je dusse ici-bas courtiser une seconde fois la femme que ma négligence et ma cruauté avaient tuée ?

Je rencontrai Kitty sur la route du retour, ombre parmi les ombres.

---

4. **shadows**: mot clef de tout ce passage où à nouveau les frontières entre le monde réel et le monde surnaturel sont ténues.

5. **a short laugh**: la distance qui sépare Heatherlegh et Pansay est à présent trop grande pour que celui-ci puisse envisager d'être compris.

6. **marvellously dear**: ces deux mots montrent que Pansay a opté pour le monde du surnaturel qui ne l'effraie plus.

If I were to describe all the incidents of the next fortnight in their order, my story would never come to an end, and your patience would be exhausted. Morning after morning and evening after evening[1] the ghostly 'rickshaw and I used to wander through Simla together. Wherever I went there the four black-and-white liveries followed me and bore me company to and from my hotel[2]. At the Theatre I found them amid the crowd of yelling *jhampanis*; outside the Club veranda, after a long evening of whist; at the Birthday Ball, waiting[3] patiently for my reappearance; and in broad daylight when I went calling. Save that it cast no shadow[4], the 'rickshaw was in every respect as real[5] to look upon as one of wood and iron. More than once[6], indeed, I have had to check myself from warning some hard-riding friend against cantering over it. More than once I have walked down the Mall deep in conversation with Mrs. Wessington, to the unspeakable amazement of the passers-by.

Before I had been out and about a week I learned that the 'fit' theory[7] had been discarded in favour of insanity[8]. However, I made no change in my mode of life. I called, rode, and dined out as freely as ever. I had a passion for the society[9] of my kind which I had never felt before. I hungered to be among the realities of life; and at the same time I felt vaguely unhappy when I had been separated too long from my ghostly[10] companion.

---

1. **evening** : les habitudes sont prises, en quelque sorte, comme dans le monde réel.

2. **to and from my hotel** : m. à m. *jusqu'à et en venant de mon hôtel*.

3. **waiting** : mot qui a souvent qualifié l'apparition qui attendait toujours Pansay.

4. **no shadow** : Kipling joue abondamment sur le terme **shadow**, ici employé dans le sens d'ombre portée.

5. **as real** : toujours la même incertitude sur ce qui est réel et ce qui ne l'est pas...

6. **more than once** : les promenades avec le pousse-pousse fantôme sont devenues un rituel, comme toutes les promenades de Simla.

Si je devais décrire dans l'ordre tous les incidents de la quinzaine suivante, mon histoire ne se terminerait jamais et votre patience s'épuiserait. Matin après matin et soir après soir, le pousse-pousse fantôme et moi traversions ensemble Simla. Quel que fût l'endroit de la ville où je me rendais, les quatre livrées noir et blanc me suivaient et me tenaient compagnie au départ de l'hôtel et jusqu'à mon retour. Au théâtre, je les trouvais parmi la foule hurlante des *jhampanis*, devant la véranda du Club après une longue soirée de whist, au bal anniversaire, attendant patiemment ma réapparition, et en plein jour quand j'allais rendre des visites. Hormis le fait qu'il ne faisait pas d'ombre, le pousse-pousse était à tous égards d'apparence aussi réelle qu'un pousse-pousse en bois et en fer. Plus d'une fois vraiment, j'ai dû me retenir d'empêcher quelque ami arrivant au galop de lui passer dessus. Plus d'une fois, j'ai descendu le Mall en pleine conversation avec Mrs. Wessington, à l'indicible étonnement des passants.

Moins d'une semaine après avoir recommencé à sortir, j'appris que la théorie des ''crises'' avait été rejetée au profit de celle de la démence. Cependant, je ne modifiai aucunement mon mode de vie. Je faisais des visites, je me promenais à cheval et j'allais dîner en ville aussi librement que jamais. Je ressentais comme à aucun moment auparavant un vif désir d'être en compagnie de mes semblables. J'aspirais à me trouver au milieu des réalités de la vie ; et dans le même temps, je me sentais vaguement malheureux si j'étais resté trop longtemps séparé de ma compagne fantôme.

---

7. **the "fit" theory** : cf. pp. 270-271.

8. **insanity** : cette interprétation ne semble pas gêner Pansay.

9. **society** : ce besoin de société provient sans nul doute de son isolement et de sa coupure avec le monde réel.

10. **ghostly** : Pansay se situe à mi-chemin entre deux mondes.

It would be almost impossible to describe my varying moods from the 15th of May up to to-day.

The presence of the 'rickshaw filled me by turns with horror, blind fear, a dim sort of pleasure, and utter despair[1]. I dared not leave[2] Simla; though I knew that my stay there was killing me. I knew, moreover, that it was my destiny to die[3] slowly and a little every day. My only anxiety was to get the penance[4] over as quietly as might be. Alternately I hungered for a sight of Kitty, and watched her outrageous flirtations[5] with my successor —to speak more accurately, my successors— with amused interest. She was as much out of my life as I was out of hers. By day I wandered with Mrs. Wessington almost content. By night[6] I implored Heaven to let me return to the world as I used to know it. Above all these varying moods lay the sensation of dull, numbing wonder that the seen and the Unseen should mingle so strangely[7] on this earth to hound one poor soul to its grave.

★

August 27[8]. —Heatherlegh has been indefatigable in his attendance on me; and only yesterday told me that I ought to send in an application for sick leave. An application to escape the company of a phantom! A request that the Government would graciously permit me to get rid of five ghosts[9] and an airy 'rickshaw by going to England!

---

1. **despair :** les sentiments complexes éprouvés tour à tour par Pansay sont résumés dans ces deux lignes.

2. **leave :** Pansay est devenu prisonnier, ou peut-être esclave, du fantôme de Mrs. Wessington.

3. **to die :** la mort n'a pas cessé de hanter et de fasciner Pansay.

4. **penance :** la nécessité d'expier transparaît dans ce mot et révèle clairement que Pansay se sent, se sait coupable.

5. **outrageous flirtations :** le personnage de Kitty n'est décidément pas très sympathique et les termes qu'utilise Pansay à son propos ne confirment guère le désir qu'il dit éprouver de la revoir.

Il serait quasiment impossible de décrire mes différents états d'âme entre le 15 mai et aujourd'hui.

La présence du pousse-pousse me remplissait tour à tour d'horreur, de frayeur aveugle, d'une sorte de plaisir vague et de désespoir total. Je n'osais pas quitter Simla, tout en sachant que d'y séjourner me tuait. Je savais en outre que c'était mon destin de mourir lentement, un peu tous les jours. Ma seule angoisse était d'en finir avec mon châtiment aussi tranquillement que possible. À d'autres moments, je désirais ardemment voir Kitty et j'observais avec un intérêt amusé ses flirts extravagants avec mon successeur, ou plus exactement mes successeurs. Elle était sortie de ma vie tout autant que moi de la sienne. Dans la journée, je me promenais avec Mrs. Wessington, presque satisfait. La nuit, j'implorais le Ciel de me laisser retourner dans le monde tel que je l'avais connu. Par-delà toutes ces humeurs changeantes, se faisait sentir l'étonnement morne et engourdissant que le visible et l'invisible pussent se mêler si étrangement sur cette terre pour traquer une âme malheureuse jusqu'à sa tombe.

27 août. Heatherlegh m'a soigné inlassablement et m'a dit seulement hier que je devais envoyer une demande de congé de maladie. Une demande pour échapper à la compagnie d'un fantôme ! Une requête pour que le gouvernement veuille aimablement me permettre de me débarrasser de cinq fantômes et d'un pousse-pousse impalpable en allant en Angleterre !

---

6. **by day... by night** : l'alternance des sentiments que décrit Pansay indique qu'il est toujours partagé.

7. **so strangely** : à travers cet adverbe perce la propre fascination de Kipling pour l'invisible, le surnaturel.

8. **August 27** : annonce la dernière partie du récit.

9. **five ghosts** : il s'agit de Mrs. Wessington et des quatre jhampanis dont Pansay imagine mal de se séparer.

Heatherlegh's proposition moved me to almost hysterical laughter. I told him that I should await the end quietly[1] at Simla; and I am sure that the end is not far off. Believe me that I dread its advent more than any word can say; and I torture myself[2] nightly with a thousand speculations as to the manner of my death.

Shall I die[3] in my bed decently and as an English gentleman[4] should die; or, in one last walk on the Mall, will my soul be wrenched from me to take its place for ever and ever by the side of that ghastly phantasm? Shall I return to my old lost allegiance in the next world, or shall I meet Agnes loathing her and bound[5] to her side through all eternity? Shall we two hover over the scene of our lives till the end of Time? As the day of my death draws nearer, the intense horror that all living flesh feels toward escaped spirits from beyond the grave grows more and more powerful. It is an awful thing to go down quick among the dead with scarcely one-half of your life completed. It is a thousand times more awful to wait as I do in your midst, for I know not what unimaginable terror[6]. Pity me, at least on the score of my 'delusion', for I know you will never believe what I have written here. Yet as surely as ever a man was done to death by the Powers of Darkness, I am that man.

In justice, too, pity her[7]. For as surely as ever woman was killed by man, I killed Mrs. Wessington. And the last portion of my punishment is even now upon me.

---

1. **quietly**: Pansay semble avoir acquis une certaine sérénité, que contredit cependant l'utilisation de l'adjectif **hysterical** juste avant.

2. **I torture myself**: est-ce une forme masochiste d'expiation?

3. **Shall I die**: une longue série de questions commence ici, en illustration des spéculations évoquées. Elles expriment l'incertitude de Pansay sur son sort.

4. **gentleman**: symbole d'une respectabilité que Pansay a depuis longtemps perdue.

5. **bound**: le mot, qui fait écho à **allegiance**, révèle l'attachement inéluctable et indestructible qui unit Pansay à Mrs. Wessington.

La proposition de Heatherlegh m'a bouleversé au point de me faire rire de manière quasi hystérique. Je lui ai dit que j'attendrais tranquillement la fin à Simla ; et je suis convaincu que la fin n'est pas loin. Croyez-moi, je redoute qu'elle survienne plus que tous les mots peuvent le dire, et je me torture la nuit en imaginant les mille façons dont je pourrais mourir.

Mourrai-je dans mon lit décemment et comme il se doit pour un gentleman anglais ? Ou bien lors d'une dernière promenade sur le Mall, mon âme me sera-t-elle arrachée pour prendre place à tout jamais aux côtés de cette chimère épouvantable ? Retournerai-je dans l'autre monde à mon ancienne allégeance perdue ou retrouverai-je Agnes, empli de haine à son égard et lié à elle pour l'éternité ? Hanterons-nous ensemble jusqu'à la fin des temps les lieux de notre vie passée ? Alors que ma mort approche de jour en jour, s'intensifie l'horreur profonde que ressent tout être vivant à l'égard des esprits échappés du tombeau. Il est effroyable de descendre vivant parmi les morts, à peine achevée la moitié de son existence. Il est mille fois plus effroyable d'attendre comme je le fais parmi vous je ne sais quelle terreur inimaginable. Ayez pitié de moi, ne serait-ce qu'en raison de mon ''hallucination'', car je sais que vous ne croirez jamais ce que j'ai écrit ici. Cependant, si jamais homme fut frappé à mort par les Puissances des Ténèbres, je suis cet homme-là.

En toute justice, ayez également pitié d'elle. Car si jamais femme fut tuée par un homme, j'ai tué Mrs. Wessington. Et à l'instant même je subis la dernière phase de mon châtiment.

---

6. **terror** : l'angoisse de Pansay est manifeste dans tout ce passage (cf. **horror, awful**, utilisés un peu plus haut).

7. **pity me... pity her** : Pansay termine son récit, ou plutôt sa confession, par un appel au lecteur où il reconnaît sans ambiguïté sa culpabilité.

Composition réalisée par COMPOFAC - PARIS

IMPRIMÉ EN FRANCE PAR BRODARD ET TAUPIN
Usine de La Flèche (Sarthe).
LIBRAIRIE GÉNÉRALE FRANÇAISE - 6, rue Pierre-Sarrazin - 75006 Paris.

ISBN : 2 - 253 - 05081 - 4 ✦ 30/8725/1